A marca FSC® é a garantia de que a madeira utilizada na fabricação do papel deste livro provém de florestas que foram gerenciadas de maneira ambientalmente correta, socialmente justa e economicamente viável, além de outras fontes de origem controlada.

os velhos marinheiros
ou o capitão-de-longo-curso

O país do Carnaval, 1931
Cacau, 1933
Suor, 1934
Jubiabá, 1935
Mar morto, 1936
Capitães da Areia, 1937
ABC de Castro Alves, 1941
O Cavaleiro da Esperança, 1942
Terras do sem-fim, 1943
São Jorge dos Ilhéus, 1944
Bahia de Todos-os-Santos, 1945
Seara vermelha, 1946
O amor do soldado, 1947
Os subterrâneos da liberdade
    Os ásperos tempos, 1954
    Agonia da noite, 1954
    A luz no túnel, 1954
Gabriela, cravo e canela, 1958
De como o mulato Porciúncula descarregou seu defunto, 1959
Os velhos marinheiros ou O capitão-de-longo-curso, 1961
A morte e a morte de Quincas Berro Dágua, 1961
O compadre de Ogum, 1964
Os pastores da noite, 1964
A ratinha branca de Pé-de-vento e A bagagem de Otália, 1964
As mortes e o triunfo de Rosalinda, 1965
Dona Flor e seus dois maridos, 1966
Tenda dos Milagres, 1969
Tereza Batista cansada de guerra, 1972
O gato malhado e a andorinha Sinhá, 1976
Tieta do Agreste, 1977
Farda, fardão, camisola de dormir, 1979
O milagre dos pássaros, 1979
O menino grapiúna, 1981
A bola e o goleiro, 1984
Tocaia Grande, 1984
O sumiço da santa, 1988
Navegação de cabotagem, 1992
A descoberta da América pelos turcos, 1992
Hora da Guerra, 2008
Toda a saudade do mundo, 2012
Com o mar por meio: Uma amizade em cartas (com José Saramago), 2017

os velhos marinheiros ou o capitão-de-longo-curso

JORGE AMADO

Posfácio de Fábio Lucas

1ª reimpressão

COMPANHIA DAS LETRAS

1ª edição, Livraria Martins Editora, São Paulo, 1961

Consultoria da coleção Ilana Seltzer Goldstein

Projeto gráfico Kiko Farkas e Elisa Cardoso/ Máquina Estúdio

Imagens de capa © Marcel Gautherot/ Acervo Instituto Moreira Salles (capa); © Luiza Chiodi/ Companhia Fabril Mascarenhas (chita); © Zélia Gattai Amado / Acervo Fundação Casa de Jorge Amado (orelha).
Todos os esforços foram feitos para determinar a origem das imagens deste livro. Nem sempre isso foi possível. Teremos prazer em creditar as fontes, caso se manifestem.

Pesquisa iconográfica do encarte Carmen Azevedo/ Reminiscências

Cronologia Ilana Seltzer Goldstein e Carla Delgado de Souza

Preparação Leny Cordeiro

Revisão Ana Maria Barbosa e Valquíria Della Pozza

Dados Internacionais de Catalogação na Publicação (CIP)
(Câmara Brasileira do Livro, SP, Brasil)

Amado, Jorge, 1912-2001.
Os velhos marinheiros ou O capitão-de-logo-curso / Jorge Amado ; posfácio de Fábio Lucas. — 1ª ed. — São Paulo : Companhia das Letras, 2009.

ISBN 978-85-359-1407-8

1. Ficção brasileira I. Lucas, Fábio. II. Título. III. Título : O capitão-de longo-curso

09-00683 CDD-869.93

Índice para catálogo sistemático:
1. Ficção: Literatura brasileira 869.93

Diagramação Spress
Papel Pólen Soft, Suzano S.A.
Impressão e acabamento Lis Gráfica

[2021]

EDITORA SCHWARCZ S.A.
Rua Bandeira Paulista, 702, cj. 32
04532-002 — São Paulo — SP
Telefone (11) 3707 3500
www.companhiadasletras.com.br
www.blogdacompanhia.com.br
facebook.com/companhiadasletras
instagram.com/companhiadasletras
twitter.com/cialetras

Para Zélia, com sua marinheiraria e sua vara de pesca.
Para Joelson, tranqüilo irmão de literatos.

Para Dóris e Paulo Loureiro, em seu mar de Maria
Farinha, o vento terral derrubando coqueiros.

✲

Lançado originalmente em 1961 no volume *Os velhos marinheiros*, que incluía a novela *A morte e a morte de Quincas Berro Dágua*, este romance passou a ser publicado separadamente alguns anos depois, com os dois títulos que o consagraram.

☼

Mas, dele mesmo, não sabem
e nem nunca saberão,
pois ele nunca viveu,
não era sim, era não,
como essas coisas que existem
dentro da imaginação.
Quem puder que invente outro.
(Carlos Pena Filho, "Episódio sinistro")

Reuniram-se em congresso todos os ventos do mundo.
(Joaquim Cardozo, "Congresso dos ventos")

OS VELHOS MARINHEIROS

OU

A COMPLETA VERDADE SOBRE AS DISCUTIDAS AVENTURAS DO COMANDANTE VASCO MOSCOSO DE ARAGÃO, CAPITÃO-DE-LONGO-CURSO

PRIMEIRO EPISÓDIO

DA CHEGADA DO COMANDANTE
AO SUBÚRBIO DE PERIPERI, NA BAHIA,
DO RELATO DE SUAS
MAIS FAMOSAS AVENTURAS
NOS CINCO OCEANOS, EM MARES E
PORTOS LONGÍNQUOS,

COM

RUDES MARINHEIROS E
MULHERES APAIXONADAS

E

DA INFLUÊNCIA DO CRONÓGRAFO E
DO TELESCÓPIO SOBRE
A PACATA COMUNIDADE SUBURBANA

DE COMO O NARRADOR, COM CERTA EXPERIÊNCIA ANTERIOR E AGRADÁVEL, DISPÕE-SE A RETIRAR A VERDADE DO FUNDO DO POÇO

MINHA INTENÇÃO, MINHA ÚNICA intenção, acreditem!, é apenas restabelecer a verdade. A verdade completa, de tal maneira que nenhuma dúvida persista em torno do comandante Vasco Moscoso de Aragão e de suas extraordinárias aventuras.

"A verdade está no fundo de um poço", li certa vez, não me lembro mais se num livro ou num artigo de jornal. Em todo caso, em letra de fôrma, e como duvidar de afirmação impressa? Eu, pelo menos, não costumo discutir, muito menos negar, a literatura e o jornalismo. E, como se isso não bastasse, várias pessoas gradas repetiram-me a frase, não deixando sequer margem para um erro de revisão a retirar a verdade do poço, a situá-la em melhor abrigo: paço ("a verdade está no paço real") ou colo ("a verdade se esconde no colo das mulheres belas"), pólo ("a verdade fugiu para o Pólo Norte") ou povo ("a verdade está com o povo"). Frases, todas elas, parece-me, menos grosseiras, mais elegantes, sem deixar essa obscura sensação de abandono e frio inerente à palavra "poço".

O meritíssimo dr. Siqueira, juiz aposentado, respeitável e probo cidadão, de lustrosa e erudita careca, explicou-me tratar-se de um lugar-comum, ou seja, coisa tão clara e sabida a ponto de transformar-se num provérbio, num dito de todo mundo. Com sua voz grave, de inapelável sentença, acrescentou curioso detalhe: não só a verdade está no fundo de um poço, mas lá se encontra inteiramente nua, sem nenhum véu a cobrir-lhe o corpo, sequer as partes vergonhosas. No fundo do poço e nua.

O dr. Alberto Siqueira é o cimo, o ponto culminante da cultura nesse subúrbio de Periperi onde habitamos. É ele quem pronuncia o discurso do Dois de Julho na pequena praça e o de Sete de Setembro no grupo escolar, sem falar noutras datas menores e em brindes de aniversário e batizado. Ao juiz devo muito do pouco que sei, a essas conversas noturnas no passeio de sua casa; devo-lhe respeito e gratidão. Quando ele, com a voz solene e o gesto preciso, esclarece-me uma dúvida, naquele momento tudo parece-me claro e fácil, nenhuma objeção me assalta. Depois que o deixo, porém, e ponho-me a pensar no assunto, vão-se a facilidade e a evidência, como, por exemplo, nesse caso da verdade. Volta tudo a ser obscuro e difícil, busco recordar as explicações do meritíssimo e não consigo. Uma trapalhada. Mas, como duvidar da palavra de homem de tanto saber, as estantes entulhadas de livros, códigos e tratados? No entanto, por mais que ele me explique tratar-se apenas de um provérbio popular, muitas vezes encontro-me a pensar nesse poço, certamente profundo e escuro, onde foi a verdade esconder sua nudez, deixando-nos na maior das confusões, a discutir a propósito de um tudo ou de um nada, causando-nos a ruína, o desespero e a guerra.

Poço não é poço, fundo de um poço não é o fundo de um poço, na voz do provérbio isso significa que a verdade é difícil de revelar-se, sua nudez não se exibe na praça pública ao alcance de qualquer mortal. Mas é o nosso dever, de todos nós, procurar a verdade de cada fato, mergulhar na escuridão do poço até encontrar sua luz divina.

"Luz divina", é do juiz, como aliás todo o parágrafo anterior. Ele é tão culto que fala em tom de discurso, gastando palavras bonitas, mesmo nas conversas familiares com sua digníssima esposa, dona Ernestina. "A verdade é o farol que ilumina minha vida", costuma repetir-se o meritíssimo, de dedo em riste, quando, à noite, sob um céu de incontáveis estrelas e pouca luz elétrica, conversamos sobre as novidades do mundo e de nosso subúrbio. Dona Ernestina, gordíssima, lustrosa de suor e um tanto quanto débil mental, concorda balançando a cabeça de elefante. Um farol de luz poderosa, iluminando longe, eis a verdade do nobre juiz de direito aposentado.

Talvez por isso mesmo sua luz não penetre nos escaninhos mais próximos, nas ruas de canto, no escondido beco das Três Borboletas onde se abriga, na discreta meia-sombra de uma casinha entre árvores, a formosa e risonha mulata Dondoca, cujos pais procuraram o meritíssimo quando Zé Canjiquinha desapareceu da circulação, viajando para o sul.

Passara Dondoca nos peitos, na frase pitoresca do velho Pedro Torresmo, pai aflito, e largara a menina ali, sem honra e sem dinheiro:

— No miserê, doutor juiz, no miserê...

O juiz deitou discurso moral, coisa digna de ouvir-se, prometeu providências. E, à vista do tocante quadro da vítima a sorrir entre lágrimas, afrouxou um dinheirinho, pois, sob o peito duro da camisa engomada do magistrado, pulsa, por mais difícil que seja acreditar-se, pulsa um bondoso coração. Prometeu expedir ordem de busca e apreensão do "sórdido dom-juan", esquecendo-se, no entusiasmo pela causa da virtude ofendida, de sua condição de aposentado, sem promotor nem delegado às ordens. Interessaria no caso, igualmente, seus amigos da cidade. O "conquistador barato" teria a paga merecida...

E foi ele próprio, tão cônscio é o dr. Siqueira de suas responsabilidades de juiz (embora aposentado), dar notícias das providências à família ofendida e pobre, na moradia distante. Dormia Pedro Torresmo, curando a cachaça da véspera; labutava no quintal, lavando roupa, a magra Eufrásia, mãe da vítima, e a própria cuidava do fogão. Desabrochou um sorriso nos lábios carnudos de Dondoca, tímido mas expressivo, o juiz fitou-a austero, tomou-lhe da mão:

— Venho pra repreendê-la...

— Eu não queria. Foi ele... — choramingou a formosa.

— Muito malfeito — segurava-lhe o braço de carne rija.

Desfez-se ela em lágrimas arrependidas e o juiz, para melhor repreendê-la e aconselhá-la, sentou-a no colo, acariciou-lhe as faces, beliscou-lhe os braços. Admirável quadro: a severidade implacável do magistrado temperada pela bondade compreensiva do homem. Escondeu Dondoca o rosto envergonhado no ombro confortador, seus lábios faziam cócegas inocentes no pescoço ilustre.

Zé Canjiquinha nunca foi encontrado, em compensação Dondoca ficou, desde aquela bem-sucedida visita, sob a proteção da justiça, anda hoje nos trinques, ganhou a casinha no beco das Três Borboletas, Pedro Torresmo deixou definitivamente de trabalhar. Eis aí uma verdade que o farol do juiz não ilumina, foi-me necessário mergulhar no poço para buscá-la. Aliás, para tudo contar, a inteira verdade, devo acrescentar ter sido agradável, deleitoso mergulho, pois no fundo desse poço estava o colchão de lã de barriguda do leito de Dondoca onde ela me conta — depois que abandono, por volta das dez da noite, a prosa erudita do meritíssimo e de sua volumosa consorte — divertidas intimidades do preclaro magistrado, infelizmente impróprias para letra de fôrma.

Possuo, como se comprova, certa experiência no assunto, não é a primeira vez que investigo a verdade. Sinto-me assim, sob a inspiração do juiz — "é dever de todos nós procurar a verdade de cada fato" —, disposto a desenrolar o novelo das aventuras do comandante, esclarecendo de vez e para sempre questão tão discutida e complicada. Não se trata apenas das linhas embaraçadas de um novelo: é bem mais difícil. Pelo meio existem nós cegos, nós de marinheiro, pontas soltas, pedaços cortados, linha de outra cor, coisas acontecidas e coisas imaginadas e onde a verdade de tudo isso? Na época em que tudo sucedeu, há mais de trinta anos passados, em 1929, as aventuras do comandante e ele próprio eram o centro da vida de Periperi, dando lugar a ardentes discussões, dividindo a população, provocando inimizades e rancores, quase uma guerra santa. De um lado os partidários do comandante, seus admiradores incondicionais, de outro lado seus detratores, à frente o velho Chico Pacheco, fiscal do consumo aposentado, ainda hoje memória recordada entre sorrisos, língua de prata, ferina, homem irreverente e cético.

A tudo isso, porém, chegaremos com tempo e paciência, a busca da verdade requer não somente decisão e caráter mas também boa vontade e método. Por ora ainda estou na borda do poço, procurando a melhor forma de descer ao misterioso fundo. E já o velho Chico Pacheco sai de sua cova em remoto cemitério para me atrapalhar, impor sua presença, perturbar-me. Sujeito quiziloso e metediço, com a mania da evidência, amigo de mostrar-se, sua ambição era ser o primeiro desse florido burgo suburbano, onde tudo é doce e manso, mesmo o mar, mar de golfo onde jamais se elevam ondas furiosas, praia sem vagas e sem correntezas, vida pacífica e lenta.

Meu desejo, meu único desejo, acreditem!, é ser objetivo e sereno. Buscar a verdade em meio à polêmica, desenterrá-la do passado, sem tomar partido, arrancando das versões mais diferentes todos os véus da fantasia capazes de encobrir, mesmo em parte, a nudez da verdade. Se bem eu tenha tido ocasião de constatar em carne própria, ou melhor na carne doirada de Dondoca, nem sempre ser mais sedutora a completa nudez do que aquela que se mostra e se esconde sob um lençol ou um trapo qualquer a ocultar um seio, um pedaço de perna, a curva de uma anca. Mas a verdade, afinal!, não é para deitar com ela numa cama que a buscamos com tanta teimosia e desespero por esse mundo afora.

DO DESEMBARQUE DO HERÓI EM PERIPERI E DE SUA INTIMIDADE COM O MAR

— ADIANTE, GRUMETES.

Voz acostumada a ordenar. Fez um gesto com a mão apontando o rumo, desceu os três degraus da plataforma, assumira o controle da travessia, firme pulso ao timão, olhos de bússola.

Formou-se uma espécie de pequeno cortejo a desfilar na rua: à frente, decidido e sereno, o comandante. Uns metros atrás, Caco Podre e Misael, os dois carregadores, com parte da bagagem. Caco Podre àquela hora já bebera seus tragos habituais, seu passo era incerto, não lhe ia de todo mal o tratamento de "grumete" que lhe dera o recém-chegado. Os curiosos vinham logo depois, trocando cochichos, num grupo que crescia, pois a roda do leme, na cabeça de Misael, era um chamariz.

Não entrou em casa. Contentou-se em apontá-la aos carregadores, continuou a caminhar. Dirigiu-se para a praia, andou até os rochedos, parou a medi-los com um olhar de conhecedor, iniciou a escalada. Altos não eram, escarpados tampouco, rampa suave por onde nos dias de verão crianças subiam e desciam, e, à noite, escondiam-se namorados. Mas havia tal dignidade no porte do comandante que todos compreenderam as dificuldades da empresa, como se de súbito os modestos rochedos se houvessem transformado em abrupta muralha de pedras, jamais vencida pelos pés do homem.

Ao chegar ao alto, deixou-se ficar parado, os braços cruzados sobre o peito, a fitar as águas. Assim imóvel, o rosto contra o sol, a cabeleira ao vento (aquela suave e permanente brisa de Periperi), semelhava um soldado em posição de sentido num desfile ou, dada sua imponência, um general em bronze numa estátua. Vestia um estranho paletó, onde havia algo de túnica militar, azul e grosso, de gola ampla. Só Zequinha Curvelo, leitor assíduo de romances de aventuras, adivinhou estar ali, diante deles, em carne e osso, um homem do mar, habituado aos navios e às tempestades. Murmurou sua impressão aos outros, paletó parecido com aquele ilustrava a capa de um romance de aventuras no oceano, história de frágil veleiro em meio a um mar de temporais e sargaços. O marinheiro na capa vestia um paletó assim.

Durou apenas um momento aquela imobilidade mas foi um longo momento, quase eterno, fixando a imagem na memória dos vizinhos. Depois estendeu num gesto longo o braço curto e pronunciou:

— Aqui estamos, oceano, novamente juntos.

Outra vez voltou a cruzar os braços sobre o peito, era uma afirmação e também um desafio. Seu olhar dominava as águas calmas do golfo, onde o mar e o rio se misturavam na acolhedora baía. Ao longe, negros navios ancorados, rápidos saveiros cujas velas brancas pontilhavam o azul sereno da paisagem. Havia, naquele olhar e na postura imóvel, a revelação de antiga intimidade com o oceano, feita de amor e cólera, de histórias vividas, sensível mesmo àqueles corações pacatos, distantes da aventura e do heroísmo. É de justiça excetuar Zequinha Curvelo, pois noutro clima não vivia, devorador de folhetins baratos, às voltas com piratas e pioneiros, de todo preparado para ser o protoprofeta, o são João Batista anunciador do herói desembarcado.

Assim, quando o comandante desceu dos rochedos e penetrou no círculo dos vizinhos, murmurando, como se falasse consigo mesmo, "longe do oceano não posso viver...", penetrou também e definitivamente na admiração de seus novos concidadãos. Parecia, no entanto, não vê-los, não se dar conta de sua presença e curiosidade.

Como se cada gesto obedecesse a um cálculo preciso, primeiro mediu com o olhar a distância a separá-lo da casa próxima e isolada, junto à praia, as janelas abertas sobre as águas. Assentou rumo em direção à porta, iniciou a abordagem. Os vizinhos seguiam atentos seus movimentos, fitavam-no com respeito: a face redonda e avermelhada, a farta cabeleira prateada, o paletó marítimo com brilhantes botões metálicos. Iniciada a marcha, entre eles e o comandante situou-se Zequinha Curvelo: ocupara seu posto.

Os carregadores chegavam com o resto da bagagem, o comandante baixou ordens precisas e categóricas. Malas, camas, armários para os quartos, engradados e caixões depositados na sala.

Só então, terminadas as tarefas, pareceu tomar conhecimento da pequena multidão a contemplá-lo da rua. Sorriu, cumprimentou com a cabeça e pôs a mão sobre o peito num gesto onde havia qualquer coisa de oriental, de exótico. Um coro de "boas-tardes" respondeu à saudação. Zequinha Curvelo, enchendo-se de coragem, avançou um passo em direção à porta.

Retirava o comandante de um dos amplos bolsos do paletó inesperado objeto, parecia um revólver, Zequinha recuou. Não era revólver, que diabo seria? Punha-o na boca o comandante, era um cachimbo, mas não um simples cachimbo — já de si extravagância no pacato arrabalde. De espuma-do-mar, trabalhado: a boquilha representando pernas e coxas nuas de mulher, a pipa moldando-lhe o busto e a cabeça. "Oh!", murmurou Zequinha, perdendo a ação.

Quando a recuperou, ia-se afastando da porta o recém-chegado vizinho. Zequinha apressou-se, ofereceu-lhe os préstimos, não lhe podia ser útil?

— Muito, muito obrigado... — declinou o comandante. Puxou um cartão de visita de uma carteira, estendeu-o a Zequinha, acrescentando: — Um velho marinheiro, às suas ordens.

Viram-no depois, ajudado pelos carregadores, de martelo e chave de fenda, na sala, abrindo caixões. Surgiam instrumentos raros, um óculo enorme, uma bússola. Ainda demoraram os curiosos nas imediações a contemplá-lo. Depois foram espalhar as novas. Zequinha exibia o cartão ornado com uma âncora:

Comandante Vasco Moscoso de Aragão
Capitão-de-longo-curso

Eis como aconteceu sua chegada a Periperi, naquele começo de tarde infinitamente azul, quando, de um golpe, estabeleceu sua reputação e firmou seu conceito.

ONDE SE TRATA DE APOSENTADOS E RETIRADOS DOS NEGÓCIOS, COM MULHERES NA PRAIA E NA CAMA, DONZELAS EM FUGA, RUÍNA E SUICÍDIO, E UM CACHIMBO DE ESPUMA-DO-MAR

UM CLIMA PROPICIATÓRIO, feito de tragédia e de mistério, antecedera o memorável dia do desembarque do comandante, como se o destino estivesse preparando a população para os acontecimentos a vir.

Só de raro em raro um fato inesperado rompe a monotonia dessa vida suburbana. Isso de março a novembro, porque nos três meses de férias, dezembro, janeiro, fevereiro, todos esses arrabaldes da Leste Brasileira, dos quais Periperi é o maior, o mais populoso e o mais belo, enchem-se de veranistas. Muitas das melhores residências ficam fechadas durante quase todo o ano, pertencem a famílias da cidade, abrem-se apenas no verão. Aí então anima-se Periperi, invadido de repente por uma juventude álacre: rapazes a jogar futebol na praia, moças de maiô estendidas ao sol na areia, barcos a cruzar as águas, passeios, piqueniques, festinhas, namoros sob as árvores da praça ou na sombra dos rochedos.

Das recordações desses três meses, dos comentários sobre histórias e fatos do último veraneio, vive a população estável os nove meses seguintes. Rememorando namoros, festas, brigas entre jovens atletas apaixonados e ciumentos, a ameaça de afogamento de uma criança, bailes de aniversário, bebedeiras a perturbar o silêncio da noite.

A população estável (se excetuarmos pescadores e uns poucos comerciantes — donos da única padaria, de uns dois bares, de outros tantos armazéns de secos e molhados, da farmácia —, alguns funcionários da Leste Brasileira nas casas ao lado da estação) é formada de aposentados e retirados dos negócios com suas respectivas famílias, quase sempre apenas a esposa e, por vezes, uma irmã solteirona. Alguns desses idosos personagens afirmam preferir Periperi no seu pacato cotidiano de antes e depois do verão, mas, em verdade, todos eles terminam por envolver-se, de uma ou de outra maneira, na turbulenta agitação do veraneio. Quando não seja, para espiar, com olhos compridos e cobiçosos, os corpos femininos seminus na praia — cada pedaço de mulher! — ou para comentar acidamente os casais de namorados nos cantos escuros. Seu Adriano Meira, retirado do negócio de ferragens, todas as noites, durante o verão, sai depois das nove horas, com uma lanterna elétrica, para, como ele diz, "passar em revista os namorados, ver se estão trabalhando bem". Estabeleceu um roteiro completo dos becos, rochedos e pedras, fundos de quintal, portões e esquinas, onde os namorados buscam a solidão propícia ao amor. No dia seguinte, fornece seu Adriano um relatório circunstanciado e picaresco. Os velhos aposentados esfregam as mãos, os olhos brilham.

Tudo isso serve não apenas durante os meses de verão. Cada fato é recordado depois, longamente analisado e decomposto, quando os veranistas partiram e a paz do mundo desceu sobre Periperi, quando o tempo é longo de passar, e a lanterna de seu Adriano ilumina apenas, nos cantos escuros, as carraspanas de Caco Podre ou encontros de cozinheiras e pescadores.

Existem os verões excepcionais. Não pela beleza dos dias, pelo esplendor maior dos verdes e azuis nas árvores e nas águas, pelas noites de brisa mais fresca e estrelas mais numerosas. Tais coisas importam pouco aos aposentados e retirados dos negócios. Excepcionais são aqueles verões nos quais se registra um bom escândalo, um verdadeiro e ruidoso escândalo, prato capaz de alimentar sozinho as conversas dos meses mortos. Mas sucede tão de longe em longe. Uma tristeza!

Pois bem: o veraneio precedente à chegada do comandante foi de prodigalidade nunca vista. Dois escândalos, um logo nos começos de janeiro, outro após o Carnaval, com trágico desfecho, deram-lhe um lugar à parte no calendário suburbano.

Não se pode estabelecer, de boa-fé, ligação propriamente dita entre o caso do tenente-coronel Ananias Miranda, da Polícia Militar, e o do comandante Vasco Moscoso de Aragão. Mas há uma tendência geral a ligar os dois fatos, como se as desditas de Ananias fossem uma espécie de prólogo às aventuras de Vasco.

Não merecesse a voz do povo o respeito dos historiadores e nem valeria a pena relatar aqui esse incruento escândalo de janeiro. Se bem existam sempre, em cada fato, lições a aprender. Assim, nos ruidosos — e velozes — sucessos a envolver o tenente-coronel, sua esposa Ruth e o jovem terceiranista de direito Arlindo Paiva, encontraremos no mínimo dois ensinamentos valiosos. Primeiro: mesmo as melhores e mais puras intenções podem ser mal interpretadas. Segundo: não se deve confiar nos horários, por mais rígidos, nem sequer nos horários militares.

As intenções referem-se ao estudante, os horários ao brioso oficial da Polícia Militar. A Ruth referia-se a solidão das tardes calorentas, o langor do tempo vazio, a necessidade de consolo moral. Era uma beleza de sumarento amadurecer, olhos de longos cílios melancólicos, aflito corpo ao sol da praia, em queixumes: de que adiantava ter marido se não tinha companhia nas tardes paradas de Periperi? Almoçava às dez da manhã o tenente-coronel, saía correndo para pegar o trem, era rígido o horário em sua corporação. Só quase às sete da noite chegava de volta, metia-se num pijama, jantava, sentava-se à porta, numa espreguiçadeira, a cochilar. Era isso ter marido, homem de sua vida, com obrigações de lhe dar carinho e ternura, de cuidar de seu corpo e de sua alma? — perguntava na praia, lânguida e desolada, Ruth de Morais Miranda, enquanto o sol queimava-lhe o corpo e o abandono roía-lhe a alma.

Tocado pela melancolia da senhora coronela, tão necessitada de assistência moral, de companhia a romper-lhe a dura solidão, o jovem Paiva não vacilou em sacrificar-lhe algumas horas de seus dias cheios de agradáveis afazeres. Abandonou passeios, sensacionais peladas na praia, instrutivas conversas com colegas, e até um futuroso namoro. Generosa conduta de um coração bem formado, digna de todos os louvores. Já que ali, em Periperi, não podia a ansiosa senhora encher suas tardes com sessões de cinema, visitas às amigas, compras na rua Chile, ele colocou seu talento, sua juventude e um bigode inicial e sedutor a serviço daquela desolada aflição.

Por outro lado, conseguiu finalmente o tenente-coronel burlar um dia a rigidez dos horários militares. Iria fazer uma surpresa a sua mulherzinha, eternamente a queixar-se de sua ausência. Quando, ao voltar no começo da noite, queria tomá-la nos braços, ela o repelia, vingativa, ferida em seu orgulho de mulher:

— Me larga aqui o dia todo, como se eu nem existisse...

Comprou um quilo de uvas, fruta da predileção de Ruth. Ela rompia com os dentes os bagos sumarentos. Comprou um queijo, uma lata de marmelada. E, para completar a festa, uma garrafa de vinho português. Tomou o trem das duas e meia da tarde, Ruth estaria solitária e triste, a pobre...

Não estava solitária e triste. Apenas atravessou a soleira da porta, teve o tenente-coronel a primeira surpresa: ao vê-lo, Zefa, a empregada, cuja dedicação ao casal datava de muitos anos, disparou pela porta dos fundos, a pedir socorro. Do quarto de dormir vinham sons alegres, o riso de Ruth e mais outro riso, meu Deus! Com os pacotes dependurados dos dedos, a garrafa de vinho sob o sovaco, Ananias arrombou a porta da alcova com um pontapé. Homem pouco sensível às visões estéticas, não se empolgou com o espetáculo dos corpos jovens e nus nem com a poesia das ternuras trocadas entre o talentoso estudante e a formosa coronela. Não se encheu de admiração, encheu-se de raiva, atrapalhavam-no os embrulhos (havia enfiado os cordões nos dedos), tiravam-lhe parte da dignidade necessária naquele momento. Foi o que salvou o jovem Paiva. Sem se preocupar com as roupas, saltou do leito, abriu a janela, alcançou a rua. Nu como Deus o pôs ao mundo, atravessou a praça cheia de gente, numa velocidade de campeão de corrida. Livre finalmente dos embrulhos, o revólver na mão, o tenente-coronel da Polícia Militar apareceu logo depois a persegui-lo com palavrões e tiros. Pela janela aberta, os curiosos mais audazes ainda puderam ver a desnuda e consolada solidão de Ruth a gritar inocência.

Desapareceu o estudante, escondido pela família ou por amigos. Houve longas explicações a portas fechadas entre o militar e a esposa, malas foram arrumadas e partiram naquela mesma noite, pelo último trem. Iam os dois muito agarradinhos e carinhosos, segundo o testemunho de alguns felizardos que assistiram ao embarque.

Ligar esses fatos ao comandante não parece fácil. No entanto o velho Leminhos, aposentado dos Correios e Telégrafos, a única testemunha viva dos acontecimentos, todas as vezes que recorda a história do capitão-de-longo-curso não deixa de dizer: "As coisas começaram quando um major da Briosa pegou a mulher com um estudante, na cama". Não se sabe por que Leminhos rebaixa o tenente-coronel a major e estabelece uma relação entre os chifres de Ananias e as aventuras do comandante. No entanto a afirmação é categórica, Leminhos é homem de bom conselho, ele há de ter suas razões, compete-nos respeitá-las.

Já o segundo escândalo entrosava-se de forma concreta com o comandante. Certos fatos passaram-se na casa onde ele viria depois habitar e, não fora a tragédia a envolver a família Cordeiro, certamente não teria ele oportunidade de adquiri-la e a preço de ocasião.

Essa família Cordeiro era composta do pai, Pedro Cordeiro, proprietário de uma indústria de bebidas alcoólicas, da mãe e quatro filhas casadoiras. Já estivera Pedro Cordeiro em excelente situação financeira, mas era gastador e imprevidente, a prova estava naquela casa de veraneio, batida sobre sólidos alicerces de pedra, ampla e confortável, quase tão rica quanto sua residência na cidade. Gastara um dinheirão para construí-la, dera festa de arromba ao inaugurá-la. Satisfazia todos os caprichos das filhas, até lancha a motor comprara para elas.

A mãe comandava as meninas na busca de noivos. Era um sem-fim de festinhas na casa de janelas verdes, pares dançando na grande sala sobre o mar, onde, depois, o comandante instalaria o telescópio. As moças partiam de lancha, demoravam-se à noite nos rochedos, saíam para piqueniques em Paripe, não sossegavam um momento, eram a alma do veraneio. Uma delas, a segunda, Rosalva, conseguira noivar no ano anterior com um agrônomo, já não buscava à noite os caminhos da praia, agarradinha com o noivo na varanda, de mãos dadas. De mãos, boca e coxas, como esclarecia seu Adriano Meira, o da lanterna.

No Carnaval, houve dança de sábado a terça-feira na residência de Pedro Cordeiro. E, alguns dias depois, o escândalo: Adélia, a mais jovem das quatro, morena e inconformada, sumira levando sua roupa e as melhores das irmãs, e de contrapeso o dr. Aristides Melo, médico e casado. Praticamente toda a população assistiu ao espetáculo dado pela esposa abandonada, a invadir em prantos o lar desfeito dos Cordeiros, a reclamar aos berros o marido que a "putinha de sua filha me roubou". Fugiram os Cordeiros de Periperi, e ainda se comentava o acontecido quando retumbou o tiro com que Pedro Cordeiro, no escritório da fábrica na Bahia, se suicidara ao ser decretada sua falência. Os ecos do tiro chegavam de trem ao subúrbio, acompanhados de uma onda de boatos: todos os bens do suicida estavam hipotecados, credores indóceis cercavam o cadáver, o agrônomo rompera o noivado, montado em severas razões: família desmoralizada, noiva sem dote. Outra filha, a mais velha, amigara-se também com homem casado, uma espécie de maldição ou de moda na família. Não se conversava outro assunto e as senhoras sussurravam detalhes escabrosos dos namoros das meninas Cordeiro.

Seu Adriano Meira iluminara, certa feita, com sua lanterna, a mais velha das irmãs, de vestido suspenso até o umbigo, atracada com um desconhecido, alta madrugada, na praia, "o coxame reluzindo". Coisas desse estilo, uma quantidade. As chuvas caíam fortes, encharcando as ruas arenosas, adubando as imaginações.

Ah!, um escândalo assim, com homem casado e moça solteira fugindo, com outra se perdendo na praia, com suicídio e ruína, só mesmo os habitantes de Periperi podem lhe dar seu inteiro valor. Enche os dias de chuva, quando os veranistas desertam e o subúrbio vive de recordações.

Dos meses alegres, Periperi conserva apenas um certo ar festivo de colônia de férias. Decorrente talvez do colorido das casas, pintadas de azul, de rosa, de verde, de amarelo, das grandes árvores na praça, da praia e da estação. Ainda mais, certamente, do fato de ser a maioria da população fixa composta de gente sem que fazer, funcionários aposentados, comerciantes retirados dos negócios, ociosos todos. Vão à cidade uma vez por mês receber dinheiro, perdem o hábito da gravata, pela manhã andam mesmo de pijama ou com velha calça e desbotada camisa. Todos se conhecem, encontram-se diariamente, as esposas conversam sobre problemas domésticos, trocam mudas de flores para os jardins, receitas de bolos e doces, os maridos jogam gamão e damas, emprestam-se jornais, alguns se dedicam à pesca de linha, todos se reúnem na estação e, sentados nos bancos, aguardam a passagem dos trens. Reúnem-se também, no fim da tarde, na praça. Cadeiras de balanço, de braços, espreguiçadeiras, além dos bancos toscos em torno às árvores. Discutem política, recordam acontecimentos do último veraneio, prolongam a velhice longe da agitação da cidade grande cujas luzes se acendem na distância, marcando a hora do jantar. Na paz infinita desse refúgio, o tempo é lento de passar, e, na hora cálida da sesta, tem-se a impressão de haver o tempo parado definitivamente.

Quando mais intensos eram os comentários em torno da tragédia dos Cordeiros, uma notícia surpreendente: a casa de janelas verdes fora vendida. Como pudera acontecer à revelia deles, sem que houvessem tomado conhecimento das negociações? Jamais ali se vendera ou alugara casa sem a participação ativa dos vizinhos, dando palpites, discutindo os preços, chamando a atenção do interessado para defeitos e qualidades, provocando não raras vezes a ira impotente dos corretores. No entanto, logo a venda de casa tão em evidência, salpicada, por assim dizer, pelo sangue de Pedro Cordeiro, efetuara-se sem que eles fossem ouvidos, sem terem examinado o comprador, travado relações com ele. Um mistério. Falava-se vagamente de um senhor de posses, retirado da atividade. Mas que atividade, que posses, que senhor era esse? Nada sabiam realmente de suas condições de fortuna, estado civil, profissão. Sentiam-se logrados.

Devia-se o mistério às chuvas, não havia outra explicação possível. Realmente, as irmãs Magalhães, três velhinhas de olhos e ouvidos atentos a todos os rumores e movimentos, cuja residência ficava próximo à casa dos Cordeiros, contaram ter sentido gente a caminhar por ali, dois sujeitos de capa e guarda-chuva, há coisa de um mês. Mas chovia tanto que não lhes fora possível manter as janelas abertas. Ademais, Carminha, a do meio, estava gripada, tinham de cuidar da doente, não contavam com a venda da casa, tudo isso afrouxara-lhes a militante vigilância. Dois homens de capa de borracha, com guarda-chuvas, o corretor e o comprador, nada sabiam além disso.

A chegada da empregada, mulata escura e quarentona, num trem matinal, abriu novas perspectivas à curiosidade latente. Mal havia ela transposto a porta e já as irmãs Magalhães ofereciam os préstimos, bombardeavam-na de perguntas. Como as chuvas haviam cessado, a frente da casa foi-se povoando de velhos. Vinham calentar sol nas imediações, aproximavam-se aos poucos, buscavam conversa. Mas essa mulata Balbina era de pouca prosa, casmurra e resmungona. Lavando o assoalho, respondia com monossílabos, recusava as ofertas de ajuda. Ainda assim, conseguiram saber que o novo proprietário chegaria pela tarde.

— Com a família?

— Que família?

Estabeleceram plantão na gare, haviam decretado o estado de alerta. Desta vez o novo vizinho não lhes escaparia. Voltara o sol, suave sol de inverno, os dias eram belos, doce a brisa do golfo. Faziam conjecturas: jogaria damas? Seria bom no gamão? Talvez fosse, quem sabe?, o esperado parceiro de xadrez do Emílio Fagundes, ex-chefe da seção da Secretaria de Agricultura a disputar partidas por correspondência, pois em Periperi não havia nenhum outro conhecedor de jogo tão científico e complicado.

Assim, quando o comandante desceu do trem das duas e meia e se dirigiu ao vagão de carga para presidir ao desembarque de sua bagagem, a maioria dos homens válidos ali estava a esperá-lo, retirando os olhos dos jornais da manhã ou dos tabuleiros de damas para examinar o cidadão baixote e troncudo, de rosto avermelhado, nariz adunco, vestido com aquele extraordinário paletó.

— O que é aquilo? — perguntou Zequinha Curvelo, apontando a roda do leme, num engradado.

Nem mesmo Augusto Ramos, aposentado da Secretaria de Interior e Justiça e apaixonado campeão de damas, naquele momento preparando uma jogada definitiva com a qual comeria uma dama e três pedras de Leminhos (o dos Correios e Telégrafos), resistiu à visão da roda do leme. Abandonou a partida, juntou-se ao grupo. A bagagem estendia-se pela plataforma, misteriosos caixões com inscrições em letras vermelhas: FRÁGIL! INSTRUMENTOS NÁUTICOS!, um globo enorme, uma escada de cordas, enrolada. O comandante exigia cuidado dos carregadores. Depois, foi a inesquecível escalada dos rochedos.

Naquela mesma tarde, quando o sol declinou e a sombra cobriu quase toda a praça, Zequinha Curvelo contava àqueles que haviam perdido a grande cena da chegada, como um frio lhe percorrera a espinha ao ver o comandante no alto das rocas, impávido, o rosto contra o sol, os olhos fixos no mar. Pelos bancos e cadeiras sob os tamarineiros, os aposentados e retirados dos negócios escutavam e aprovavam, Zequinha entusiasmava-se:

— Antes mesmo de entrar em casa, foi ver o mar.

O cartão de visita andava de mão em mão. O velho José Paulo, conhecido por Marreco, retirado do negócio de medicamentos, comentou:

— Quanta coisa esse homem não tem para contar...

— Essa gente do mar, em cada porto uma mulher... — pronunciou Emílio Fagundes com certa inveja.

— Basta olhar para ele e logo se vê o homem de ação — disse Rui Pessoa, aposentado da Mesa de Rendas Estadual.

Zequinha Curvelo, na mão o livro em cuja capa colorida o bravo marinheiro envergava um paletó parecido com o do comandante, resumia aquelas primeiras impressões:

— Um herói, meus amigos, vivendo entre nós.

Caía a tarde, sem pressa, lentamente, igual à vida em Periperi.

— Lá vem ele... — anunciou alguém.

Voltaram-se todos, nervosos. Num passo vagaroso e digno, de homem acostumado a cruzar os tombadilhos na longa solidão do mar, adiantava-se o comandante pela rua, vestido com seu paletó marítimo, o cachimbo na boca, e, sobre os revoltos cabelos, um boné ornado com uma âncora, ainda não visto antes. Fitava o infinito, ia certamente com suas recordações, seus marinheiros mortos, suas mulheres abandonadas nos perdidos portos. Ao passar na altura do grupo, levou a mão ao boné numa saudação, efusivamente respondida. E o silêncio se fez, acompanhando-o em sua caminhada. Inquieto, Zequinha Curvelo não resistiu:

— Vou puxar conversa...

— Vê se traz o homem aqui para uma prosinha...

— Vou ver se consigo.

Partiu em passos rápidos, alcançou o comandante.

— Esse homem deve ser uma enciclopédia... — disse o Marreco.

Voltavam o comandante e Zequinha, agora em direção ao grupo. Zequinha apontava os vizinhos, estaria anunciando nomes e títulos.

— Vem para cá...

Levantavam-se das cadeiras e bancos, animados. Zequinha começou a fazer as apresentações, o comandante apertava as mãos:

— Um velho marinheiro, às ordens...

Ofereceram-lhe a imponente cadeira de braços do velho José Paulo. Sentou-se entre seus vizinhos, puxou uma baforada do cachimbo (todos os olhos fixos no cachimbo onde os seios e as coxas nuas da mulher eram uma sugestão de volúpias raras), confidenciou com sua voz um pouco rouca:

— Vim morar aqui porque nunca vi dois lugares tão parecidos no mundo como Periperi e Rasmat, uma ilha do Pacífico onde vivi uns meses...

— Veraneando?

Sorriu o comandante:

— Como náufrago... Nesse tempo eu ainda era segundo-piloto e embarcara num navio grego...

— Seu comandante, por favor, um momento, um momento... Espere um minuto antes de começar... — era Augusto Ramos quem interrompia. — Deixe primeiro eu chamar minha mulher. Ela adora ouvir histórias...

DE COMO A SENSUAL BAILARINA SORAIA E O RUDE MARINHEIRO GIOVANNI PARTICIPARAM DO VELÓRIO E DO ENTERRO DA VELHA DONINHA BARATA

NEM MESMO A MORTE — aliás, aguardada há meses — de Doninha Barata, viúva de Astrogildo Barata, aposentado das Águas e Esgotos, conseguiu abrir um hiato no interesse despertado pela chegada e instalação do comandante. Como se já não lhes sobrasse tanto tempo para o medo.

Exteriormente nada mudara, velório e enterro obedeceram ao mesmo cerimonial, apareceram vagos parentes da cidade, veio o padre Justo, de Plataforma, encomendar o corpo, as mulheres despovoaram de flores seus jardins, os velhos calçaram sapatos e puseram gravatas para o funeral. No entanto, houvera uma sutil e indefinível diferença, como se a presença da morte não se fizesse sentir tão brutalmente, como se ela houvesse demorado menos tempo entre eles. Porque quando a morte, de longe em longe, passava por Periperi, não ia logo embora, apenas concluía sua macabra tarefa. Ficava por ali, mesmo depois do enterro, sua sombra gélida estendida sobre os aposentados e retirados dos negócios, sobre suas curvadas esposas, e os corações se apertavam como se a garra da morte os comprimisse, a experimentá-los.

Perdia a brisa sua leve carícia, eles sentiam nas costas dobradas pelo medo o hálito fúnebre espalhado pela morte; por quem viria ela em sua próxima visita?

Não, não era a mesma coisa a presença da morte lá na cidade da Bahia, rápida e banal nas rodas de um automóvel, nos leitos dos hospitais, nas páginas de desastres e crimes dos jornais. Era leviana e secundária, por vezes não merecia mais de duas linhas nas gazetas, desaparecendo em meio a tanta vida a cercá-la, a tanto ruído e luta, não havia lugar para ela nos corações apressados, dissolvia-se sua sombra nas luzes, e os risos não deixavam ouvir seu murmúrio. Seu podre bafo, como iriam senti-lo as mulheres envoltas em perfume, em cálidas vagas de desejo? Passava a morte despercebida, apenas executava sua tarefa e já desaparecia, não havia tempo a perder com ela em meio a tanta ânsia e pressa de viver.

"Fulano morreu", anunciava-se, nos jornais, nos rádios, nas conversas, dizia-se "coitado!, pobre dele!, já foi tarde, era tão moço ainda...", e não se falava mais nisso, havia muito assunto a comentar, muito riso a rir, muita ambição a satisfazer, muita vida a viver.

Em Periperi era diferente: não era vida feita de trabalho e luta, de ambição e dificuldades, de amor e ódio, de esperança e desespero, a que ali viviam ou vegetavam. Ali o tempo se alongava, nada o apressava, os acontecimentos duravam acontecendo. E o mais longo de todos era a morte, jamais banal e rápida, sempre fulgurante e demorada, apagando, com sua chegada, todas as aparências de vida do lugar. Não já começavam eles a morrer, os aposentados e retirados dos negócios, quando ali desembarcavam, trazidos pelo desejo de viver o maior tempo possível, de prolongar os anos, longe da agitação e dos desejos? Era uma população de velhos sem outro real interesse senão a própria vida, e a morte de um deles matava um pouco a todos, ficavam cabisbaixos e melancólicos.

As partidas de damas e de gamão rareavam, alguns deixavam mesmo de sair de casa, agravavam-se as mazelas de outros, eram tristes os dias e as raras conversas, melancólicas. Só aos poucos ia-se esbatendo a sombra da morte, finalmente expulsa por aquele resto de vida, pelo único desejo e amor que lhes sobrava: o de não morrer. Renasciam o riso cansado, a pequena ambição de ganhar uma partida no tabuleiro, a gula, voltavam a animar-se as conversas na estação, na praça, agora na sala do comandante, à noite.

Frágeis eram os muros de interesses a ocultar-lhes a morte, a defendê-los de sua pesada presença, a fechar-lhes os olhos para a sua sinistra visão.

Estivera o comandante no velório. Vestido com seu paletó de sarja azul com botões metálicos, o cachimbo e o boné. Mas, talvez porque mal chegara da cidade, não entrara curvado e abatido como se aquele cadáver fosse apenas um prólogo de sua própria morte. Fitou a face descarnada de Doninha, a quem não chegara a conhecer, e comentou quase risonho:

— Vê-se que quando moça foi uma bela mulher...

Era um velório sonolento e silencioso. Cada um pensava em si próprio, via-se estendido num caixão, entre velas de mau olor, flores aos pés, para sempre terminado. Por vezes um ou outro estremecia, o medo estava cravado em cada um deles, o medo da morte. Não pensavam em Doninha, em sua mocidade, numa distante e duvidosa beleza. A frase do comandante arrancou-os daquele torpor. Marreco, que conhecera a finada na juventude, buscou na memória:

— Bonitona, sim.

O comandante sentou-se, cruzou as pernas, acendeu o cachimbo (não o de espuma-do-mar, indecente para velório; era um cachimbo negro, de boquilha curva), olhou em torno, alimentou a conversa:

— O rosto da falecida lembra-me, nem sei por quê, o de uma dançarina árabe que conheci, lá se vão muitos anos, quando andava a bordo de um cargueiro holandês. Por causa dela, meu piloto, um sueco, Johann, ia desgraçando sua vida... Mas consegui salvá-lo...

Quem muito viveu é assim: qualquer fato, paisagem ou face recorda-lhe algo do passado, uma história de amor, as margens de um rio, o rosto de alguém. Não enxergara o comandante no rosto encarquilhado e macilento de Doninha, onde os outros viam apenas a morte, a face trigueira e os longos cabelos azulados de Soraia, a pecadora, a mórbida bailarina de lábios de fogo? Aquela por quem Johann, o piloto sueco e dramático, contraíra dívidas, vendera objetos do navio, quisera matar-se. Num passo de dança, foi Soraia enchendo a sala, enquanto o comandante procurava, afanosamente, recordar a melodia exótica do alucinante bailado, para trauteá-la:

— A música não é meu forte mas guardei a melodia...

E como esquecê-la, senhores, se ela bulia com o sangue dos homens, música langorosa como um vício? Viciara-se Johann, perdera a cabeça. Música e dança, Soraia era como uma doença a penetrar no sangue, envenenando-o. Os braços de serpente, as despidas pernas, o fulgor das pedras preciosas sobre os seios, uma flor no ventre, quem não perderia a cabeça?

Todos eles dão razão a Johann, comovem-se com o desvelo do comandante para com seu companheiro de tripulação, arrancando-o dos braços voluptuosos e caros da dançarina. Ah!, esses braços, essas pernas, esses seios... Cada um deles vê Soraia na sala. Ela dança e sua nudez de rosas e esmeraldas esconde o cadáver raquítico de Doninha, espanta o medo e a morte.

No outro dia, pela manhã, no enterro, foi novamente o comandante quem os afastou do círculo da morte, ao aparecer envergando uma farda de cerimônia, magnífica. Ainda não o haviam visto assim, de uniforme completo, as dragonas prateadas, as mãos calçadas de luvas brancas, segurando um novo boné com âncora doirada. E a condecoração ao peito. Foi dizendo:

— No mar seria bem mais rápido: embrulhava-se num pano, cobria-se com a bandeira, um marujo tocaria um dobre na corneta e o corpo mergulharia nas águas. Mais rápido e mais bonito, não é verdade?

— O senhor assistiu a algum enterro assim, comandante?

— Ora... Dezenas... Assisti e comandei... Dezenas.

Semicerrava os olhos, os vizinhos sentiam o desfile das recordações naquele gesto simples.

— Estou me lembrando do pobre Giovanni... Um marinheiro que esteve sob minhas ordens muitos anos. Eu mudava de navio, ele desengajava também, era muito pegado comigo. Só que era italiano e, como os senhores sabem, os italianos são muito supersticiosos. Sempre me recomendava: "Comandante, se eu morrer embarcado quero ser jogado em mar de minha terra". Segundo ele, se seu corpo fosse atirado em outras águas, sua alma não teria descanso...

O enterro ia devagar, a voz do comandante era pausada:

— Quando ele morreu, esse bravo Giovanni, deu-me um trabalheira dos diabos...

— Morreu de quê?

— De tanto beber. De que outra coisa poderia morrer Giovanni? Bebia como um desesperado, desgostos de família. Pois bem: quando ele morreu fui obrigado a fazer dois dias de navegação fora de rota. Fora de rota, meus senhores, sabem lá o que é isso! Só para jogar o corpo em águas italianas... Eu tinha prometido, cumpri. Mudei o rumo, viajamos quarenta e oito horas...

— E... e o defunto...

— O quê?

— Agüentou tanto tempo sem...

— Metemos o corpo na câmara frigorífica do barco. Na hora da cerimônia estava duro como um bacalhau salgado, mas estava perfeito. Só que tive, porque cumpri com minha palavra, um mundo de complicações com os armadores. Nem queiram saber...

Queriam saber e perguntavam. Lá ia Giovanni, sua bebedeira e seus desgostos de família, a pele bronzeada, curtida pelo sal do mar, entre eles e o caixão de Doninha, pelas ruas de Periperi. Narrava o comandante a discussão com os armadores avarentos, suas respostas firmes e bem-humoradas, defendendo o direito de seus marujos serem atirados em mar de sua pátria, a terem seus corpos devorados por peixes de nomes familiares. Assim, ao mergulharem pela última vez, seus olhos mortos poderiam enxergar, ao longe, costas de seu país e para elas estenderiam seus parados braços. Mas era impossível tarefa convencer um bruto como Menendez, o armador de maus bofes, um reles empregado da firma que, com intrigas e golpes, chegara à suprema direção da empresa, jogando quase na miséria o antigo chefe, um homem bom, esse sim, capaz de compreender os marinheiros... Um bandido, o tal de Menendez, o comandante guardara-lhe rancor.

Como encafuar-se nos quartos, escondidos nos leitos, sob cobertores, subitamente agravados seus males, tremendo de medo, acuados pela morte, se o comandante, naquela mesma tarde, estava na praça, a contar o naufrágio que sofrera nas costas do Peru, durante um maremoto? Vagas como montanhas, rasgando-se o mar em abismos, o céu negro como tão negra jamais a noite conseguira ser.

Noite de lua cheia, derramando-se o luar sobre a areia e as águas, aquela do enterro de Doninha Barata. Noutra ocasião, eles nem notariam a beleza do céu, estariam trancados nos quartos e na implacável certeza da morte próxima. Mas agora o comandante os convidava a tomar um trago em sua casa e a espiar o céu no telescópio.

DO TELESCÓPIO E DE SEU VARIADO USO, COM DOROTHY AO LUAR NO TOMBADILHO

AH!, O TELESCÓPIO... Nele partiam para a aventura da lua e das estrelas, para fantásticas viagens, rompiam as fronteiras da monotonia e do tédio. Como se por um passe de mágica deixasse Periperi de ser um pacato subúrbio da Leste Brasileira, habitado por velhos à espera da morte, e se transformasse em estação interplanetária de onde decolavam audaciosos pilotos para a conquista dos espaços siderais.

Aquela grande sala de janelas abertas sobre as águas, onde tanta festa animada se realizara nos últimos veraneios, as meninas Cordeiro e suas amigas a voltearem nos braços dos rapazes, transformara-se por completo. Desaparecidos os jarros de flores, o piano onde Adélia massacrava valsas e foxes, a vitrola, os móveis pretensiosos, a sala parecia agora torre de comando de um navio, a ponto de Leminhos, delicado do estômago, sentir enjôo e ânsia de vômito quando ali entrava. A escada de cordas, dependurada de uma janela, conduzia diretamente à praia e Zequinha Curvelo, candidato a comissário de bordo, projetava um dia entrar e sair por ali, quando melhorasse de seu doloroso reumatismo.

No centro da parede, os diplomas, em molduras ricas, datando de vinte e três anos passados. Num deles estava escrito e sacramentado, pela assinatura de antigo capitão dos portos, ter Vasco Moscoso de Aragão se sujeitado a todos os exames e provas exigidas para a obtenção do título de capitão-de-longo-curso que lhe dava direito a comandar qualquer espécie e tipo de navio de marinha mercante pelos mares e oceanos. Há vinte e três anos, ainda relativamente jovem, aos trinta e sete de idade, obtivera ele seu diploma de comandante. Jovem de idade mas já um velho marinheiro, pois, como contava, começara menino de dez anos, grumete num moroso cargueiro, e escalara os postos um a um, até chegar a primeiro-piloto, a imediato. Inúmeras vezes mudara de navio, amava ver novas terras e correr os mares, viajara sob as mais diversas bandeiras, envolvera-se em aventuras de guerra e de amor. Mas, quando, aos trinta e sete anos, se encontrara apto para candidatar-se ao posto de capitão-de-longo-curso, voltara à Bahia, pois ali, em sua Capitania dos Portos, queria obter o cobiçado título. Desejava que seu porto de origem, onde estivessem registradas sua condição e sua capacidade, fosse o cais de Salvador, de onde partira menino para a aventura do mar. Também ele tinha suas superstições, afirmava sorrindo. Protestava Zequinha: aquela fora uma nobre atitude, a revelar o patriotismo do comandante, vindo do Oriente para dar seus exames na Bahia. "Aliás, sem falsa modéstia, com certo brilhantismo", esclarecia o capitão-de-longo-curso. Assim lhe dissera entusiasmado, por ocasião das provas, o comandante Georges Dias Nadreau, então capitão dos portos, hoje almirante ilustre da nossa gloriosa marinha de guerra.

Na outra moldura, o diploma de cavaleiro da Ordem de Cristo, a importante condecoração lusitana, honraria, com direito a medalha e colar, conferida ao comandante por d. Carlos I, rei de Portugal e Algarves, pelos seus relevantes serviços ao comércio marítimo.

Sentava-se numa cadeira de abrir e fechar, dessas de bordo, com assento e recosto de oleado, ao lado da roda do leme, o cachimbo na mão, o olhar perdido além das janelas. Numa larga mesa, o globo enorme e giratório, vários instrumentos de navegação: bússola, anemômetro, sextante, higrômetro. A grande luneta negra: enxergava-se a cidade da Bahia ali pertinho. A paralela para traçar rumos e a admirada coleção de cachimbos, pela qual sentiam-se todos apaixonados. O relógio de bordo chamava-se cronógrafo.

Nas paredes, os mapas de navegação, cartas dos oceanos, das baías e golfos, das ilhas perdidas. Sobre um móvel onde o comandante guardava copos e bebidas, numa enorme caixa de vidro, a reprodução de um paquete, "um gigante dos mares, meu inesquecível *Benedict*", o último dos muitos nos quais embarcara e navegara, seu derradeiro barco. Ampliadas fotos de outros navios, de diverso tamanho e diferentes nacionalidades, emolduradas, algumas coloridas. Cada um daqueles navios representava um pedaço da vida do comandante Vasco Moscoso de Aragão, recordava-lhe histórias, casos, alegrias e longas noites solitárias.

E o telescópio. Foi uma sensação quando o viram armado, sua luneta apontada para o céu. "Aumenta oitenta vezes o tamanho da lua", anunciava Zequinha Curvelo, numa crescente intimidade com os instrumentos, os navios enquadrados, o comandante.

Naquela noite enluarada, esqueceram o enterro matinal de Doninha Barata, ansiosos de espiar o céu, de descobrir os segredos do espaço, de ver as montanhas da lua, sua misteriosa face, de reconhecer estrelas aprendidas em distantes salas de aulas. Todos desejavam, numa jovialidade de rapazes, procurar o Cruzeiro do Sul.

Dias depois descobririam outra e não menos apaixonante utilidade do telescópio. Apontavam-no, pelas manhãs, na direção da praia concorrida de Plataforma, examinavam — oitenta vezes aumentados — os detalhes dos corpos das mulheres no banho de mar. Disputavam, entre risadas, a vez de olhar, cochichavam-se safadezas. Pareciam adolescentes.

Foram-se habituando a vir à casa do comandante espiar o céu, ouvir histórias. O comandante preparava um grogue saboroso, receita aprendida de um velho lobo-do-mar, nas bandas de Hong Kong. Levava meia hora a aprontá-lo com a ajuda da mulata Balbina. Era todo um ritual. Esquentavam água numa chaleira, queimavam açúcar numa pequena frigideira. Descascavam uma laranja, picavam a casca em pedacinhos. Tomava então o comandante de uns copos azuis e grossos (pesados para não tombarem com o jogo do navio), depositava em cada um deles um pouco de açúcar queimado, um trago de água, outro de conhaque português, enfeitava com a casca de laranja. A princípio apenas Adriano Meira e Emílio Fagundes — e, naturalmente, Zequinha Curvelo — atreviam-se a beber tão estranho álcool. Mas, como afirmassem ser gostoso e fraco, "isso serve até como remédio", garantia Zequinha, foram-se aventurando, estalavam os lábios, e até o velho José Paulo, o abstêmio Marreco que jamais tocava em bebida, quis um dia provar e ficou freguês.

Sentavam-se nas cadeiras de oleado, saboreando, em pequenos goles, a perfumada bebida. Quando se davam conta já passava das nove, por vezes até das nove e meia da noite. O resto da história ficava para o dia seguinte, na estação ou na praça.

Não tardou e o comandante era o cidadão mais importante e popular de Periperi. Sua fama estendia-se pelos outros subúrbios. Louvavam-se sua educação, seus modos, sua exuberante cordialidade, sua falta de pose. Pessoa tão importante, tratava, no entanto, todo mundo bem, fosse rico ou pobre, não se dava ares.

Certa noite de céu fechado, ameaçando chuva, Rui Pessoa, o da Mesa de Rendas, não pôde conter a curiosidade e perguntou ao comandante por que deixara a profissão ainda relativamente moço: antes dos sessenta anos, pois sessenta viera de completar e já se aposentara há três ou quatro. Ainda poderia navegar uns dez anos pelo menos, por que não?...

O comandante depositou seu copo na borda da mesa, estava sentado, fitou o horizonte carregado de nuvens, seu rosto tornou-se sério e quase triste. Não falou logo. Com os olhos percorreu o grupo de amigos como a julgar se mereciam a confidência. Zequinha Curvelo sentiu-se nervoso. Talvez Rui Pessoa houvesse sido indiscreto. Um homem como o comandante teria, fatalmente, seus segredos, enterrados nas profundezas da alma, o dever dos amigos era respeitar seu silêncio. Ia mudar de conversa quando o comandante levantou-se, deu dois passos em direção à janela e disse:

— Por causa de uma mulher, por que podia ser?...

Apontava o *Benedict* em sua caixa de vidro:

— Eu comandava esse "barquinho", fazíamos a rota da Austrália. Jamais quis me casar, já lhes disse. Preferia uma paixão aqui, outra acolá, no deus-dará das escalas...

Uma francesa em Marselha, uma turca em Istambul, uma russa em Odessa, uma chinesa em Xangai, uma hindu em Calcutá. Loucuras de amor, corações partidos, e a solidão do navio na noite do mar. Eram tantas que jamais quisera tatuar nenhum nome no peito ou no braço, como fazem muitos marítimos. Assentava nomes e endereços num caderno, de muitas guardara fotografias, mechas de cabelos, uma peça íntima de roupa, o som cristalino de uma risada, a emoção de uma lágrima a rolar na despedida. Mas nem isso possuía mais, pois quando a conhecera e amara, a bordo do *Benedict*, sacrificou-lhe o caderno com nomes e endereços, quase um mapa-múndi, e as lembranças concretas de todas as demais.

Chamava-se Dorothy, era morena e magra, os cabelos rebeldes a tombarem-lhe no rosto, as pernas longas, uma boca inquieta, uma certa angústia nos olhos. De humor variável, ora doce e tímida, como uma criança, ora áspera e fugidia, sentindo-se ameaçada por todos. Viajava com o marido, um ser amorfo, dono de grandes fábricas não sei de quê, preocupado com cifras e negócios, indiferente à beleza da esposa e à angústia que habitava seus olhos. Estavam dando a volta ao mundo, ele para repousar, ela tentando, como confessara depois, encontrar seu destino. Pela noite ficava debruçada na amurada, perscrutando as águas.

Como começara o caso? Nem sabia. Era o comandante, naturalmente tratara com eles e reparara nela, admirara sua beleza e em silêncio a desejara. Mas era grande a diferença de idade, ela apenas completara vinte e cinco anos. Conversavam muito, isso sim. Ele contava-lhe do mar, de tempestades e bonanças, de sua intimidade com as estrelas. Quando descia da ponte de comando, noite alta, encontrava-a sozinha, junto à amurada. Falavam de uma coisa e outra, os olhos dela a fitá-lo, como se o quisesse adivinhar. E certa noite, sem saber como nem por quê, encontrou-se com ela entre os braços.

Sendo comandante, não tinha direito de fazê-lo, essa é a verdade. Quando desembarcado num porto, pode um capitão-de-longo-curso entregar-se à orgia mais completa, à bacanal mais devassa. No comando do seu navio, porém, deve comportar-se como um santo, superior a qualquer tentação...

— E elas não faltavam...

Dorothy passeava na sala, seu esguio corpo, sua inquieta boca, seu ardente desejo. Os aposentados e retirados dos negócios a viam e desejavam.

— E o senhor, comandante, papou?

O verbo chulo desagradou ao comandante. Fora amor, um amor nunca visto, incomensurável e absurdo, tomando-o todo, deixando-o como louco, desde o momento em que a prendeu em seus braços e provou o gosto de sua boca. Mas, era o comandante, jamais sua carreira, seus quarenta anos de embarcado, toldara-se com a mais pequena mancha, e não podia, não podia... Assim lhe disse, os olhos úmidos, ele que nunca chorara em toda sua vida.

Algum dos senhores já tentou convencer uma mulher, fazê-la compreender a mais clara das situações? Dorothy, ainda mais apaixonada que ele, necessitando dele, disposta a suicidar-se, a atirar-se no mar, se ele não a quisesse, chegou ao cúmulo de, certa madrugada, em trajes de dormir, subir ao tombadilho reservado aos oficiais e chamar na porta de sua cabine.

Vestida com a camisola de noite, vaporosa, toda em rendas, mal escondendo a carne ansiosa, Dorothy, os pés descalços, corria entre eles pela sala, Adriano Meira passava a língua nos lábios.

— Aí o senhor não resistiu...

Não o conheciam bem, sua inflexibilidade no cumprimento do dever. Resistira. Jogou-lhe nos ombros nus (camisola decotada, o colo à mostra, viam o começo dos seios palpitantes, Augusto Ramos suspirou) uma capa impermeável, levou-a de volta quase à força. Foi naquela hora dramática, entre o dever e o amor, ela semidesmaiada em seus braços, que ele lhe prometeu desembarcar no primeiro porto e partir com ela para sempre. Para um canto escondido do mundo. Houve um beijo apenas ante o mar imenso.

Apresentou sua demissão, por *cable*. Da companhia vieram pedidos, solicitações, propostas de aumento de ordenado, os armadores em pânico: seu nome era cercado de certo respeito e de certa fama pelos mares afora, entre os marujos e os armadores. Não cedeu, era homem de palavra e estava apaixonado. No primeiro porto, Makassar, perdido e sujo porto do Extremo Oriente, despediu-se da tripulação. Choraram velhos marujos de rosto curtido, ao apertarem-lhe a mão leal. Havia marcado um encontro com Dorothy na casa de uma certa Carol, contrabandista de ópio, a quem tivera ocasião de fazer um favor. Inutilmente o marido a esperara, seguiu viagem sozinho.

Foram duas semanas de delírio, escondidos numa pequena casa nos confins da cidade, em plena selva tropical, entregues ao seu amor numa fúria de danados, como se adivinhassem...

— O marido apareceu?

Que importava o marido, um bobalhão! Chamava-se Robert, o comandante desprezava-o, não chegara a se preocupar com ele em todo o desenrolar dos acontecimentos. Balofo e fátuo, pensando comprar o amor e a fidelidade de Dorothy com o casamento e o dinheiro... Não, o marido não contava. A febre, sim. Aquela febre das ilhas, mortal. Em dois dias acabou com Dorothy e com a carreira do comandante. Como poderia retornar ao comando dos navios, a cruzar os mares, se mesmo ali, naquele porto de Makassar, não podia deixar, sequer por um momento, de ver os olhos de Dorothy, aqueles olhos angustiados, enormes de febre, a fitá-lo, como se ele pudesse salvá-la? A boca torcida, a suplicar-lhe que não a deixasse morrer agora quando ela encontrara enfim a alegria de viver. Não pôde sequer morrer com ela, como desejara e rogara aos céus, pois era imune àquela febre, tanto por ali navegara e desde jovem. Andara como doido uns tempos, entregara-se ao ópio, choviam-lhe propostas de armadores de toda a parte, regressou a sua terra. Não subiria mais a uma ponte de comando, para ele tudo terminara, fizera uma jura solene sobre o túmulo de Dorothy. Pela primeira e última vez mandara gravar no braço um nome de mulher. Suspendia a manga da camisa, mostrava a tatuagem: o nome de Dorothy e um coração.

Baixou a manga, voltou-se para a janela, de costas para os amigos. Tiveram a sensação de ouvir um soluço estrangulado. Partiram juntos, em sussurrados boas-noites comovidos, Zequinha Curvelo tomou a mão do comandante e apertou-a com calor e solidariedade. Cada um deles levava Dorothy consigo, sua busca de amor, sua inquietação, a imagem inesquecível.

Sozinho, o comandante apagou as luzes da sala. Preferiria não ter matado Dorothy, não havê-la enterrado naquele porto sujo, batido de febre. Bem podia tê-la desembarcado em terra mais civilizada, mas como pode terminar um amor assim ávido e total, senão com a morte? Andando pelo corredor, que uma réstia de lua iluminava, revia a inquieta e angustiada Dorothy, com seus pés descalços no tombadilho — aquele fora um grande momento! —, os seios em oferenda a romper o decote da camisa, a boca sequiosa, o ventre de febre e uma brasa ardente.

Empurrou a porta do quarto de empregada, tomou Dorothy pela mão, e a mulata Balbina, resmungando, ajeitou-se no leito, fez lugar para o comandante.

ONDE O NOSSO NARRADOR REVELA-SE UM TANTO QUANTO SALAFRÁRIO

QUEM PODE, NESTE MUNDO, escapar aos invejosos? Quanto mais se destaca um homem no conceito de seus concidadãos, quanto mais alta e respeitável sua posição, mais fácil alvo para a peçonha da inveja, contra ele se levantam, em vagalhões de infâmia, os oceanos da calúnia. Nenhuma reputação, por mais ilibada, é inatingível, nenhuma glória, por mais pura, é intocável.

Tenho a prova diante de mim: o meritíssimo dr. Alberto Siqueira honra e eleva Periperi ao habitar entre nós, com seus títulos, seu saber, seu peito engomado de camisa, sua fortuna. Poderia, se quisesse, comprar casa na Pituba ou Itapuã, praias da moda, lá os grã-finos vivem e veraneiam. No entanto prefere nosso subúrbio, onde poucos são capazes de entender seus conceitos, sua prosa elevada, seus discursos com tantas palavras de dicionário... Preferência da qual devíamos todos nos orgulhar, mantendo ante o meritíssimo atitude de permanente agradecimento.

Em vez disso, o que ocorre? Falam o diabo dele. Não importam os pareceres publicados nas revistas especializadas, sentenças luminosas ditadas pelo dr. Siqueira. Já tive ocasião de percorrer com os olhos vários números (encadernados em couro) da *Revista dos Tribunais*, onde peças jurídicas, devidas ao saber do meritíssimo, ocupam páginas e páginas. Julgar esses pareceres e essas sentenças, não posso nem me atrevo, até aí não vai minha pretensão, metade das linhas são escritas em latim, a outra metade em caixa-alta. Mas não afirmou outro jurista, ao comentar, no citado opúsculo, um parecer do nosso juiz, ser o dr. Siqueira "um luminar da ciência do Direito"?

Pois bem: nem mesmo tais provas impressas, revistas de São Paulo e elogios federais, nada disso impede que gente como Telêmaco Dórea, um reles aposentado da prefeitura municipal, cheio de si porque publica uns versos de pé-quebrado nos suplementos dos jornais da Bahia, diga não passar o meritíssimo de "uma cavalgadura total, indômita burrice" (as expressões são do cretino do Dórea), a "maior nulidade do foro da Bahia em todas as épocas". Eis aí até onde pode ir a falta de respeito, a inveja a roer um homem... E o pior é que gente como Telêmaco Dórea encontra quem o ouça e aprove, quem carregue lenha para sua fogueira de misérias.

Todo um grupo de más-línguas corta na vida do juiz, no passado e no presente. Não se contentam com negar-lhe o valor evidente e aplaudido no sul do país, atacam sua honra de magistrado: venal, venalíssimo, segundo eles. Contam uma história, não muito clara, de duas sentenças diferentes e opostas num mesmo caso, uma primeira contra as pretensões de grande firma exportadora do nosso comércio, outra posterior atendendo aos reclamos dos poderosos magnatas. Não vejo nada a criticar no fato se novos elementos, juntados aos autos, como explica o meritíssimo, vieram modificar profundamente a questão, invertendo os termos do problema. Mas, segundo certa gentinha de Periperi, esses "novos elementos" resumiram-se numa bolada de quinhentos contos de réis, meio milhão de cruzeiros, adicionados à conta bancária do dr. Siqueira e não aos autos do processo.

Dizem ter sido assim construída a fortuna do meritíssimo e não herdada de pais ricos. Herança mesmo, fora a esposa quem recebera e não teria ele casado com dona Ernestina por outro motivo, pois ainda adolescente já era ela um saco de banhas, conhecida pelo apelido de Zepelim.

Não se reduzem a escavar o passado, futucam no presente e trazem à baila a terna Dondoca. Como se fosse crime um homem ilustre procurar um terno refúgio para as suas lucubrações intelectuais nas tardes paradas de Periperi. Dona Ernestina ronca a sesta, aproveita-se o meritíssimo para entregar-se à fantasia e ao doce enlevo do amor. Confidenciou-me ele, cumulando-me de honra com sua confiança, nutrir pela rapariga um sentimento protetor, quase paternal. Uma pobre enganada e abandonada, cheia de boas qualidades, cujo destino seria a repugnante profissão do meretrício se um braço amigo não a sustivesse e amparasse. Ao demais, ele bem merecia o direito àquelas pequenas contrafações da rígida moral, a compensarem as suas obrigações matrimoniais, "penosas e pesadas".

Penosas e pesadas, dona Ernestina com seus cento e vinte quilos, imagino bem. Não pude deixar de representar-me a cena evocada nos adjetivos lastimosos do juiz: aquelas banhas nuas, libertadas de cintas e corpetes, a rolarem no leito... Devia custar realmente pena e esforço ao meritíssimo.

Contive o sorriso, não é justo brincar com essas coisas quando nelas estão envolvidas personalidades dignas de respeito, como o dr. Siqueira e sua esposa, gorda porém honrada. E, no que se refere a Dondoca, que outro sentimento pode despertar-me o magistrado, além da gratidão? Não fora seu generoso pecadilho e não poderia eu desfrutar gratuitamente, usando uns ótimos chinelos ali deixados pelo juiz, comendo chocolate por ele trazido, das graças da mulata mais linda e mais fogosa da Bahia. Mas a natureza do homem é mesmo salafrária: não é que, estendido com Dondoca em cama paga pelo juiz, comendo confeitos e frutas comprados por ele, ouvindo a safadinha contar certas particularidades gozadas do seu protetor, não consigo impedir-me de imaginar o meritíssimo a praticá-las no Zepelim, suando e arfando, em sua penosa obrigação...

Não posso, em sã consciência, criticar os tipos que vivem a

assacar futricas contra o saber e a honra do meritíssimo. Se eu próprio, seu devedor de tantas obrigações e gentilezas, rio e debocho de suas pequenas fraquezas, se o faz Dondoca, sua protegida, como esperar dos demais atitude respeitosa e justa? De qualquer maneira, esse tal de Telêmaco Dórea não me atravessa na garganta, sujeitinho pernóstico e suficiente. Andei a lhe mostrar trechos da história do comandante, resultado de paciente pesquisa, de difícil labor. Fez-me o poetastro uma série de críticas: estilo frouxo e impreciso, ação lenta e débil, lugares-comuns em quantidade, personagens sem vida interior. Uma frase da qual, confesso, me orgulho, uma que ficou aí para trás, "contra ele se levantam, em vagalhões de infâmia, os oceanos da calúnia", mereceu a sardônica reprovação e um riso de mofa do tal Dórea, incapaz de sentir a força e a beleza da imagem.

Enquanto isso, a mesma frase obteve os maiores louvores do ilustre e culto mestre do Direito, homem acostumado aos bons autores, leitor de Rui Barbosa e de Alexandre Dumas. Também Dondoca, quando li o trecho em voz alta, mais para mim mesmo que para ela, bateu palmas e exclamou: "Bonito!". Não lhe falta sensibilidade como, aliás, eu já o comprovara na cama. Assim, apoiado pela elite intelectual, representada pelo magistrado, e aplaudido pelo povo, através da voz doce de Dondoca, dou o desprezo mais absoluto ao riso alvar de Telêmaco Dórea, poeta lá para as negras dele, e evitarei, de agora em diante, sua desinteressante companhia. Além de tudo trata-se de um facadista, ainda está me devendo cento e oitenta cruzeiros que me pediu no verão passado para comprar peixe. "De tarde lhe devolvo", e até hoje.

E volto à história do comandante, pois quando teci os comentários iniciais sobre a inveja não estava pensando no juiz, em sua honrada esposa, em Dondoca, no cabotino do Dórea. Entrou o juiz apenas para servir de exemplo e foi ficando, como certas visitas maçantes, sem noção do tempo. Creio ter-me perdido também um pouco, a discutir com o pulha do Dórea, a espreguiçar-me no leito de Dondoca, nos seus braços dengosos. Esquecendo-me do compromisso assumido: esclarecer a embrulhada história do comandante, fazer brilhar a verdade, nua e completa, sobre suas aventuras.

Ninguém, como se vê, escapa aos invejosos: como iria escapar o comandante Vasco Moscoso de Aragão que, com um mês apenas de residência em Periperi, já era a personalidade mais importante do subúrbio, o nome mais falado, glória do lugar, opinando sobre os mais diversos assuntos? Opinião respeitada, jurava-se por ele. "O comandante disse... pergunte ao comandante..., o comandante me garantiu...", ouvia-se nas discussões e quando ele, retirando da boca o cachimbo de espuma-do-mar, ditava seu aviso, era a última palavra indiscutível.

Aquela lua-de-mel do comandante com Periperi, sem nuvens no céu de infinito azul, durou mais ou menos um mês. Talvez pudesse prolongar-se bem mais tempo se não houvesse regressado da cidade, onde passava uns meses com o filho advogado, o velho Chico Pacheco, ex-fiscal de consumo, morador ali há mais de dez anos, uma espécie de dono da terra.

Já falei acerca de seu caráter: quiziloso e arreliento, má-língua, homem da dúvida e da malícia, cheio de arestas. Fora aposentado antes de tempo, devido a perseguições administrativas, andara se envolvendo em política, na oposição. Dizia-se vítima de inimigos poderosos, vinha movendo há anos uma ação contra o Estado. Em parte conseguira sucesso, obtendo substancial aumento em sua aposentadoria, mas continuava, teimoso, querendo receber, por via judicial, um dinheirão do governo.

Esse processo era dos assuntos mais comentados de Periperi, assentava-se nele, em suas peripécias, grande parte do prestígio de Chico Pacheco. Sua volta de constantes viagens à Bahia, onde se demorava em casa do filho para acompanhar a marcha do processo, era uma festa para os aposentados e retirados dos negócios. Chico Pacheco amava narrar os pormenores da questão, agora no Superior Tribunal de Justiça, e sabia fazê-lo. Desabafava contra desembargadores, arrasava burocratas e políticos, conhecia minudências da vida de magistrados, procuradores, advogados, de todos aqueles que, por um ou outro motivo, tinham qualquer interferência no caso. Era um repositório de anedotas, de malignidades, de divertidas misérias.

O seu interminável processo pertencia, em realidade, a toda a população de Periperi. Solidários com Chico Pacheco, os aposentados e retirados dos negócios revoltavam-se quando uma petição qualquer do inimigo entravava a marcha dos autos, quando um pedido de vistas adiava uma decisão. A senhora de Augusto Ramos, aquela apreciadora de histórias, fizera mesmo uma promessa ao Senhor do Bonfim: mandaria rezar missa em sua igreja se Chico Pacheco triunfasse. Pena não habitar ali, naquele tempo, o meritíssimo dr. Siqueira. Que grande ajuda não poderia ele prestar, não só a Chico, como a toda a população, com seus conhecimentos, suas luzes... Uma festa monumental, planejada nas tardes longas, comemoraria a vitória, Chico Pacheco prometia abrir champanha quando recebesse a bolada.

Daquela vez ele voltava amargurado. Tudo parecia em vésperas de uma solução, o processo em pauta, quando o Estado entrara com novas petições, e o julgamento ficara adiado, "para as calendas gregas", como disse ele, ao saltar, ao chefe da estação.

Desembarcou repleto de histórias, de anedotas, de revelações contra juízes e advogados, um mundo de novidades. Necessitando, ao mesmo tempo, da atenção solidária e animadora dos vizinhos e amigos. E encontrou-se atirado a um segundo plano inaceitável: a glória recente e retumbante do capitão-de-longo-curso enchia Periperi de ponta a ponta, seu nome em todas as bocas, seus feitos glosados a cada instante. De que valiam as tricas de um processo a eternizar-se no fórum, ao lado das histórias de naufrágios, tempestades, amores? Como comparar-se *sub judice* com Hong Kong ou Honolulu? Sem falar no telescópio, na roda do leme, no cronógrafo.

— Sabe o que é um cronógrafo, seu Chico Pacheco?

— Nem quero saber... Vou-lhe contar a sujeira do desembargador Pitanga, aquele que a mulher pariu sete filhos, de sete pais diferentes. Esse rei dos cornudos...

— Você precisa ver a coleção de cachimbos. Vai até esquecer a sua questão...

E assim por diante. Investia Chico Pacheco com seu processo, respondiam-lhe com cartas geográficas, dançarinas árabes, marinheiros bêbados. Falava de um recurso interposto, contestavam-lhe com uma aventura do comandante.

Estava, à tarde, relatando as intricadas novidades da causa para uma assistência pouco entusiasta quando súbita animação revelou o comandante a aproximar-se no seu passo de senhor dos mares. Chico Pacheco fitou, com os olhos miúdos, o cavalheiro baixote e troncudo, a vasta cabeleira, o nariz adunco, cuspiu:

— Capitão-de-longo-curso? Pra mim, esse sujeito não é capaz de comandar nem uma canoa... Tem cara de dono de armarinho...

DO MAL DE NÃO SE SABER GEOGRAFIA E DA ERRADA TENDÊNCIA AO BLEFE NO JOGO DE PÔQUER

— AH!, SE EU SOUBESSE GEOGRAFIA...

Chico Pacheco repetia a frase entre dentes, lastimando os dias vagabundos da adolescência: fora renomado filante de aulas. E o tempo perdido durante uma vida inteira, gasto em inutilidades, quando poderia ter-se dedicado, de corpo e alma, ao estudo intensivo da geografia, ciência de cuja extrema utilidade só agora dava-se conta.

— Onde andará Marcos Vaz de Toledo? — perguntava-se, na esperança de ver desembarcar, por milagre, na gare de Periperi, o colega de repartição, que não via há mais de vinte anos.

Marcos Vaz de Toledo, sulista e cheio de si, era um porreta na geografia. Parecia ter um mapa-múndi na cabeça: capitais, cidades principais, golfos e ilhas, lagos e lagunas, montanhas e vulcões, rios caudalosos e simples cursos dágua, correntes oceânicas e portos, fluviais e marítimos... Portos a escolher, da Europa e da América, da África e da Ásia, da Oceania, tinha-os às dezenas na ponta da língua. Um portento, esse Marcos Vaz de Toledo, mas um tanto secante, maníaco de seus conhecimentos, obrigando os companheiros a fugirem dele, a evitar-lhe a convivência. Era proporcionar-lhe a menor oportunidade e ele, de piteira longa e assombrosa memória, começava a recitar nomes arrevesados, de Hamburgo a Xangai, de New York a Buenos Aires. O próprio Chico Pacheco — amigo de falar, inimigo de ouvir — apelidara-o de "navio cargueiro", desses que não podem enxergar um porto, por mais miserável, sem nele escalar.

Chico Pacheco reconhecia tardiamente o erro daquela subestimação dos conhecimentos geográficos. Considerava Marcos Vaz de Toledo um inoportuno, chatíssimo, dobrava esquinas ao vê-lo. O que não daria para tê-lo agora em Periperi, com seus mares interiores, seus afluentes e meridianos, aquelas centenas de preciosos portos... Da maçadora relação de ancoradouros, guardara apenas os nomes mais conhecidos e fáceis, completamente inúteis a quem quisesse desmascarar um impostor. Porque estava certo tratar-se de um impostor, a iludir a boa-fé daquela senilidade simplória de Periperi, daqueles crédulos débeis mentais, prontos a acreditar em qualquer charlatão, a engolir as mais cabeludas lorotas. Ele mesmo, em múltiplas ocasiões, lhes pespegara cada mentira de arrepiar, e os coitados nem desconfiavam.

Não havia no mundo mercado tão propício para um mentiroso comerciar sua mercadoria como Periperi. Recebia em pagamento a moeda do respeito e da consideração. Prova disso era ele próprio, Chico Pacheco: acatavam-no mais pelas histórias inventadas sobre juízes e procuradores, pelo exagero posto na narração dos recursos e tricas jurídicas, do que pela injustiça sofrida. Apenas suas mentiras eram triviais e limitadas, seu campo de ação não ultrapassava a cidade da Bahia, gente conhecida, cenários a meia hora de trem.

Como concorrer com um exagerado sem medidas, plantado na coberta de navios no meio de mares e oceanos remotos, às voltas com tempestades, naufrágios, tubarões, batido por todos os ventos e repleto de mulheres, a maioria delas apaixonadas e lúbricas, umas vacas?

Chico Pacheco apertava os olhos miúdos: nunca vira descaramento igual. Nem mesmo Romeu das Dores, cuja profissão era testemunhar em falso nos tribunais (pagamento adiantado), velho bêbado e debochado, era tão cínico. Não possuía o comandante (comandante, uma figa!) nenhum senso do ridículo, ia metendo a cara e contando, a entremear a história com nomes sonoros e complicados de portos e acidentes geográficos, com termos náuticos, e vendia sua peta bem vendida, pelo mais elevado preço. Babavam-se aqueles ingênuos bestalhões de Periperi, cambada de bocós. Só faltavam lamber a bunda do comandante (comandante, uma banana!), uns palermas!

Concorrer, impossível. Restava-lhe desmascarar o impostor, denunciar o charlatão. Ah!, se soubesse geografia, jogar-lhe-ia aos pés umas correntes marítimas, umas latitudes e longitudes, embrulharia suas escalas, rapidamente obrigá-lo-ia a descer da ponte de comando e a desembarcar para sempre. "Preciso mandar buscar uns livros de escola em Salvador."

Vivia, desde sua volta, a roer um despeito medonho. Fizera-se mais amarela sua habitual palidez, ameaçava um ataque de bílis. O vulto de Vasco Moscoso de Aragão, seus cachimbos, os instrumentos de navegação, os mapas e navios enquadrados, luneta e telescópio, seu altaneiro boné dominavam Periperi de ponta a ponta, da estação à praia, não havia lugar para outra importância, outra celebridade, outro herói. Pitando seu cigarro de palha e fumo de corda (de que valia um cigarro de palha, por mais malcheiroso, ante um cachimbo de espuma-do-mar, perfumado tabaco?), ruminava Chico Pacheco rancores e planos de vingança.

No entanto — refletia — estava na cara, só não enxergava quem não quisesse ou esses parvos ouvintes já mais do lado de lá, no caminho do cemitério. O néscio do Zequinha Curvelo, esse, de tanto admirar, virava marinheiro de segunda classe, andava atrás do charlatão como um ordenança, conduzindo-lhe a luneta para a grotesca cerimônia de inspecionar a baía do alto dos rochedos, à entrada dos navios. Juntava gente para ver, era como se o porto da Bahia estivesse agora sob a guarda e a direção dos habitantes de Periperi. Ao descer, Vasco anunciava:

— É um paquete holandês. Manobra perfeita...

Ou revelava, sigiloso:

— Um cargueiro do Panamá... Deve conduzir muito contrabando...

Trocavam olhares cúmplices, sentiam-se envolvidos em arriscadas empresas, um pouco contrabandista cada um deles, sobretudo Zequinha Curvelo. "Uma palhaçada", resmungava Chico Pacheco, ainda mais amarelo, o gosto amargo da inveja na boca de dentes podres. Fitava a face risonha e cordial do comandante (comandante, uma pílula!), o ar de dono de armarinho, e cada vez mais se convencia de que se algum dia aquele tipo embarcara fora em naviozinho micha, costeiro, e além dos portos de Ilhéus, Aracaju e Belmonte não ia seu conhecimento.

Andara insinuando, como quem não quer nada, suas suspeitas. Esfregaram-lhe na cara o diploma, assinado e registrado, à vista de todos na sala, em sua moldura doirada. Sim, o diploma era uma realidade difícil de negar. Mas que provava, além do comando de um daqueles minúsculos navios da Companhia Bahiana, onde, na curta rota de Caravelas a Salvador, os passageiros vomitavam a alma? Talvez nem isso: quem sabe, não saíra jamais o comandante (comandante, um corno!) do rio São Francisco, de um gaiola qualquer, de Juazeiro a Pirapora, de Pirapora a Juazeiro a vida toda. Com aquela fachada de mascate, de vendedor a prestações, só os bobos se iludiam, não ele, Chico Pacheco, habituado a lidar com advogados ladinos, com sabidórios do fórum, com gatunos de toda espécie. Essas histórias de portos da Ásia, de ilhas do Índico, de mulheres do Ceilão, de marinheiros gregos, Vasco as sabia, certamente, de leituras, de tê-las ouvido contar ou simplesmente as inventava. Navio-gaiola no rio São Francisco, era o máximo que Chico Pacheco lhe concedia.

Derrotado pelo diploma em sua primeira investida, não desanimou, fibra temperada por dez anos de litígio com o Estado. Enquanto esperava os compêndios encomendados ao filho (nem que tivesse de dedicar o resto da vida ao estudo da geografia...), resolveu explorar os pontos fracos do inimigo. Detalhes capazes de despertar a dúvida e obter-lhe aliados.

Reparou logo na decepção de Emílio Fagundes. Quando na Secretaria de Agricultura, Emílio Fagundes chegara a ter o nome impresso nos jornais devido a seu gosto e jeito para o jogo no xadrez. Disputara mesmo um campeonato no Rio, obtivera o quarto lugar, um sucesso! Agora, aposentado, sua única restrição a Periperi era a ausência de um bom parceiro, não havia ali quem fosse além da dama, do gamão, do dominó. Enchera-se de esperanças com a chegada do comandante (comandante, uma bosta!), logo desfeitas: o homem mal distinguia uma torre de um bispo, um cavalo de um rei. Devia continuar a jogar, por correspondência, com parceiros da capital, a resolver problemas das seções especializadas de jornais e revistas. Uma desilusão.

— Pensei que um homem do mar tinha de saber xadrez... — confidenciou um dia a Chico Pacheco.

Pela primeira vez em sua vida, entusiasmou-se o ex-fiscal de consumo pelas complicações do xadrez. Até então considerava-o um jogo cacetíssimo e Emílio Fagundes um lunático. Era realmente de estranhar-se o desinteresse de um homem do mar por jogo tão útil para matar o tempo. Para as longas horas de navegação calma não devia existir melhor passatempo. Resolveu atirar com o tabuleiro de xadrez no tombadilho, mesmo na hora mais emocionante, quando o comandante (comandante, um xibiu!) evitara um choque de conseqüências trágicas entre seu navio e um desarvorado imenso iceberg no mar do Norte, em noite de bruma e frio. A cerração era tal que podia ser cortada a faca como um queijo, ia o negro buque em marcha reduzida, seus apitos angustiosos avisando o perigo, os passageiros em pânico, quando a massa branca de gelo apareceu a bombordo, montanha a navegar...

— Seu Vasco, me diga aqui uma coisa...

— Comandante Vasco Moscoso de Aragão, às suas ordens.

Não dispensava o título, pois, como ele dizia, outro bem e honra não possuía além de sua carta de comando. Chico Pacheco, num esforço, continha os palavrões, dava-lhe o título:

— Pois, seu comandante (de merda...), me diga aqui uma coisa que me está fazendo mossa: como é que o senhor, homem do mar, com um tempão para matar, não sabe jogar xadrez? Tenho ouvido dizer que é jogo muito apreciado nas embarcações...

— Pois lhe informaram errado, caro amigo. Jogo de marinheiro é jogo de dados ou de baralho, jogo de azar. Um pôquer bem disputado, isso sim. Passei noites e noites sem dormir, até o sol nascer, em mesas de pôquer...

E, tomando da deixa, foi adiante, impávido:

— Naquela vez que naufraguei em Rasmat, a ilha parecida com Periperi, só levávamos no barco uns biscoitos, um pouco de água e um baralho. E mesmo ali, ameaçados por todos os lados, jogamos um bom pôquer. Éramos cinco e enquanto um ficava no leme, os outros quatro apostavam. Jogamos os biscoitos e os goles dágua a que tínhamos direito. Foi divertido. Dois dias e duas noites...

Ora, Chico Pacheco era bom no pôquer:

— Pôquer? Ora, viva... Podemos fazer uma rodinha, eu já andava com saudades. O Marreco é um viciado...

— Viciado, não. Mas faço uma fezinha...

— ...Leminhos também joga, sem falar em Augusto Ramos...

Quem sabe, aquela história de jogar pôquer não era intrujice de Vasco, mais uma? Ah!, se ele não conhecesse as regras, não tivesse a ciência da aposta, a malícia do blefe...

— Podemos fazer uma rodinha agora mesmo...

— Agora, não, me desculpe. Tenho de terminar o caso que estava contando... — furtava-se Vasco, voltando à narração interrompida.

— Deixa o fim pra depois... — forçava Chico Pacheco.

— Estava no pedaço mais impressionante — recordou Rui Pessoa.

— Chego a sentir um frio na espinha... — confessou Zequinha.

Chico Pacheco olhou com desprezo o grupo em torno a Vasco. Imbecis! Então não viam logo a tapeação? Com certeza o impostor não sabia sequer com quantas cartas se jogava, o valor de uma seqüência ou de uma trinca. Sorriu com esperança. A voz do comandante (comandante, no cu!) rolava sonora na dramática história. Pois já estava a montanha de gelo quase a abalroar o navio, gritavam os passageiros, perdiam a cabeça os tripulantes, quando ele, arrancando das mãos do timoneiro a roda do leme...

— Enquanto vosmicê termina vou chamar Augusto Ramos... Pode ser mesmo em sua casa, não é, Marreco?

— Só jogo se for baratinho... Coisa de tostão... — o Marreco vivia apertado, ajudava nora viúva e com filhos, na Bahia.

Passava o iceberg raspando pelo navio, Chico Pacheco partira em busca de Augusto Ramos e de baralho. Mãos firmes no leme, Vasco contemplava vitorioso a montanha de gelo a afastar-se lentamente, arrastada pelas correntes glaciais.

Não faltava baralho, quase todos eles faziam paciência nas horas vagas da tarde, antes da prosa na praça. Baralhos de cartas grossas e sujas de diário manuseio.

— Vamos, vamos entrar... — apressava Chico Pacheco.

— Peru não dá palpite... — avisava Leminhos, pois todos tomavam posição para assistir à partida.

— Eu já tinha ouvido falar nessa história de iceberg...

— Não se lembra do naufrágio do *Titanic*? Bateu num troço desses... É muito perigoso...

Vasco sorria, aproximava-se, tomava do baralho. Chico Pacheco iluminou-se quando o comandante (comandante, uma porra!), à vista das cartas sebosas, largou-as sobre a mesa, balançou a cabeça e recusou-se:

— Com esse baralho, não. Não é possível.

— Ora, senhor, não seja luxento. Para uma brincadeira, a tostão, serve muito bem. Vamos sentando...

Chico Pacheco puxava a cadeira.

Zequinha Curvelo continuava a enxergar o iceberg:

— Eu me atirava na água se visse um troço desses em minha frente...

— Não, com esse baralho não jogo, não tem graça.

— Ou será que vosmicê não sabe para onde vai pôquer? — triunfava Chico Pacheco.

Fitou-o Vasco Moscoso de Aragão com olhos surpresos:

— Por que não havia de saber?

— Sabe-se lá...

Voltou-lhe as costas Vasco, saiu apressado, Chico concluiu:

— Esse cara nunca viu pôquer na vida dele. Jogando num barco de salvamento, onde já se viu? Esse sujeitinho pensa que a gente é mesmo idiota... É cada mentira e uma em cima da outra...

— Mentira?!

— Ora, seu Leminhos, então vosmicê não vê logo? Basta apertar um pouco e ele arreia as calças... Não viu agora, com essa história de pôquer? Jogando os biscoitos, os goles dágua... Arranjo os baralhos, os parceiros, e o tipo escapole... Só porque o baralho está um pouco usado, desculpa esfarrapada. Qual o marinheiro, o mais vagabundo, que não traça seu poquerzinho?

Zequinha desembarcava do iceberg, ainda tiritante, vinha em defesa de seu ídolo:

— Quem lhe disse que ele não sabe? Ele lhe disse isso?

— Lá vem vosmicê com sua adulação pelo homenzinho...

— Adulação, vírgula. Mas não tenho inveja...

— E quem tem? Inveja de quê?

— Calma, senhores... — interrompeu o Marreco. — Que é isso? Dois amigos velhos a discutir sem motivo.

— Não admito que se duvide da palavra de um homem honrado...

— Duvido é do pôquer dele...

— A verdade é que ele sumiu... — constatou Rui Pessoa.

Mas já regressava Vasco trazendo dois baralhos e uma caixa de fichas. Novos e formosos, cartas enceradas, brilhantes, com a fotografia de um transatlântico estampada nas costas, a fumaça azul a evolar-se do bueiro, aqueles, sim, eram baralhos. Passavam as cartas de mão em mão.

Não se reduziu a esse detalhe a derrota de Chico Pacheco naquela tarde. Bom jogador de pôquer, mas nervoso e irritadiço, com propensões ao blefe a cada momento, não era parceiro à altura de Vasco Moscoso de Aragão, de contagiante bom humor, jogando com conhecimento, segurança e termos náuticos. Sabendo quando ir e quando fugir do jogo, sabendo blefar na hora exata, apreendendo com rapidez os cacoetes de cada parceiro.

Chico Pacheco podia negar-lhe tudo, menos a perícia no pôquer. Era um mestre.

Zequinha Curvelo seguia a partida, numa cadeira ao lado. Longe desaparecia o iceberg derretendo-se ao calor do sul, agora o pulso forte e o olho preciso de Vasco comprovavam-se na mesa de jogo. De quando em vez Zequinha lançava um olhar superior ao injustiçado ex-fiscal do consumo. E quando Vasco, com um simples par de damas, foi ver uma alta aposta de Chico Pacheco, dinheiro posto fora num mísero par de setes, Zequinha não resistiu:

— Inveja mata, seu Chico Pacheco.

Matava mesmo. Chico Pacheco sentia dores no fígado, comprava mais um cacife de cinco mil-réis.

Aquela memorável mesa de pôquer iniciou um novo hábito em Periperi: às quintas-feiras, à noite, reuniam-se, em casa de Vasco, para uma disputada partida, o velho José Paulo, Augusto Ramos e Leminhos, além dos inevitáveis perus. Zequinha Curvelo começou a penetrar os segredos do jogo, um marinheiro tem a obrigação de conhecer e amar o pôquer. Chico Pacheco negou-se a fazer parte do grupo. Não punha os pés na casa do comandante (comandante na puta que o pariu!).

DAS FESTAS DE SÃO JOÃO, COM LICOR, CANJICA E TUBARÕES OU O INVEJOSO DERROTADO

JUNHO CHEGARA COM SEU CORTEJO de chuvas a encharcar as ruas arenosas e com as espigas de milho amontoadas nas cozinhas para os manuês, as canjicas, as pamonhas. Mês da gula, quando os aposentados e retirados dos negócios abandonavam as dietas, emborcavam cálices de licor de jenipapo, enterravam-se nos pratos saborosos. Pagariam esses excessos, obrigados vários deles a cortar o sal ou o açúcar, com o agravamento das mazelas diversas, do diabete ao reumatismo. Em muitas casas rezavam-se as trezenas de santo Antônio, primeiro as orações cantadas ante o altar improvisado do santo casamenteiro, depois as dancinhas ao som de harmônica. Na praça elevava-se o alto poste com a bandeira de são João, preparavam-se as fogueiras para a noite santa. No fim do mês, viúvas e viúvos festejariam são Pedro, seu padroeiro. Um mês inteiro de festas, as crianças a soltarem traques e busca-pés, namoros nas trezenas, moças curvadas sobre mágicas bacias de água para nelas enxergar o rosto do futuro noivo. E a escolha do padrinho da festa de São João, honra cobiçada por todos os habitantes masculinos.

Festa de São João, em verdade, havia em cada casa, pois mesmo nas mais pobres abria-se uma garrafa de licor de jenipapo e oferecia-se um pedaço de canjica, de bolo de milho ou de puba, de cuscuz de tapioca, delicada pamonha envolta em palha. Mas tratava-se da festa na praça, com diversões para os meninos pobres, filhos de pescadores e operários da Leste, alunos do grupo escolar. Vinha o padre Justo, de Plataforma, rezava missa pela manhã na pequena igreja, almoçava na casa de um dos importantes, assistia aos folguedos à tarde. À noite acendiam-se as fogueiras, nelas assavam-se milho e batata-doce, as faíscas crepitavam no ar, balões subiam ao céu, crescia o número infinito das estrelas.

Essa história do padrinho da festa obrigava o padre Justo a extremos de diplomacia. Aliás, sua batina escondia a casaca de um diplomata, sabia convencer os mais recalcitrantes, aparava suscetibilidades, tomava café com um, almoçava com outro, merendava com um terceiro, servia-se de licor e canjica em dezenas de casas, voltava para Plataforma em paz com seus fiéis de Periperi e com uma mortal indigestão.

Os candidatos a padrinho eram muitos, cada ano. Todos sentiam-se com direito a presidir a festa da tarde, quando os meninos disputavam as corridas do saco e do ovo e escalavam o escorregadio pau-de-sebo com uma nota de cinco mil-réis na ponta. Havia alguma despesa a fazer, mas era desprezível se comparada à distinção de sentar-se ao lado do reverendo, na praça, e escutar o discurso elogioso de um aluno do grupo escolar, discurso escrito pela professora e decorado pelo orador à custa de ameaças, esforço e palmatória.

Ainda em abril começava o padre Justo, em seu presbitério em Plataforma, a receber insinuações, recados e visitas dos candidatos e de seus familiares. Velas eram oferecidas à igreja, havia até quem mandasse rezar missa.

Os mais antigos moradores, quase todos, já tinham sido distinguidos com a suprema dignidade anual de Periperi. O velho José Paulo a merecera três vezes, atualmente nem se candidatava, evitando despesas supérfluas. Adriano Meira, Augusto Ramos, Rui Pessoa haviam sido escolhidos anteriormente. Até Leminhos, habitante relativamente novo do lugar, aposentado aos quarenta e cinco anos por motivo de saúde, já fora padrinho da festa. Chico Pacheco também. Ainda há quatro anos presidira, com brilho e imponência, os festejos de São João. Por que então, naquele ano da chegada do comandante, resolvera reivindicar para si, novamente, o posto cobiçado?

Se alguém a ele tinha direito era Zequinha Curvelo, morando ali há cinco anos e até então esquecido pelo padre. No entanto, foi o próprio Zequinha quem, antes dos demais, lembrou ao reverendo o nome de Vasco Moscoso de Aragão. Na sua opinião não podia ser outro o padrinho daquele São João, era da mais estrita justiça escolherem o marinheiro ilustre que realçava a fama de Periperi com sua presença entre eles. Padre Justo concordou, sentia-se atraído pelos novos habitantes, gostava de conquistar-lhes a confiança e a amizade. Parecia uma escolha pacífica: os importantes, como o velho Marreco, Adriano Meira e Emílio Fagundes, estavam todos de acordo. Sem falar na gente pobre: esses adoravam o comandante, sempre pronto a socorrer um e outro, a soltar um dinheirinho, a pagar um trago de cachaça. Era, como ele explicava, um costume que lhe vinha do trato com os marinheiros, seus problemas, suas carraspanas: gostava de ajudar os demais, de aconselhá-los, de ouvi-los contar suas confidências. Daquela vez o padre Justo esperava não ferir suscetibilidades, não provocar ciúmes com a escolha, tão geralmente aplaudido lhe parecia o nome do comandante.

Enganava-se. Quando a notícia foi conhecida em Periperi, Chico Pacheco encolerizou-se. Fizera saber ao padre, há mais de um mês, ser candidato, mandara-lhe um capão de presente e uma garrafa de vinho de jurubeba, marca Leão do Norte, um néctar. E, de repente, era apunhalado pelas costas, miseravelmente traído. Como se não lhe bastassem os adiamentos de seu processo e as decepções sofridas em Periperi, sabotava-lhe a Igreja a candidatura e aliava-se ao impostor, ao charlatão. Tornou-se Chico Pacheco de súbito e violento anticlericalismo, encheu-se de simpatia pela maçonaria, disse cobras e lagartos do clero em geral e do padre Justo em particular, atribuiu-lhe amantes e filhos.

Se ainda fosse outro o escolhido, poderia aceitar a humilhação em silêncio. Mesmo Zequinha Curvelo seria suportável, apesar de Chico se haver candidatado exatamente para evitar que o "ordenança" de Vasco obtivesse afinal a demorada honraria. Quisera impedir a vitória do adulador e o resultado era uma derrota medonha, a pior que já sofrera. Sim, andava tão apaixonado depois daquela história do pôquer que parecia esquecido do processo a correr no fórum da Bahia, como se não tivesse no mundo outro inimigo a combater além do comandante Vasco Moscoso de Aragão.

Nos últimos tempos, a partir da tarde do iceberg e dos baralhos novos, abandonara o terreno das insinuações para o das acusações frontais. Ia de um em um, analisando as histórias de Vasco, pondo em relevo supostas contradições, chamando a atenção para detalhes a seu ver absurdos.

Não se pode dizer que obtivesse êxito em sua tentativa de desmoralizar e destruir o concorrente. Mas, sem dúvida, sua persistência acabava por insinuar certa dúvida nos espíritos, uma vaga desconfiança, seria mesmo tão heróico o comandante, tão aventurosa sua carreira, tão plena de perigos e amores? Podia tanta coisa assim emocionante acontecer a um único homem, ser tão rica uma vida quando tão medíocre e pobre fora a de todos eles?

Adriano Meira, velho gozador e irreverente, chegara a arriscar uma piada de mau gosto, certa ocasião, quando o comandante narrava uma das suas mais sensacionais proezas, aquela história dos dezenove marinheiros devorados por tubarões no mar Vermelho. Ele, Vasco, escapara graças à bondade divina e à sua destreza no manejo da faca com que abrira a barriga de três tubarões esfomeados, nada menos de três.

— Faça isso por menos, comandante. É tubarão demais...

Olhou-o Vasco com seus olhos límpidos, de criança:

— Como disse, meu amigo?

Embaraçou-se Adriano, tão tranqüila a voz, tão límpido o olhar do comandante. Mas como chegara de uma conversa com Chico Pacheco, fez um esforço e repetiu a graçola:

— Tubarões demais, comandante...

— E que sabe o amigo sobre tubarões? Já navegou no mar Vermelho? Sua observação não tem cabimento, posso lhe afirmar. Não há lugar no mundo com tantos tubarões...

Não, não podia ser um mentiroso, nem sequer percebia a ironia e a dúvida da piada nem o tom de voz trocista. Se fosse um charlatão, como queria Chico Pacheco, zangar-se-ia, responderia irritado. Adriano Meira arrependia-se:

— O senhor tem razão, comandante. A gente não deve falar do que não conhece...

— É o que eu sempre digo. Nem falar nem comandar...

Porque não conhecia o *El Gamil*, cargueiro egípcio, quando aceitara comandá-lo naquela lenta e monótona travessia entre Suez e Áden, transportando cimento. Loucura da qual só se dera conta quando já era tarde: o barco estava em péssimas condições, nem o aparelho de telefonia funcionava. E a tripulação era constituída de tipos suspeitos, assustadoras carantonhas. Felizmente ia com ele o fiel Giovanni, aquele marinheiro por cuja causa se desentenderia, anos depois, com armadores europeus. E quando o *El Gamil* naufragou, com um rombo no casco, só ele e Giovanni conseguiram salvar-se, recolhidos por um navio norueguês, após aquela mortandade de homens e tubarões. Guardava ainda a faca providencial, mostrar-lhes-ia uma noite dessas quando fossem tomar um trago em sua casa.

Não ia além dessas passageiras dúvidas, fugidias desconfianças momentâneas, o resultado da desenfreada campanha de Chico Pacheco. Adriano Meira, ao vê-lo, reclamava:

— Lá vem você com essa conversa... O homem é um mentiroso, é só o que você sabe dizer. Fui acreditar, estrepei-me. O comandante me exibiu até a faca com que matou os tubarões...

— Vocês são uns imbecis!

Incompatibilizava-se com uns e outros, cada vez mais amargo e cáustico, boca suja de palavrões, envolvendo em seu desprezo e em sua raiva toda a população de Periperi, os aposentados e suas esposas, todas elas ouvintes fanáticas das aventuras do comandante.

A escolha de Vasco para padrinho da festa de São João, em

detrimento de sua candidatura, foi demais. Ainda tentou pressionar o padre, recordando-lhe presentes anteriores e abrindo-lhe perspectivas para doações substanciais quando ganhasse sua questão contra o Estado. Depois deblaterou contra o reverendo, transformando-o num dissoluto e num oportunista, o que era evidente exagero, pois o padre Justo apenas tentava manter a paz de seu rebanho e mesmo as línguas mais ferinas não sabiam de saias em sua vida, além da moça a cuidar do presbitério, aliás de suave e modesta beleza, parecendo imagem de santa.

Não podia Chico Pacheco, antes o mais adulado dos moradores de Periperi, quase tão respeitado quanto o velho Marreco, presença sempre saudada com entusiasmo, agüentar tanta humilhação, tanta deslealdade. Não suportaria ver o charlatão, com sua cara alvar, de dono de armarinho, ao lado do padre ingrato (devia pelo menos devolver-lhe o capão e o vinho de jurubeba, se possuísse o menor resquício de dignidade), presidindo as festas de São João. Resolveu partir. Mas como não desejasse tampouco dar uma alegria ao inimigo, inventou estar seu processo em pauta, em vésperas de julgamento. Nem com essa notícia, antes sensacional, conseguiu sacudir a indiferença a cercá-lo agora, tudo por obra e graça de um reles embusteiro vestido com um ridículo paletó de embarcadiço. Partiu sob uma chuva diluvial, a estação estava vazia. Parecia um fugitivo, escondido em sua raiva impotente.

ONDE DONDOCA PÕE CHIFRES MORAIS NO NARRADOR

CONFESSO QUE A MALÉVOLA CAMPANHA, filha da inveja e do despeito, desencadeada por Chico Pacheco contra o comandante, abalou um pouco a minha antes incondicional admiração pela figura ímpar do herói. Algumas de suas aventuras, examinadas à luz da crítica arrasante do ex-fiscal do consumo, parecemme ser tanto quanto exageradas. Não o digo para influir num prévio julgamento, coloco-me aqui como um historiador imparcial e, se falo no assunto, é porque me causou certa mossa o fato dos aposentados e retirados dos negócios terem dado tão pouca importância aos comentários e observações de Chico Pacheco, de se terem mantido tão solidários com o comandante.

Num trabalho de pesquisa como este a que me atirei (para matar o tempo e também para ver se com ele posso participar de um concurso lítero-histórico do Arquivo Público), tentando restabelecer a verdade, certos detalhes necessitam ser levados, se não a debate público, pelo menos ao exame das personalidades gradas, capazes de sobre eles emitirem douta opinião.

Eis por que consultei sobre o assunto o meritíssimo dr. Alberto Siqueira, cuja importância representa no Periperi de hoje aquilo que no passado significou a presença do comandante Vasco Moscoso de Aragão. O juiz é homem de saber universal, nenhum ramo do conhecimento humano escapa à sua curiosidade, do direito à filosofia, da economia às discutidas questões sexuais. Mesmo de medicina entende um pouco, para não dizer bastante, e é ele quem cuida, com acerto e devotamento, das gripes brabas e freqüentes de Dondoca. Já tive ocasião de vê-lo (pois ultimamente, em mais uma prova de confiança e estima, abriu-me ele, em plena tarde, a porta dessa sua casa militar onde eu só penetrava à noite e furtivamente), as mangas da camisa arregaçadas, a banhar em água quente, depositada numa bacia, os mimosos pés de Dondoca, envolvendo-os depois numa toalha. Segundo o meritíssimo, não existe melhor tratamento para resfriados e gripes. Bom tratamento para a doente e para o improvisado médico, parece-me, pois, com o pretexto de banhar os pés da moça, as mãos salientes do juiz sobem por vezes aos joelhos e adjacências, fazendo Dondoca rolar na cama, rindo de gozo e de safada, pinicando-me um olho cúmplice. Ele murmura-lhe então palavras doces, frases ternas: "Minha bichinha, coitadinha, está doentinha...".

Tocante espetáculo o desse homem ilustre, glória da jurisprudência baiana, acocorado ante uma bacia de flandres, a lavar, a esfregar, a beijar os pés de humilde mulata, de poucas luzes e nenhum cabedal. Renovada prova de seus bons sentimentos que aqui proclamo, aproveitando-me da ocasião.

Disse-me, quando sobre minha dúvida o consultei, não constituir surpresa para ele a fácil credulidade dos ouvintes do comandante, pois estavam ante provas concretas de suas afirmativas: o diploma enquadrado, a Ordem de Cristo, importantíssima!, a bússola, o telescópio. Como duvidar, como dar fé e valia às maledicências de Chico Pacheco, apenas um ascendente daquelas más-línguas ainda hoje a infestar nosso pacato subúrbio, a maldizer dos outros, assacando misérias contra a honra alheia.

Anda ultimamente o nosso erudito magistrado bastante melindrado por lhe haverem chegado aos ouvidos notícias de uma discussão aqui travada a propósito de sua carreira.

Não sei quem lhe levou os ecos do debate e não quero arriscar nomes, pois os disse-que-disse, os mexericos e mexeriqueiros pululam em nossa minúscula comunidade. De qualquer maneira, devo louvar o indiscreto e sua indiscrição, pois do relato saiu acrescido meu crédito junto ao meritíssimo. Ao fato devo inclusive o convite para acompanhá-lo à casa de Dondoca, uma confortadora prova de amizade, mesmo de intimidade. Bem sabemos que facilmente leva um homem casado um conhecido qualquer a seu lar e à presença de sua esposa; difícil é levá-lo à casa e à presença da amante. Só os íntimos, os fraternais, merecem tal prova de confiança.

Isso por tê-lo defendido quando Otoniel Mendonça, um puxa-saco de Telêmaco Dórea, alardeou aos berros ter-se o dr. Siqueira aposentado como juiz da capital após haver sido seu nome por três vezes vetado nas listas tríplices para desembargador. Tendo declarado o chefe do governo, quando da última vaga, que, se obrigado a escolher entre um rato de esgoto e o meritíssimo, nomearia o rato — roubava e fedia menos, imaginem!

Indignado, defendi veemente a honra insultada do mestre. Eu tinha velhas contas a ajustar com esse Otoniel Mendonça e estava à espera de oportunidade. Sujeitinho ainda relativamente jovem, fizera-me uma falseta quando arrastávamos os dois a asa a uma cortesã em férias, caída não sei por que cargas-dágua em Periperi. A lembrança da maquilada Manon encheu-me de indignação e eloqüência, despejei meu despeito, alguns adjetivos duros em cima do cretino, e obtive a aprovação da assistência. O próprio Otoniel, assustado ao ver-me tão caloroso, recuou de suas afirmativas, declarou-se admirador do juiz, estava apenas contando histórias que circulavam na Bahia. Além de caluniador, covarde, como vêem.

Voltando, porém, aos assuntos do comandante, objeto real e único dessas minhas considerações, expus o problema a Telêmaco Dórea, o poeta modernista. Haviam melhorado nossas relações, tensas nos últimos tempos. Viera ele procurar-me, muito cheio de dedos e gentilezas, para cumprimentar-me por um soneto de minha autoria — alexandrinos bem medidos, graças a Deus! — publicado num jornalzinho simpático, de propriedade de um amigo meu, rapaz inteligente e esforçado. Há quem o tache de achacador, acusando-o de arrancar dinheiro da operosa colônia espanhola, verrinas tremendas contra os comerciantes que se recusam a anunciar em seu periódico. Creio não passar tudo isso de intrigas e balelas, prefiro não tomar conhecimento. Telêmaco gostara realmente do soneto, não economizou elogios. Comparou-me a Pethion de Vilar e Artur de Sales, tocou-me com aquele espontâneo reconhecimento de minha veia poética. Comoveu-me e abracei-o, não é mau rapaz. Um pouco estourado apenas, maledicente por vezes, mas não será essa amargura resultado de suas dificuldades financeiras? Recebe uma pensão miserável, mal pode viver. Negar-lhe talento é impossível e, se abandonasse a mania do futurismo, poderia escrever bons versos.

Expliquei-lhe minhas preocupações em torno da atitude assumida pela população de Periperi naquela primeira fase da luta entre o comandante e Chico Pacheco.

Não concordou Telêmaco com o meritíssimo, "que entende aquela besta do comportamento dos homens?". Não eram, segundo ele, as provas concretas e materiais — diplomas, mapas, cronógrafo — a causa fundamental do apoio dado ao comandante. Não era assim tão simples e fácil, nem dão os homens tanto valor às provas materiais. O que os levava a sustentar o comandante, a enfrentar Chico Pacheco e sua língua temível, era a própria necessidade, sentida por todos eles, despretensiosos e tímidos aposentados e retirados dos negócios, de sua ração de aventura, de sua parcela de heroísmo. Por mais circunspecto que seja um homem, mais comedida sua vida, há dentro dele uma chama, por vezes apenas uma fagulha, capaz de transformar-se num incêndio se a ocasião se apresenta. É ela que exige fugir da mediocridade, mesmo que seja nas palavras de uma história ouvida ou nas páginas de um livro lido, da chatice dos dias iguais, pequenos e mornos. Nas aventuras do comandante, em sua vida arriscada e temerária, encontravam os perigos por que não haviam passado, as lutas e batalhas que não haviam travado, os alucinados e pecaminosos amores que, ah!, não haviam vivido.

Que lhes oferecia Chico Pacheco? As tricas de um processo judicial contra o Estado era pouco. Se ainda fosse um processo criminal, com mortes, esposa adúltera e amante sórdido, facadas ou tiros, júri emocionante, promotor e advogado, ciúme, ódio e amor, talvez tivesse alguma possibilidade... Mas essa pendência em torno de uma aposentadoria era quase nada para o muito de que necessitavam, sua carência de vida mais verdadeira e profunda. O comandante era um generoso doador de grandeza humana, eis aí o segredo de seu sucesso.

Confesso parecer-me tudo isso complicado e confuso, um tanto pernóstico também. Telêmaco Dórea é assim, mas, no fundo, não é mau sujeito. Aplicou-me mais alguns elogios, tomou-me duzentos cruzeiros para pagar dois dias depois, foi-se embora.

Terminei por expor a questão a Dondoca, no leito cálido onde substituo à noite o meritíssimo sem seus elevados méritos intelectuais mas com certas vantagens físicas. A safadinha riu seu riso dengoso:

— Esse comandante, apesar de velhote, tem seu encanto. Gosto da voz dele, dos olhos bonitos e da cabeleira. Devia ser bom ficar deitada, ouvindo ele contar seus acontecidos. Um homem assim, não há mulher que não goste...

— Só para ouvir ou, também...?

Mordeu o lábio, riu desfalecente:

— Quem sabe, também...

Como se não bastasse o juiz, descarada! Mas ela me puxava pelos cabelos, falava com a boca junto a mim:

— Conta mais uma história dele, uma que tenha mulher no meio do mar, conta, meu bem...

Juro que pensava no comandante, a cachorra.

DE COMO DESABOU A TEMPESTADE APÓS AS COMEMORAÇÕES DO DOIS DE JULHO OU A VOLTA DO BANDIDO COM ACUSAÇÕES CONTRA O MOCINHO

E, DE REPENTE, NUM DESSES DIAS PERFEITOS de inverno, de céu límpido e despejado, de mar sereno, a natureza em paz com os homens, a tempestade desabou.

Logo após o Dois de Julho, comemorado naquele ano com excepcional brilho em Periperi. Anteriormente, a celebração da data nacional da Bahia resumia-se a um ato no grupo escolar, discurso de professor e hinos cantados, com voz estrídula e desafinada, pelas crianças. Fora disso, era um dia morto, cada um recordando outros Dois de Julho passados na cidade, o cortejo dos caboclos, as cerimônias na praça da Sé e no Campo Grande, os fogos de artifício.

Naquele ano, porém, o comandante, indiscutível autoridade em assuntos cívicos, colocou-se à frente das comemorações. Já revolucionara ele as festas de São João, pendurando uma nota novinha de vinte mil-réis, um exagero!, na ponta do pau-de-sebo; multiplicando o número das competições infantis, com prêmios aos vencedores; financiando uma festa para a gente pobre em casa de Esmeraldina, costureira *doublé* de doidivanas, amiga de cantar e dançar, de casar e descasar, espécie de mulher fatal de operários e pescadores, com um considerável ativo de brigas, navalhadas e ameaças de morte. Ali correra farta a cachaça, harmônica e violão gemeram noite adentro, e o barulho tornou-se ensurdecedor, quando, pelas onze horas, o comandante apareceu, acompanhado de Zequinha Curvelo — que agora também fumava cachimbo —, para ver como ia a festa, vestido com a farda de gala.

Com farda de gala amanhecera ele no Dois de Julho, engalanada também a alma de ardor patriótico. Como descobrira ter sido Caco Podre, nos seus bons tempos, anspeçada do Exército, ninguém sabe. Aquele seu costume, talvez, de conversar com toda gente, de ouvir pacientemente confidências e recordações, de discutir problemas. Resultado: foi a população de Periperi despertada naquele Dois de Julho, ao nascer da aurora, por alarmantes toques bélicos de clarins. Era Caco Podre, na praça, executando a alvorada, num entusiasmo de quem recupera os anos perdidos da juventude, enquanto o comandante, auxiliado por Zequinha, hasteava as bandeiras do Brasil e da Bahia no pau-de-sebo promovido a mastro. Haveria algumas falhas nos acordes talvez, andava embotada a memória musical de Caco Podre, mas quem notaria tão mísero pormenor? Pulavam estremunhados dos leitos os aposentados e retirados dos negócios, que diabo seria aquilo, que estava sucedendo? Apuravam o ouvido, as clarinadas cortavam o silêncio matinal, acordavam o sol do Dois de Julho que, como afirma o hino famoso, naquele dia é brasileiro, "brilha mais que no primeiro".

Parecia algo relacionado com as forças armadas, imaginavam os habitantes assustados: seria revolução, os jornais andavam cheios de boatos. Era revolução com certeza, pois em seguida um bombardeio monstruoso abalou os fundamentos de Periperi. Foguetes espocando no ar, as bombas servindo como salvas de canhão, sob o competente controle do comandante a ordenar a Misael, o outro ganhador da estação:

— Vinte e uma! Basta!

Caras surgiam a medo nas janelas, rostos ainda cheios de sono.

Crianças corriam para a praça onde se juntavam pescadores e operários da Leste. Para eles discursou o comandante pela primeira vez naquele dia memorável. Aos poucos, de pijama, foram chegando o velho José Paulo, Adriano, Emílio Fagundes, Rui Pessoa, os demais. Zequinha Curvelo, em posição de sentido ao lado do mastro, ostentava um pedaço de fita auriverde na lapela.

Houve, às dez horas, o costumeiro ato no grupo escolar, muito ampliado porém, com declamação da "Ode ao Dois de Julho", de Castro Alves, e novo discurso do comandante, oração substanciosa, tropos magníficos. Com Labatut, Maria Quitéria, o Periquitão, veio Vasco Moscoso de Aragão dos campos de Cabrito e Pirajá, das batalhas de Itaparica e Cachoeira, até entrar na cidade de Salvador pelo caminho da Lapinha e Soledade, curvando-se emocionado ante o cadáver de Joana Angélica tombada na porta do convento das Arrependidas, na Lapa, expulsando de vez e para sempre os portugueses colonizadores. Transfigurava-se o comandante, explodindo de indignação contra os lusos opressores, exaltando a memória dos bravos baianos libertadores da pátria. Porque foi no Dois de Julho que a independência se concretizou efetivamente, o sangue dos baianos dando realidade ao grito do Ipiranga.

Após os hinos, comandou os dois ganhadores, os professores e os alunos, Zequinha Curvelo e os habitantes, num desfile pela rua principal até a praça, sua voz marcial ordenando "Ordinário, marche!, direita, volver!, atenção, sentido!". Os botões da farda brilhavam ao sol, a poeira prateada de um chuvisco ralo acompanhava a passeata.

Na praça formaram os meninos, mestres e mestras, Zequinha, os carregadores (Caco Podre já um tanto vacilante das pernas, começara a beber antes da alvorada), e todos juraram bandeira. No fim da tarde, ainda pronunciou o comandante umas palavras ante a população reunida para assistir ao arriar dos pavilhões. Essa cerimônia final foi um tanto prejudicada por fato lastimável: encontrava-se Caco Podre em estado quase de coma, num porre daqueles, incapaz de uma nota ao clarim. Substituído por um escolar e sua corneta, não foi a mesma coisa. Não chegou a empanar-se, porém, o brilho da festa: as bombas, os rojões de foguetes, os morteiros compensaram. Misael mantivera-se relativamente sóbrio.

— Sim, senhor... — comentava depois o velho Marreco... — foi preciso que o comandante viesse morar aqui para termos uma festa de Dois de Julho à altura... É um porreta!

Estava o comandante com sua reputação cimentada; erguia-se, por assim dizer, como estátua num alto pedestal, na estima e na admiração de seus vizinhos de Periperi, definitivo e carismático. Jamais ninguém fora ali tão considerado, tão unanimemente cortejado e respeitado. A notícia daquele Dois de Julho levou a fama de seu nome aos extremos limites dos subúrbios da Leste Brasileira. Não se movia uma palha naquelas redondezas sem o aviso sábio do comandante.

E, de repente, logo após aquele brilho do Dois de Julho, num luminoso dia propício às alegrias tranqüilas, desabou a tempestade. Chico Pacheco desembarcou aos gritos na estação, eufórico e urgente.

— Ganhou a questão... — pensou Rui Pessoa ao vê-lo descer.

Pôs o pé na plataforma e foi logo alardeando para Rui, para o chefe da estação, os empregados, os operários a engraxarem os trilhos, para Caco Podre e Misael:

— Eu não dizia? Não avisei? Avisei a vosmicês todos! A mim, nunca me enganou... Um charlatão. Nunca pisou num navio, nunca!

Foi de casa em casa, procurou a todos, um por um, até Zequinha Curvelo recebeu sua visita, generoso porque superior e triunfante. Levava no bolso uma caderneta negra onde tomara anotações, de quando em vez a abria e consultava. Repetia sua história grotesca, entre gargalhadas e palavrões contra o comandante:

— Charlatão mais filho-da-puta...

Houve aqueles que lhe deram inteiro crédito e começaram a olhar o comandante com desprezo, rindo à sua passagem; outros acharam haver exagero de lado a lado, nem tão heróico Vasco, nem tão verdadeira a história de Chico Pacheco, esses eram poucos; terceiros não acreditaram em uma só palavra do relato do ex-fiscal do consumo, continuaram incondicionais ao lado do discutido capitão-de-longo-curso. Entre os primeiros, Adriano Meira, entre os últimos Zequinha Curvelo, no meio deles, tentando conciliá-los, o velho José Paulo, o estimado Marreco.

Conciliação difícil, talvez impossível, pois a polêmica atingiu uma aspereza antes desconhecida em Periperi. Exaltaram-se os ânimos, as posições eram irredutíveis, velhos amigos deixaram de cumprimentar-se, por pouco Chico Pacheco e Zequinha Curvelo não se atracaram a bofetadas. Dividiu-se o subúrbio, terminou-se a antiga paz celebrada até nos jornais da capital. A paixão, como um vendaval, varreu Periperi.

Com sua caderneta na mão, Chico Pacheco repetia suas descobertas, sua espantosa história. A história datava do começo do século, do governo José Marcelino.

SEGUNDO EPISÓDIO

FIEL E COMPLETA REPRODUÇÃO
DA NARRATIVA DE CHICO PACHECO,
APRESENTANDO SUBSTANCIOSO
QUADRO DOS COSTUMES E DA VIDA DA
CIDADE DE SALVADOR
NOS COMEÇOS DO SÉCULO,

COM

ILUSTRES FIGURAS DO GOVERNO E
RICOS COMERCIANTES,
ENJOADAS DONZELAS E EXCELENTES RAPARIGAS

DA PENSÃO MONTE CARLO E DOS CINCO SENHORES IMPORTANTES

FAISCANTE DE JÓIAS: ANÉIS nos dedos, colares ao colo, diadema nos cabelos, pingentes nas orelhas, arrastando a cauda do vestido de noite, o busto volumoso empinado no corpete, a boca entreaberta num sorriso, Carol precipitou-se, ao vê-los surgir no topo da escada:

— Até que enfim... Pensei que não vinham hoje.

Carregava com garbo seus cinqüenta e seis anos bem vividos e a gordura contra a qual lutara inutilmente: viera com a idade e com as economias bem empregadas em apólices e imóveis. Vitoriosa carreira, feita de trabalho e penas, quarenta anos em casas de mulheres, como pensionista primeiro, depois como proprietária, desde aquele dia remoto quando um caixeiro-viajante, de passagem por Garanhuns, levou-a consigo, iludindo-a, com sua lábia e seus modos de cidade grande, prometendo-lhe mundos e fundos. E isso para largá-la uma semana depois, em Recife, menina de dezesseis anos, sem tostão, sem conhecidos, sem experiência, vagando entre as pontes, a fitar as águas do rio como um caminho.

Em certas tardes tranqüilas, Carol, estendida na cadeira austríaca de balanço como um trono na sala de jantar, a caixa de jóias sobre as coxas fartas, rememora aquela noite dilacerante: a pequena Carolina desonrada, um nó na garganta e um tremor nas pernas, perdida nas ruas e no terror da cidade, tentada pelas águas do Capibaribe. Tomava dos anéis de brilhante, do colar de pérolas verdadeiras, dos broches e pulseiras, esmeraldas e topázios, e relembrava aquela noite quando foram seus todo o cansaço e todo o medo.

Virara Carol logo depois e agora pode sorrir ao recordar as horas suicidas e o caixeiro-viajante. Parecera-lhe um príncipe de contos de fada ao surgir em Garanhuns com suas malas de amostras e sua conversa fiada: era apenas um pobre-diabo, sem riqueza e sem sedução. Príncipes eram aqueles moços que agora subiam as escadas da Pensão Monte Carlo, num amplo primeiro andar da praça do Teatro, a mais elegante e luxuosa pensão de mulheres da vida da cidade da Bahia, propriedade única e exclusiva de Carolina da Silva Medeiros, mais conhecida como Carol Língua de Ouro.

Os cinco rapazes, vestidos todos de brim branco HJ, elegantes chapéus de palhinha, elegantes bengalas, polainas e bigodes frisados, vibrantes e ruidosos cercaram-na numa efusão de abraços e beijos, gracejos e galanteios:

— Salve a nossa Soberana e Senhora! — curvou-se um homem alto, quarentão saudável, pele bronzeada, cabelo cortado rente.

— Quanta honra, coronel. Entre, que a casa é sua.

Dobrava-se aos pés de Carol, em cômica mesura, um cavalheiro forte e simpático, muito loiro, de maliciosos olhos azuis:

— Curvo-me a seus pés, dona do meu coração...

— Não minta, comandante, conheço a dona de seu coração...

— Mais bela do que nunca... — dizia o terceiro a beijar-lhe a mão de anéis, experiente de carícias.

Era ela, porém, quem se curvava para cumprimentá-lo e logo abraçá-lo:

— Doutor Jerônimo, seja bem-vindo, dê suas ordens a essa sua criada...

Voltava-se para um jovem quase imberbe, bonito rapaz silencioso:

— O tenente é esperado com impaciência...

Para enlaçar finalmente, num abraço onde havia real amizade, o derradeiro do grupo, de nariz adunco, cabeleira romântica e certa melancolia nos olhos amoráveis:

— Seu Aragão! Seu Aragãozinho! Bons olhos o vejam...

Turvou-se ainda mais o olhar de Aragãozinho, apesar do afeto visível na voz de Carol, de seu entusiasmo. Ela notou a tristeza, pensou conhecer a causa, sussurrou ao ouvido do rapaz:

— Persista que terminará vencendo... Sei o que digo... — E mais alto: — Ouço confidências e suspiros...

O coronel comentou, rindo:

— O nosso Aragão, não há quem possa com ele... Não adiantam dragonas nem títulos...

Foi a ele também que se dirigiu o garçom, a voz aflautada, os meneios femininos:

— Reservei a mesa do canto, seu Aragão, a de sempre.

Foram ocupá-la, Carol acompanhando-os numa prova de suprema consideração. Movimentavam-se as mulheres nas outras mesas, prontas a largar os clientes eventuais ao menor chamado da dona da casa ou de um dos recém-chegados. O tenente abraçara-se com uma pequena loira, antes solitária, escondida por detrás da orquestra.

Aragão relanceou os olhos pela sala, até encontrar os de Dorothy. Lá estava ela, as mãos nas mãos de Roberto que a tinha colada contra o peito gordo, num agarramento excessivo mesmo numa pensão alegre. Enfiava a boca de suíno no cangote da mulher. Os olhos de Dorothy, inquietos e quase suplicantes, pousaram nos de Aragão e um sorriso medroso abriu-se em seus lábios. Um calor de primavera cresceu no peito de Aragão. Aquele dr. Roberto Veiga Lima, balofo e fátuo, inútil filho de pais ricos, não merecia a beleza frágil e brusca de Dorothy, seus assustados olhos, aquela ânsia de amor a queimar-lhe as faces como febre.

Não era casual nem gratuita tanta prova de apreço de parte da experiente Carol: os cinco senhores abancados à mesa, ordenando bebidas, honravam e protegiam sua casa, eram a nata da Bahia, os boêmios mais cortejados entre quantos circulavam pelos cafés, mesas de jogo, castelos e pensões de mulheres. Em torno deles juntavam-se vários outros, numa roda grande e pródiga, a melhor gente da cidade. Mas os cinco eram inseparáveis, encontravam-se diariamente, a partir do fim da tarde, jogando bilhar, bebendo cerveja, prolongando a noite no pôquer, em ceias nos cabarés.

— Aqueles cinco são os donos do estado... — diziam ao vê-los entrar no Palácio, numa repartição ou num bar, na Pensão Monte Carlo, e tinham certa razão.

Carol sussurrava algo ao ouvido do coronel, fazia sinal a uma morena alta e elegante:

— Chegou hoje do Recife... Uma galanteza.

— Só cuida do coronel... E a Marinha, não lhe merece nada? — reclamava o de olhos azuis, com cara de gringo.

— Para o comandante tenho uma papa-fina... bem a seu gosto, queimada na pele...

Riram todos na mesa. A morena aproximava-se, fatal. A orquestra refinava-se num tango argentino, Roberto saía dançando com Dorothy. Medicina não aprendera nos dez anos de faculdade (segundo as más línguas obtivera o diploma de doutor por antiguidade) mas aprendera a valsa e o tango, o maxixe, era um senhor bailarino, apesar das banhas. Lá ia com Dorothy nos floreados do tango, em primorosa exibição. Ela se aproveitava para incendiar o peito de Aragão com olhares fundos e sorrisos tímidos. O garçom chegava com bebidas, mulheres circulavam próximo à mesa, na esperança de um chamado. A negrinha Muçu sentara-se nos joelhos do comandante loiro, fazia-lhe cócegas no pescoço. Carol resplandecia, orgulhosa de sua pensão, da orquestra, das mulheres escolhidas a dedo, dos garçons respeitosos, do estoque de bebidas, dos preços caros, da freguesia de primeira ordem. Daqueles cinco fregueses, sobretudo.

O coronel Pedro de Alencar, fluminense, viúvo sem filhos, comandava o 19º Batalhão de Caçadores sediado na cidade. O capitão-de-fragata Georges Dias Nadreau, capitão dos portos, filho de pai francês e mãe mineira, era doido por um pôquer, uma boa negra e uma pilhéria divertida. Vivia a inventar brincadeiras com os amigos, algumas pesadas, mas era o mais leal dos companheiros quando a ocasião se apresentava. Fora ele quem fizera desenhar, emoldurar e pendurar na Pensão Monte Carlo um dístico onde se lia: O CABARÉ É O LAR DOS BOÊMIOS. Dr. Jerônimo de Paiva, rapaz de seus trinta e poucos anos, advogado sem clientela e jornalista desconhecido no Rio, viera para a Bahia trazido pelo parente governador para quem escrevia os discursos. Chefe de gabinete, gozava do maior prestígio. Pretendia fazer política, sair deputado federal na próxima legislatura. O tenente Lídio Marinho, ajudante-de-ordens no Palácio, era o suspirado partido de todas as moças casadoiras da cidade. Filho do famoso coronel Américo Marinho, senhor feudal das barrancas do São Francisco e senador estadual, as moças espiavam-no pelas frestas das janelas, suspirando, quando ele passava garboso em seu uniforme; sonhavam dançar com o tenente nos bailes e assustados. Brigão e romântico, era Lídio igualmente o ai-jesus do mulherio dos castelos e pensões onde se sucediam seus casos.

E, finalmente, seu Vasco Moscoso de Aragão, o Aragãozinho, chefe da firma Moscoso & Cia. Ltda., uma das mais poderosas da cidade baixa, vendendo charque, bacalhau, vinhos, manteiga, queijo-do-reino, batatas-inglesas, produtos os mais diversos, a todo o Recôncavo, sul e sertão da Bahia, penetrando em Sergipe e Alagoas, como uma legião de viajantes. Vasco Moscoso de Aragão era considerado uma das mais belas fortunas do comércio baiano, sua firma uma das mais conceituadas e sólidas.

A bebida corria na mesa, aqueles fregueses não mediam despesa. Posição e dinheiro não lhes faltavam. Carol, entre eles, sentia-se um pouco no poder, como se ela também pertencesse aos meios oficiais e ao alto comércio, familiar do Palácio e dos bancos, mandando na vida do estado. Pois não lhe freqüentava o leito sábio o dr. Jerônimo, desde jovenzinho atraído por mulheres assim maduras, experientes e gordas? Quando Georges pilheriava, o chefe de gabinete respondia:

— Não sou cachorro para roer ossos. Não gosto também de fruta verde. Carol tem seus mistérios...

Seus mistérios: a sabedoria da experiência imensa. E seu prestígio: não já havia feito nomear um sobrinho para a Imprensa Oficial, filho de sua irmã mais moça, uma casada em Garanhuns, cujo marido vivia a injuriar a cunhada perdida? Um simples pedido a Jerônimo, em noite de delírio, e bastara. Promovia soldados a cabo, botava protegidos na escola de aprendizes de marinheiro, filhos de gente pobre, afilhados seus. Tinha o aval de Aragãozinho toda a vez que necessitava levantar dinheiro em banco para comprar mais uma casa de aluguel. Para os bailes de Palácio, quando ali se reunia toda a sociedade baiana, Carol traçava o menu, fornecia a bebida, e eram os garçons da Pensão Monte Carlo os contratados para servir os austeros senhores e as virtuosas senhoras. Discretamente, ela mandava e desmandava, até políticos do interior vinham cortejá-la e pedir-lhe proteção. Àquela pequena Carolina de Garanhuns, uma noite quase suicida nas pontes do Recife, hoje coberta de jóias na praça do Teatro, em Salvador da Bahia. Sorrindo na mesa para os cinco senhores.

DA FIRMA MOSCOSO & CIA. LTDA., CAPÍTULO COMERCIAL COM UMA PONTA DE TRISTEZA

A FIRMA FORA FUNDADA PELO VELHO MOSCOSO, avô materno de Vasco, e logo conhecera a prosperidade e o crédito. Era esse José Moscoso um lusitano de visão comercial e rígidos princípios, cuja palavra valia mais do que documento assinado. Durante cinqüenta anos vivera exclusivamente para sua firma, de casa para o trabalho, mourejando como o último dos empregados, "dando o exemplo", indiferente ao conforto e às diversões, sóbrio no comer, no vestir e no amar. Na esposa fizera apenas uma filha e, viúvo, contentava-se com a preta cozinheira, vez por outra.

Vasco o substituíra na chefia da empresa que, naqueles cinqüenta anos, crescera de um modesto escritório para um prédio de três andares ao pé da ladeira da Montanha. No último andar dormiam os empregados e, em quartos melhores, os bons fregueses do interior de passagem pela capital. Ali também comiam, não havia horário para o trabalho, nem domingos e feriados.

Tendo perdido o pai aos três anos, e logo depois a mãe, incapaz de resistir à saudade do marido infiel e apaixonado, fora Vasco criado pelo avô, que o trouxera aos dez anos, apenas terminado o curso primário, para o escritório, onde começara de baixo, varrendo as salas e o depósito, carregando depois mercadorias como um ganhador qualquer. Dormia com os outros empregados no terceiro andar e com eles tomava as refeições, pela manhã e pela tarde, na mesa patriarcal presidida pelo velho Moscoso. Como eles, sua primeira mulher foi a negra cozinheira, a mesma que o avô freqüentava, e essas noites com a preta Rosa, no quarto sem janelas, asfixiante de calor, eram sua única alegria. Não lhe dava o avô nenhuma regalia, além da mão a beijar, na bênção matutina.

Enquanto vivo, o velho Moscoso observava o neto e balançava a cabeça, desanimado. O menino não revelava jeito e gosto para os negócios, descuidado e desatento, sem noção de responsabilidade. Quando rapaz, foi mandado como viajante para Jequié e Sergipe, numa experiência de lastimáveis resultados. Comprovaram-se as previsões mais pessimistas do avô e de Rafael Menendez, primeiro empregado da casa, a eficiência em pessoa.

Foi rápida, porém fulgurante, a passagem de Vasco pela ilustre corporação dos caixeiros-viajantes, naquele tempo emprego cobiçado. Vendia ao sabor de suas simpatias, concedendo crédito a comerciantes praticamente falidos, cujos armazéns e lojas os demais cometas desconheciam cuidadosamente. Incapaz de efetuar qualquer cobrança, concedia absurdos prazos de pagamento. Na cidade sergipana de Estância, praça a ser feita num dia, demorou-se uma semana, encantado com as ruas sombreadas, o casario alegre, os banhos no rio Piauitinga, as moças formosas nas janelas ou ao piano, os requebros de Otália, a dona da pensão, doida por viajante novo. Jamais um caixeiro de José Moscoso empreendeu viagem tão lenta e de tão desastrosos resultados. Fez-se necessário colocar naquela linha, considerada a mais fácil de todas, um viajante experiente para restabelecer o antigo conceito da firma, seriamente abalado pelo jovem cometa aparentemente disposto a revolucionar a profissão. Deixou, no entanto, alto e inesquecível, o prestígio da firma e o seu, pessoal, em quanto prostíbulo existia nas cidades por ele percorridas. Fez um curso completo de mulheres, desforrando-se dos anos de reclusão no prédio ao sopé da ladeira da Montanha, onde os rígidos princípios do velho Moscoso estabeleciam horários impossíveis e reduziam a luxúria aos parcos encantos da negra Rosa, ainda assim disputada e ilegal.

Abanando a cabeça melancolicamente, colocou-o o velho Moscoso de novo no escritório, onde continuou mais ou menos inútil: útil apenas para acompanhar, nas visitas à cidade, os fregueses do interior que se hospedavam no prédio da firma. Para isso era ótimo, moço de trato fino, agradável e conversador, bom companheiro para uma noitada. Noitada em termos, pois se ao freguês não podia o velho Moscoso aplicar, de patacão pendurado aos dedos, o horário exigente: "Às oito, na cama, nem um minuto depois...", aplicava-o ao neto com um rigor jamais abalado sequer pelo buço a crescer em bigodes fartos no lábio sensual do moço. Sem falar no dinheiro limitado, o estritamente necessário para as despesas de condução.

E, mesmo sobre os fregueses, exercia o velho Moscoso certa pressão de referência a horários, a dinheiro gasto em deboches e mulheres, mencionando, a todo momento, o pouco crédito que lhe mereciam homens de hábitos irregulares, freqüentadores de bares e casas de rameiras. "Que confiança se pode ter num sujeito dado a bebidas e a putas?" A pergunta limitava devassos projetos acalentados durante meses, no interior, pelos comerciantes, à espera da visita à capital para fartar o corpo. Ainda assim, no entanto, iam fregueses e Vasco aproveitando cada oportunidade, sabotando a aconselhada romaria aos lugares pitorescos, substituindo-a pela acolhedora atmosfera dos castelos, onde o jovem herdeiro começava a estabelecer conhecimentos duradouros.

O velho Moscoso, os óculos enganchados no nariz, o paletó negro de alpaca, debruçado sobre os livros de correspondência da firma, considerava o neto parado ante a carta começada, os olhos perdidos no horizonte entrevisto através da janela, a sonhar. Cruzava seu olhar desanimado com o severo olhar crítico de Rafael Menendez, o velho abanava a cabeça, o primeiro-empregado fazia uma cara de lástima. Ora, José Moscoso amava bem mais a firma do que a família, aliás reduzida ao neto vago e imaginoso como o pai, aquele Aragão falador e envolvente, mentiroso de fama larga, que lhe conquistara a filha única e vivera às suas expensas durante cinco anos. Custando-lhe rico dinheiro mesmo depois de morto, pois a idiota da viúva exigira para o "idolatrado esposo" enterro de primeira classe e mausoléu de mármore. Quando, na opinião do aliviado sogro, sete palmos de cova rasa já eram demasiada honra para o indesejado genro, conhecido entre os amigos como Aragão Farofa, tais e tantas ele contava. Sujeito mais cínico e caradura não acreditava o velho Moscoso houvesse existido sobre a face da terra. Insensível às indiretas e às insinuações, riu-lhe na cara honrada quando, terminada a longa lua-de-mel, certo dia lhe propôs trabalhar no escritório da firma. Por quem o tomava o sogro? — perguntara entre divertido e ofendido. Por um incapaz, um pobre-diabo útil apenas para a degradação de um escritório comercial, às voltas com secos e molhados, com bacalhau e batatas? Com quem pensara ter casado a filha? Parecia não saber do seu talento, de sua capacidade, de suas relações, de seus planos. Não se preocupasse o estimado sogro em arranjar-lhe emprego. Estava com o futuro garantido e, se ainda não começara a trabalhar, devia-se exatamente à dificuldade da escolha entre as cinco ou seis situações, cada qual mais invejável, postas à sua disposição por seus amigos, homens do maior prestígio. O próprio sr. Moscoso ainda muito se beneficiaria com as amizades do genro: obteria para a firma contratos de fornecimentos para o estado, para diversas corporações, dinheiro fácil a ganhar. Que diria o sr. Moscoso, por exemplo, de um fornecimento de carne-seca e bacalhau à Polícia Militar, durante todo o ano? Era só ele, Aragão, sussurrar uma palavra ao ouvido do capitão-chefe da Intendência e estaria o assunto resolvido. Podia o sr. Moscoso contar com o contrato como coisa certa, dinheiro em caixa. Dinheiro integral, pois ele, genro e amigo, não aceitaria nenhuma comissão.

Durante os cinco anos de casado continuou na mesma indecisão, sem decidir-se por nenhuma das cinco ou seis magníficas situações ou pelas novas ofertas de seus amigos podres de prestígio.

Não obteve também nenhum contrato oficial para a firma, ia tratar do assunto invariavelmente no dia seguinte. Firme, porém, manteve-se na recusa de um lugar de empregado do sogro, considerando a repetida renovação da oferta quase uma ofensa e uma provocação. Era um caráter, e tão íntegro, que jamais pôs os pés no prédio de três andares, conhecendo-o somente de vista, ao passar pela ladeira da Montanha.

Ao morrer inesperadamente — ninguém o imaginou jamais enfermo do coração —, surgiram os agiotas com títulos vencidos, empréstimos diversos, vales rabiscados a lápis, um dinheirão a pagar, do qual o velho José Moscoso, também ele um caráter, se recusou terminantemente a tomar conhecimento. Da morte de Aragão Farofa pode-se dizer ter sido chorada pela esposa, pelos muitos amigos nos bares e pelos seus múltiplos credores horrorizados ante a pétrea insensibilidade do sogro do falecido.

Não resistiu a viúva ao golpe da perda do esposo adorado, meses depois era enterrada sob o mesmo mausoléu de mármore. Jamais duvidara ela um minuto sequer do marido, de sua grandeza, de sua fidelidade, de seu devotado amor. E, de certa maneira, era Aragão Farofa um ótimo esposo, dedicando quase toda a tarde à mulher, acarinhando-a, gentilíssimo com ela, tratando-a como criança mimada, nuns dengues de namorado, fazendo-lhe o amor com constância e sabedoria. Mas, após o jantar, era um homem livre na noite da Bahia, tinha sempre sérios assuntos políticos e comerciais a resolver, como fazia questão de explicar à esposa. Voltava pela madrugada, cheirando a cachaça e a fêmea, o invariável charuto, o invariável sorriso satisfeito. Nem mesmo o nascimento do filho, a ligá-lo ainda mais à esposa, modificou a regularidade de seus hábitos irregulares (na opinião do velho Moscoso). Acordava ao meio-dia, comia e bebia do bom e do melhor, reservava a tarde para a esposa e o filho, noite livre nos bares e castelos, na prosa com os amigos a contar histórias. Uma só virtude reconhecia-lhe o sogro: jamais fora visto bêbado, sua resistência ao álcool era assombrosa.

Debruçado em sua mesa, o velho Moscoso fitava o neto e nele

revia o genro de execrada memória. De que adiantara tê-lo trazido menino de dez anos para a firma, tê-lo encaminhado nos negócios? Eram os mesmos olhos sonhadores do pai, o mesmo sorriso contente com a vida, a mesma total indiferença ante os problemas do escritório, um desastre. Tinha de tomar providências, e sérias, se não quisesse ver esfacelar-se, nas mãos do neto, a firma poderosa e acreditada, obra de sua vida.

E, realmente, ao sentir a proximidade da morte, transformou a firma individual em sociedade por cotas, limitada, fazendo sócios e interessados alguns de seus mais antigos e capazes empregados. O primeiro empregado, aquele espanhol Rafael Menendez, entrou como sócio forte e, em suas mãos, por disposição testamenteira do velho Moscoso, ficou a completa direção dos negócios e o futuro da casa. Vasco herdou as cotas do avô que lhe garantiam o controle da firma, a maior parte dos lucros, uma fortuna considerável, e nenhuma responsabilidade.

Viu-se assim livre de encargos, horários e obrigações e cheio de dinheiro. Deixou a Menendez todas as decisões, por uma vez apenas dele discordou e impôs sua vontade: quando o espanhol decidiu despedir o velho Giovanni, um carregador que entrara para a firma quase na fundação. Durante mais de quarenta anos transportara na cabeça fardos e fardos, do depósito para as carroças, infatigável, sem um dia de descanso, sem uma queixa, servindo à noite como vigia do prédio, dormindo em cima dos fardos no depósito, abrindo a porta para fregueses retardatários, aqueles que ousavam infringir os horários do velho Moscoso. Vasco era-lhe grato, pois o negro Giovanni o protegera sempre, desde os dias iniciais e sofridos de sua vinda para o prédio, com dez anos de idade. Contava-lhe histórias à noite, fora embarcadiço na juventude, falava-lhe de mares e portos. Nascido João e escravo, fugira para a liberdade do mar, onde a tripulação italiana de um navio o transformou para sempre em Giovanni. Era o único a demonstrar simpatia pela criança prisioneira no sobradão escuro onde o cheiro das especiarias tonteava. Envelhecera na firma, chegara aos setenta anos e as forças começavam a faltar-lhe, já não dava completa conta do serviço. Menendez resolveu despedi-lo e tomar outro carregador.

Vasco, mesmo após a morte do avô e sua nova situação de chefe, guardara certo temor ante Menendez. O espanhol era um desses homens blandiciosos, a bajular os seus superiores, arrogante e estúpido com os que dele dependiam ou lhe eram inferiores em cargo e importância. Assumira a direção da firma com mão de ferro, os negócios marchavam admiravelmente. Mas os empregados queixavam-se, era pior ainda do que no tempo do velho Moscoso. Vasco temia o olhar frio e crítico do espanhol, seu jeito de falar, sem gritos, sem exaltação, mas com inflexível decisão. Quando menino e rapaz, no escritório, Menendez não o repreendia como aos demais. Levava, porém, Vasco o sabia, ao conhecimento do avô cada erro seu, cada violação do regulamento da casa. Inclusive suas raras escapadas noturnas, já homem de bigodes, protegidas pelo negro Giovanni. Agora Menendez curvava-se ante ele, demonstrando-lhe uma consideração e um respeito reservados antes para o velho Moscoso. No entanto, tentou impor sua decisão quando Vasco, aflito e indignado, veio discutir o caso do negro despedido. Giovanni fora procurá-lo na véspera à noite para contar-lhe o sucedido. Menendez lhe pagara o salário mísero e, sem uma explicação sequer, dispensara seus serviços. Completara Giovanni os setenta anos, suas pernas já não tinham a segurança de antes, seus braços perdiam o vigor hercúleo. Encontrara Vasco num bar com os amigos, explicou-lhe a situação, os olhos gastos piscando para não chorar, a voz trêmula:

— A casa me comeu as carnes, agora quer jogar os ossos fora...

— Isso não vai acontecer... — garantiu Vasco.

O negro velho lhe agradeceu com um conselho:

— Aquele gringo não presta, seu Aragãozinho. Tome tento com ele senão ele ainda lhe faz uma falseta.

No outro dia Vasco amanheceu no escritório, fato raro. Chamou Menendez para uma conversa, estava sério e formalizado, os empregados começaram a cochichar. No gabinete do velho Moscoso, reservado agora para Vasco, ouvia-se a voz alterada do chefe da firma. A voz de Menendez ninguém a escutava, jamais um grito ou uma palavra mais alta saíra de seus duros lábios, nem mesmo quando insultava nos termos mais agressivos um funcionário faltoso.

Não foi fácil impor sua vontade. Alteava a voz, dizia ser uma desumanidade a despedida do velho Giovanni, não havia direito a transformar em mendigo, no fim da vida, um homem cuja existência inteira fora dedicada ao trabalho, à prosperidade da casa. Menendez sorria seu sorriso frio, balançava a cabeça concordando, mas mantinha-se em suas posições de princípio: quando um empregado já não dá conta do seu trabalho só resta despedi-lo e botar outro. Essa era a regra do jogo, ele a aplicava. Se abrisse exceção para Giovanni, se continuasse a pagar-lhe o ordenado, outros empregados iriam exigir tratamento idêntico, "seu" Vasco (agora Menendez antepunha ao nome do novo chefe a partícula respeitosa, depois de tê-lo tratado durante mais de vinte anos por Aragãozinho) podia imaginar o desastre de tal política? Não, não podia agir de outra maneira.

Vasco não queria saber de princípios, de política a aplicar, apenas achava uma crueldade, uma verdadeira miséria, a despedida de Giovanni. Menendez lavava as mãos: seu Vasco era o chefe da firma, o que ele decidisse seria cumprido. Ele devia, porém, pensar duas vezes antes de pôr abaixo uma regra a reger toda a vida comercial: era a própria estrutura da firma que ele ia colocar em perigo. Sem contar não ser apenas de Vasco o prejuízo acarretado, os outros sócios também seriam prejudicados. Não falava por ele, Menendez, sua posição era de defesa de um princípio estabelecido e não de uns magros mil-réis.

Vasco perdeu a cabeça, começou a gritar. Afinal mais de cinqüenta por cento das cotas lhe pertenciam, podia decidir sozinho. Ainda mais blandicioso, o espanhol concordou. E vendo o furor do patrão, propôs uma fórmula, capaz de tudo conciliar. Giovanni despedido estava, despedido continuaria. Mas, eles dois, seu Vasco e Menendez, lhe garantiriam a subsistência, dando-lhe um dinheiro mensal com o qual viver, pagar quarto e comida. Assim estaria tudo resolvido. Essa proposta foi o começo de longas negociações, pois o negro velho não admitia ter de deixar o depósito, de mudar-se, nem sequer para a casa de Vasco. Finalmente chegaram a um acordo: continuou Giovanni como vigia noturno, com metade do ordenado anterior, paga a outra metade do bolso de Vasco. O negro, ao agradecer, renovou o aviso:

— Patrãozinho, tome tento com esse galego. Isso é bicho ruim, não vale nada...

Para Vasco, Menendez era o descanso, a despreocupação. Passava no escritório por desencargo de consciência, trocava umas palavras com o espanhol, vagamente ouvia-o falar dos negócios, ia ver Giovanni no depósito. Demorava pouco, tinha sempre um encontro marcado com um dos seus vários amigos, aquela turma à qual agora pertencia ou, num castelo, esperava-o mulher nova, conquista recente.

Solteiro, apaixonando-se facilmente, não medindo dinheiro, pródigo, quase perdulário, brigando para pagar as contas nos bares e nos cabarés, era popular entre o mulherio, e, quando se engraçava com uma delas, enrabichava-se, montava-lhe casa, enchia-a de presentes. Ultimamente apaixonara-se por Dorothy, rapariga mantida na pensão de Carol pelo dr. Roberto Veiga Lima, médico rico e sem clínica, célebre no meretrício por seus ciúmes violentos e pela brutalidade. Era de certa maneira o oposto de Vasco, as mulheres fugiam dele apesar de seu dinheiro: por um nada qualquer espancava a rapariga, havia quem dissesse ser um vício aquela sua mania de surrar as companheiras de leito. Dorothy, ele a trouxera do interior, de uma viagem a Feira de Santana. Mantinha-a quase prisioneira, ameaçando-a a cada momento, e Carol lamentava ter aceito hospedá-la na Pensão Monte Carlo. Não pudera recusar, Roberto era freguês habitual, gastava muito, sua família gozava de prestígio. Estava, no entanto, arrependida. A pobre Dorothy vivia mais presa do que freira em convento, Roberto aparecia nas horas mais inesperadas, ameaçando a infeliz com pancada. À noite, no salão de danças, era aquele espetáculo: atracado com Dorothy, exibindo-se no tango e no maxixe, pronto a se ofender e a promover escândalo se algum outro freguês dirigisse um olhar ou um sorriso para a pobre infeliz. Carol, confidente universal, sabia do interesse de Vasco, e sabia também estar Dorothy por ele enxodozada. Naqueles meses na Pensão Monte Carlo, a moça aprendera muito, já não era a inexperiente tabaroa descoberta em Feira pelo médico, não desejava outra coisa senão libertar-se do violento protetor para cair nos braços do comerciante simpático e liberal.

A essa paixão complicada e difícil atribuíam Carol e Jerônimo a melancólica expressão dos olhos de Vasco. O comandante pensava ser outra a causa, moça donzela, namoro com intenções de casamento, loucura para a qual Dorothy seria o bom remédio, a infalível medicina. O coronel discordava de uns e de outros, diagnosticando uma incurável tristeza permanente, anterior a todas aquelas histórias, vinha de longa data. O tenente Lídio Marinho não tinha opinião preconcebida, apenas constatava o fato: a besta do Vasco, com tudo para ser alegre, era dado a crises de hipocondria, talvez fosse o fígado, de qualquer maneira uma idiotice em homem de tanto dinheiro. Numa coisa estavam todos de acordo: era necessário descobrir a secreta causa daquela mágoa a roer o peito de Vasco Moscoso de Aragão.

Boa prosa e companhia agradável, rico e moço, gozando uma saúde de ferro, por que, no entanto, dava a impressão de esconder um secreto desgosto, ferida sem cura? Preocupavam-se os amigos, sobretudo o comandante Georges Dias Nadreau, homem de natural alegre, a quem a tristeza e o sofrimento ofendiam pessoalmente.

DO CAPITÃO DOS PORTOS, COM SUAS NEGRAS E MULATAS, E MADALENA PONTES MENDES, ENJOADA DONZELA

O CAPITÃO DOS PORTOS, GEORGES DIAS NADREAU, gostava de ver, a seu redor, caras alegres, lábios abertos em sorrisos. Esse o seu clima: não tolerava gente macambúzia, o que talvez explicasse sua aversão ao lar, onde a esposa era a perfeita imagem da tristeza e da devoção, toda entregue à Igreja, às obras de caridade, adorando enfermos e sofredores, órfãos e viúvas, inteiramente feliz na Semana Santa com a Procissão do Encontro, a do Senhor Morto, o lava-pés dos pobres, os círios e os véus negros, o som fúnebre da matraca a substituir o alegre dobrar dos sinos.

Como casara ele, o divertido tenente da Marinha, com moça de temperamento tão diverso do seu? Gracinha, quando ele a conheceu e namorou nos salões do Clube Naval, no Rio, nada tinha de melancólica, era um riso solto e adolescente, a achar espirituosíssimas as farsas montadas pelo rapaz, nem sempre aplaudidas pelos almirantes. Fora a morte do filho de dez meses a causa daquele desgosto pela vida, daquele desinteresse pelas enganosas alegrias do mundo. O menino, adoração da mãe, adoecera de súbito, febre sem motivo e sem diagnóstico; morrera enquanto

Gracinha e o marido estavam numa festa a bordo de um navio de guerra. Ela bailava nos braços de Georges quando chegou a notícia. Considerou-se responsável pela morte do filho, vestiu-se de luto para sempre, despediu-se de festas e diversões, voltou-se para o céu onde estava certamente o inocente, e para a Igreja, assim talvez merecesse o perdão de Deus e a possibilidade de reencontrar o filho após a morte diariamente solicitada em suas orações. Sua repulsa aos bens do mundo incluiu o marido, pelo menos no que se refere a qualquer contato físico. Georges sofrera com a morte da criança, a quem apelidara de Marujo e para quem sonhara carreira e sucessos. Mas não sucumbiu como a esposa, quis convencê-la da necessidade de outras crianças para encher o lugar deixado pelo Marujo. Ela o repelira com asco, suplicando-lhe, entre lágrimas, que jamais voltasse a procurá-la para tão pecaminosos fins. Tais coisas para ela haviam acabado e para sempre. Desejava mesmo ter um quarto seu, separado, e aconselhava Georges a abandonar ele também os falazes prazeres do mundo, voltar-se para Deus, esperar em sua misericórdia perdão para os erros cometidos. Georges escancarou a boca, derrotado. Compreendera solidário o desespero inicial da esposa, mas deu-lhe um prazo curto, dois ou três meses. Ela, no entanto, trancara-se, definitiva, em sua desgraça, um fantasma a andar pela casa, os lábios macerados murmurando preces, escondida a beleza, apenas desabrochada, nos vestidos negros e nas lágrimas sem fim. Passara a dormir no quarto do filho, convertido numa espécie de capela votiva. Georges buscou, durante algum tempo, romper-lhe as barreiras de dor e de abandono, sem obter resultado. Conseguira transferência de posto e de cidade, Gracinha continuara desinteressada de tudo que não fosse a memória do filho e a vida eterna. Lavou então as mãos, foi viver sua vida.

Passava em casa o menor tempo que podia. Ocupava-se com os problemas da Capitania dos Portos e da Escola de Aprendizes Marinheiros, com o pequeno parque a cercar a casa ante o mar da Bahia. Mudava a roupa, despia a farda, vestia-se de civil, saía em busca de Jerônimo, no Palácio, do coronel, no QG do 19, ou ia diretamente aos Barris, onde habitava, na casa herdada do avô, na qual passara os primeiros anos de sua infância, Vasco Moscoso de Aragão. Partiam para jogar bilhar, disputar o aperitivo nos dados, jantar juntos, depois começava a hora das mulheres ou do pôquer.

A amizade de Vasco com aquela roda de homens de tanto prestígio iniciara-se tempos antes, por causa exatamente do comandante Georges, num cabaré. Vestido à paisana, Georges parecia, com seus olhos azuis e seu cabelo loiro, um viajante estrangeiro, ninguém adivinhava sua qualidade de capitão-de-fragata. Vasco ocupara, solitário, certa mesa estratégica, perto do palco onde se exibiria Soraia, uma dançarina de passagem pela cidade. Ouvira falar dela e de suas danças por um amigo, um sueco, importador de fumo, piaçava e cacau, com escritório na cidade baixa, chamado Johann, cujo sobrenome era impossível de escrever-se e pronunciar-se. Na mesa do lado, estava o capitão dos portos e Vasco tomou-o por um europeu, durante algum tempo divertiu-se a adivinhar-lhe a nacionalidade exata: italiano ou francês, alemão ou holandês? Se não bastassem o cabelo de trigo e os olhos de azul-celeste, o fato de estar o cavalheiro acompanhado por apetitosa mulata carregada na cor, reafirmava sua condição de gringo.

Perdeu-se Vasco em meditações. Era curioso como as negras e mulatas exerciam uma poderosa sedução sobre os estrangeiros. Não podiam ver uma cabrocha, ficavam na maior excitação. Enquanto ele, brasileiro de sangue misturado, dava a vida por uma loira, de pele branca quase cor-de-rosa. A que se devia essa diversidade de gostos? Não chegou a encontrar a resposta, pois três indivíduos de cara amarrada entravam no cabaré e passavam ao seu lado, empurrando-lhe grosseiramente a cadeira. Traziam certamente uma intenção determinada, via-se nos seus modos violentos: a intenção, comprovou Vasco em seguida, de partir a cara do gringo e tomar-lhe a mulata à força. Diabo de estrangeiro enganador... O que parecia ser um massacre em regra, transformou-se em encarniçada luta, o europeu não era presa fácil. Voavam garrafas e cadeiras, Vasco não se conteve. Achou um absurdo três caras contra um e meteu-se no barulho, tomando as dores do desconhecido. A mulata gritava, um dos sujeitos havia-lhe aplicado umas bofetadas. Vasco era forte, crescera carregando fardos, aprendera com Giovanni golpes de capoeira.

A luta foi renhida e terminou com a derrota e a expulsão dos agressores. O dono do cabaré, sabedor da identidade de Georges, entrou também no barulho. E, com ele, os garçons, dominando os três rapazes, cuja história depois vieram a conhecer. Eram o amante da mulata e dois amigos seus, dispostos a vingar a traição sofrida pelo primeiro e a curar-lhe assim a dor-de-corno, insuportável. Georges, vitorioso, não consentiu na chamada da polícia, como propunha Vasco. A mulata, de beiço partido, pareceu comovida com a explosão do amante, a fúria de seu sentimento capaz de levá-lo a projetar e realizar uma agressão ao capitão dos portos, senhor dos marinheiros e dos embarcadiços. A façanha a reconquistou e ela abandonou no cabaré os vitoriosos, para correr, aos gritos de amor, atrás do derrotado campeão.

Vasco aceitou o convite de Georges para sentar-se à sua mesa, trocaram cartões de visita, o comerciante iluminou-se ao saber com quem tratava, a quem ajudara em hora difícil:

— Comandante, quanto prazer! Imagine o senhor que pensei que o senhor era um estrangeiro...

— Meu pai era francês mas eu sou mineiro de Vila Rica.

— Para mim é uma honra. O senhor pode dispor...

— Vamos deixar de lado esse negócio de senhor. Somos amigos.

Terminaram confraternizando com Soraia no fim da noite. Johann aparecera, juntara-se a eles, aplaudiram a bailarina, filha de um árabe de São Paulo, pagaram-lhe champanha, levaram-na, com mais duas outras mulheres, para um castelo distante, freqüentado pelo comandante. No outro dia Vasco era apresentado ao coronel, ao tenente e ao dr. Jerônimo. Este não tardou a lhe pedir um dinheiro emprestado, selando assim, definitivamente, aquela amizade e a entrada de Vasco na roda ilustre.

E na alta sociedade. Passou a ser convidado para as festas do Palácio, as recepções, os bailes, a assistir ao desfile do Dois de

Julho e do Sete de Setembro no palanque oficial, ao lado do governador, das altas autoridades, dos oficiais superiores. Jerônimo tomara-se de amizade por ele, não o largava. Aliás, todos quatro o estimavam e também os demais — majores, capitães, desembargadores, deputados, secretários do governo — que apareciam eventualmente na roda para uma prosa, uma partida de pôquer, uma farra. Outros salões abriram-se para ele, íntimo do chefe de gabinete do governador, amigo de seu ajudante-de-ordens, do comandante do batalhão, do capitão dos portos. Vasco abandonou sua roda antiga, formada de comerciantes da cidade baixa, gente de mentalidade estreita e de apagado brilho. Só Johann, com quem Georges simpatizara, continuou a merecer-lhe a intimidade. Aparecia de quando em vez, sempre enrabichado por Soraia, falando em retirá-la do cabaré. Uma mulher de truz, uma tempestade na cama, mas a bailarina mais vagabunda entre quantas Johann já vira exibindo-se num tablado. E ele andara meio mundo antes de radicar-se na Bahia.

Tinha tudo assim Vasco Moscoso de Aragão para sentir-se feliz. Dinheiro e consideração social, saúde e bons amigos, fartura de mulheres, sorte no jogo, pulso forte no pôquer, nenhuma preocupação a inquietá-lo. Então, por que diabo aquela ponta de melancolia a turvar seus olhos francos, a cortar seu riso aberto?

O comandante Georges Dias Nadreau amava ver, a seu redor, caras alegres. Resolveu investigar a secreta causa daquela inexplicável mágoa e descobrir, ao mesmo tempo, o remédio apropriado, capaz de desanuviar o rosto do amigo. Durante algum tempo pensou tratar-se de mal de amor, dor-de-cotovelo, ferida a cicatrizar com o tempo, com nova paixão, Dorothy, por exemplo. Vasco andara demonstrando interesse, recentemente, por uma senhorita da sociedade, apresentação em festa do Palácio, filha casadoira de um desembargador, pernosticismo a atender por Madalena Pontes Mendes. Alarmava-se Georges: como uma espevitada e enjoada donzela, dura como um pau e com uma cara de quem está sentindo cheiro de merda em toda parte, podia afetar assim um homem equilibrado, conhecedor de mulheres, tirando-lhe a alegria de viver? Um absurdo, mas de absurdos é feito o universo, cada vez se convencia mais.

— Essa tal Madalena me dá ânsias de vômito... — dizia o capitão dos portos ao coronel comandante do 19. — É uma lambisgóia...

Sua esperança de cura para Vasco repousava em Dorothy, naqueles olhos de labareda, naqueles lábios de beijos, mulher com sede de amor ("basta olhar a cara dela e se vê logo"), necessitando macho capaz de cavalgá-la nos campos da noite e galopar até às fronteiras da aurora, além do sono e do cansaço.

— Aquela sim, merece uma dor de cabeça... Mas penar por uma lesma cheia de si, é idiota.

Na opinião preocupada de Georges, Vasco precisava resolver de uma vez o caso com Dorothy. Sobre o assunto conversou longamente com Carol.

DA REALIDADE E DO SONHO, A PROPÓSITO DE TÍTULOS E PATENTES

SIM, ALGO TINHA A VER MADALENA Pontes Mendes e seu torcido nariz suficiente com a secreta mágoa de Vasco Moscoso de Aragão. Não se tratava, porém, de mal de amor, dor-de-corno, paixão não correspondida como imaginara o comandante Nadreau. Se alimentara o comerciante alguma intenção matrimonial relativa à áspera donzela, jamais seu coração pulsara desregrado ao vê-la esnobe e descarnada, jamais fechou os olhos para sonhá-la nua, e mais tempo e respeito devotava ao pai desembargador e asmático e à mãe descendente de barões do que à filha emproada.

Qualquer projeto de casamento, se o teve, veio-lhe à mente como parte de um plano capaz de entrosá-lo por completo naquela alta sociedade baiana, de brasões e títulos, naquela fechada cúpula social. Mas, se isso em verdade lhe passou pela cabeça virada com a súbita mudança de ambiente, com as luzes do Palácio, a proximidade do governador, a elegância daquelas Excelentíssimas Senhoras, não chegou sequer a concretizar-se num propósito definido. Foi tudo vago e de pequena duração, uma idéia fugaz, amargo dissabor.

Pensara num casamento ilustre a ligar seu nome honrado e plebeu, cheirando a bacalhau e carne-seca, com um altissonante sobrenome daquela nobreza local perfumada do sangue recente dos escravos, um bocado arruinada com a abolição. Calculista sem experiência, pousara os olhos em Madalena Pontes Mendes, com um barão na família materna e cartas de Pedro II no arquivo do avô paterno, legislador douto, com muita empáfia e fazenda decadente. Embandeirou-se, cortejando os pais e rondando a moça.

Numa valsa fatal, a desilusão. Saíra dançando com Madalena e, conversa vai, conversa vem, falaram de noivado e casamento a propósito de outra moça. Madalena revelou-lhe sua única exigência a quem quisesse levar-lhe a caixa de ossos ao altar: um título ou uma patente. Não exigia títulos nobiliárquicos, se bem, evidentemente, um conde ou um marquês ou um barão seria o ideal, agora difícil com a República, a traição miserável feita ao pobre imperador, amigo de seu avô com quem até se correspondia. Referia-se a títulos republicanos, universitários, carta de doutor, patente de oficial do Exército ou da Marinha. Não ia casar com um qualquer, ela, neta de barão, filha de desembargador, para ser a esposa humilhada de um seu Fulano de Tal, de um seu Beltrano, de um seu Sicrano. Queria ser a Senhora Doutor ou Capitão ou Comandante, não lhe importava tanto o dinheiro e, sim, a família, o nome. Disso fazia questão.

Vasco perdeu o pé, errou o passo, empalideceu e murchou. Puxara a conversa para aquele assunto na intenção de insinuar-se e a enfatuada magricela atirara-lhe logo em rosto sua condição de "um qualquer", um daqueles "seu" fulano de quem ela falava numa voz de sumo desprezo. Não chegara sequer a situar-se candidato, encabulou, entupiu, arrastou-se silencioso até os últimos acordes. Cresceu sua tristeza.

Porque sua tristeza tinha como causa única e exclusiva o fato de não possuir um título a preceder-lhe o nome. Por que não se atirava de vez à conquista de Dorothy, ligada a Roberto apenas pelo dinheiro que ele lhe dava? Muito mais dinheiro podia Vasco garantir-lhe, outro conforto, casa própria, além de uma vida contente, com festas, passeios, noitadas, champanha. Sem falar no horror de ter de suportar um suíno como Roberto a fuçar-lhe o cangote, a apertá-la contra si, a espojar-se na cama. E por Dorothy suspirava Vasco, por ela pulsava aflito seu coração e à noite imaginava-a nua, os seios túmidos, as rígidas coxas, a redonda bunda, o ventre de veludo. Por que não a arrancava então dos braços de Roberto? Medo? Sim, medo de Roberto. Não medo físico, mas temia suas banhas, e homem que bate em mulher é sempre covarde, incapaz de enfrentar outro homem. E quem se atreveria a enfrentar Vasco Moscoso de Aragão, amigo do dr. Jerônimo, mandando na polícia, com soldados e marinheiros às suas ordens, se o quisesse? Era só dar uma palavra ao coronel e ao comandante.

Era outra forma de medo, nascida do respeito do comerciante pelo doutor, com curso de faculdade, canudo de médico, anel de grau, defesa de tese. Jamais pudera Vasco vencer a distância a separá-lo dos doutores. Ficava humilde ante eles, não era seu igual.

Essa a procurada causa daquela expressão melancólica, da permanente mágoa a roer-lhe a alegria e a inquietar seus amigos. Para Vasco, os homens com um título ou uma patente formavam casta à parte, situavam-se acima dos outros mortais, eram seres superiores.

Vasco sentia sua inferioridade a cada momento. Quando entrava na Pensão Monte Carlo e Carol saudava-o com ternura: "Seu Aragãozinho", após ter dito coronel, doutor, comandante, tenente aos outros quatro. Quando uma nova mulher era descoberta e incorporada à roda, na mesa de um cabaré ou na sala clandestina de um castelo, e, ao informar-se da condição dos demais, perguntava por seu título ou propunha-se a adivinhá-lo:

— Deixe que eu adivinho. O senhor é major, sou capaz de jurar.

Quando, no palanque governamental, eram apresentados pelo chefe do estado a uma personalidade e após as sílabas sonoras dos títulos proclamados, chegava sua vez:

— Seu Vasco Moscoso de Aragão, grande comerciante da praça.

Seu Vasco... Ficava ouvindo o dia inteiro a partícula odiada, doía-lhe como um tapa na cara, um insulto proposital. Humilhava-o até o fundo da alma, sentia-se enrubescer, baixava a cabeça, perdia o gosto da festa. Era um dia estragado. Que lhe importava o dinheiro todo à sua disposição, a simpatia demonstrada por tanta gente, a amizade das figuras importantes, se não era realmente um deles, se algo os separava, estabelecia entre eles uma distância? Havia quem invejasse Vasco, considerando-o um privilegiado na vida, tendo tudo para ser feliz. Não era verdade. Faltava-lhe um título a substituir aquele humilhante "seu", anônimo e vulgar, a confundi-lo com a malta, a ralé, o zé-povinho.

No silêncio de sua casa de solteiro, após as noitadas alegres, quantas vezes não pensava no assunto, ensombrecido o rosto bonachão. O que não daria por um diploma, mesmo de dentista ou farmacêutico, desde que lhe possibilitasse usar um anel de grau e um "dr." antes do nome...

Chegou a projetar a compra de patente da Guarda Nacional, dessas vendidas aos milhares no começo da República aos fazendeiros do interior por alguns contos de réis. Tantas patentes pelo sertão afora, que o termo "coronel" tornara-se designação geral de fazendeiro rico, perdera o colorido marcial, a dignidade das armas. Ao demais, já não se prestavam honras militares, sequer continência, a esses coronéis; nem se lhes permitia o uso da farda. Não adiantava, seria ridículo.

Sonhara, pois o sonho é livre, com a nobreza papal, mas não passara de fantasia, consolo de um momento, ruindo ante a dura realidade. Um título de conde do Vaticano custava um dinheirão absurdo, estava inteiramente fora de suas possibilidades, nem toda sua fortuna bastaria para pagá-lo. Em Salvador existia apenas um nobre papalino, era um dos Magalhães, sócio da grande firma junto à qual a casa Moscoso & Cia. Ltda. era uma bodega de estrada. Esse Magalhães construíra sozinho, de seu bolso, uma igreja, enviara um Cristo de ouro ao papa, sustentava padres e confrarias, empregara duzentos contos de réis para obter um condado, viajara para Roma, e ainda assim apenas conseguira o título de comendador. Não bastava o dinheiro, fazia-se necessário haver prestado relevantes serviços à Igreja, um fervor religioso e uma intimidade com os claustros que não eram, evidentemente, o forte de Vasco Moscoso de Aragão, boêmio de poucas missas e escassas relações eclesiásticas, nome desconhecido no palácio episcopal.

Na cama, mergulhado em seus pensamentos, por vezes uma cansada e satisfeita mulher a seu lado ressonando, Vasco renegava a memória do avô, mondrongo de mentalidade estreita, para quem só o dinheiro existia. Por que, em lugar de metê-lo ainda criança no sobradão da ladeira da Montanha, a varrer o piso, levar recados, carregar fardos, não o fizera estudar preparatórios, cursar uma faculdade, de medicina ou de direito, elevando-o na escala social? Nada disso: o velho Moscoso só pensava na firma, em preparar o neto para um dia substituí-lo.

Afastava a imagem do avô de quem não guardara recordações que valessem a pena rememorar. Deixava a imaginação cavalgar solta, durante minutos era feliz, completamente, no prazer de apor a seu nome os cobiçados impossíveis títulos.

"Dr. Vasco Moscoso de Aragão, advogado": via-se na tribuna do júri, de toga e capelo, o dedo em riste em direção ao promotor num aparte fulminante ou, no momento da defesa, a contar, com voz trêmula, a história do réu, vítima e não criminoso, impotente ante o destino. Homem bom e trabalhador, cumpridor de seus deveres, pai de família amantíssimo, esposo dedicado, louco pela mulher, e a leviana a cobri-lo de chifres... Não, não era expressão digna do júri... E a leviana, sem levar em conta o amor do marido, a inocência dos filhos, o decoro do lar, as juras de fidelidade ante o padre, arrastava o nome honrado do marido no leito da traição... Assim, sim... Gostava da frase, comovia-se ele próprio, seu nome célebre como os dos maiores advogados do estado, citado nas conversas, elogios sem conta: "Que talento!, que eloqüência!, arranca lágrimas mesmo de um coração de pedra!, não há jurado que resista!".

Depois de absolver o assassino, via-se em mangas de camisa, suspensórios negros, luvas de borracha, máscara de pano a cobrir-lhe o rosto na sala de operações, era o dr. Vasco Moscoso de Aragão, médico com estágio nos hospitais de Paris e Viena, cirurgião (não admitia outra especialidade) famoso, mãos firmes e delicadas, abrindo a barriga do governador ante o olhar atento e ansioso dos parentes, de Jerônimo, dos políticos, estudantes e enfermeiras. A súbita enfermidade, o alarme público, a ameaça de morte se a operação não fosse tentada imediatamente. Mas uma operação daquelas (Vasco não sabia direito de que estava operando, qual a víscera ou o órgão afetado, que parte da barriga governamental iria abrir e coser, mas eram detalhes secundários), jamais tentada na Bahia, levava o receio aos médicos alarmados ante a responsabilidade imensa. Houvera a recusa do célebre professor da faculdade. E a vida do governador em perigo, os negócios do estado em abandono, a política fervendo, a oposição esfregando as mãos na expectativa. O apelo dramático de Jerônimo à sua amizade e competência. O ambiente tenso na sala de operações, um sorriso nos lábios do médico, sua perícia, sua calma, seu sangue-frio e sua ciência acumulada. Extraía da barriga ilustre um... o quê? Uma pedra enorme, já ouvira falar de pedras nos rins, qualquer coisa definitivamente mortal e incurável. Os estudantes não resistiam, explodiam em palmas e vivas, os mestres da faculdade vinham cumprimentá-lo.

Um homem salvo da prisão, salva a vida do governador, transferia-se para o campo e a engenharia: dr. Vasco Moscoso de Aragão, engenheiro civil, com estudos especializados e prática na Alemanha, rasgando o sertão inóspito com os trilhos da ferrovia a conduzir o progresso. Sob o sol escaldante, em meio à caatinga bravia, à frente das turmas de trabalhadores, o suor a molhar-lhe a fronte pensativa, os obstáculos a vencer, o desânimo e o cansaço. E aquela montanha, um tanto forçada na paisagem árida e plana, a fechar o caminho ao progresso e aos trilhos. O túnel, obra imortal, um dos maiores do mundo, citado nos manuais de geografia. O dia da inauguração: o maquinista cedia-lhe o posto. Ao grande engenheiro, ao homem que vencera o deserto, as montanhas e o rio, competia conduzir a primeira locomotiva, revestida de flores. Vinha Dorothy, subitamente esposa do antipático secretário da Viação, um tipinho à-toa e metido a besta, que tratava com displicência o comerciante Aragãozinho, o amigo de Jerômino e do tenente Lídio Marinho, estendendo-lhe dois dedos no cumprimento formal e distante; vinha Dorothy comovedoramente bela e, enquanto rompia contra os ferros da locomotiva a garrafa de champanha inaugural, buscava com os olhos o engenheiro festejado, havia entre ele e a inesperada esposa do secretário um tímido namoro.

O major Vasco Moscoso de Aragão, da cavalaria, pois a cavalo era muito mais digno e romântico, desfilava à frente das tropas, sua voz de comando, sua prosápia, seu porte marcial, condecorações ao peito. E como a guerra não pudera ser evitada, os exércitos argentinos invadindo traiçoeiramente as fronteiras do Rio Grande, a parada do Sete de Setembro transformava-se no embarque da tropa para o sul no caminho do dever, da glória e da morte. O povo todo da cidade reunido nas ruas, as mulheres em pranto abraçando os soldados, as moças atirando pétalas de rosas no caminho. Em seu cavalo pampa, a fulgente espada na mão, os olhos ferozes, o major Vasco Moscoso de Aragão era a própria imagem da guerra e da vitória. Rápida seria sua carreira nos campos de batalha, de heroísmo a heroísmo, de promoção a promoção, chegando a general em alguns meses e várias batalhas, morrendo glorioso no fim da guerra, ao entrar em Buenos Aires em meio ao fogo e à metralha, a bala perdida atingindo-o no peito. Nem assim caía do seu cavalo pampa, debruçava-se na sela, o peito roto, mas a vontade inflexível levando-o até o Palácio do Governo. Seu nome transformado em legenda, aprendido pelas crianças nas escolas.

Mas, como aquela guerra travava-se nos campos e nos mares, sobretudo nos mares, o navio sob o comando do almirante Vasco Moscoso de Aragão, o mais jovem da Marinha de Guerra (começara capitão-de-corveta ao iniciar-se o conflito bélico), rompia a barreira da frota argentina e sozinho bombardeava Buenos Aires, silenciava os fortes da cidade inimiga, entrava no porto a bordo de seu cruzador com a bandeira da jovem República brasileira a tremular. Na ponte de comando, apoiado a um canhão, o almirante dava ordens: "Cada um em seu posto para morrer pelo Brasil!". Frase um pouco pessimista. Era melhor modificá-la: "Cada um em seu posto, pronto para dar a vida pela vitória do Brasil!". Assim estava melhor, mais vibrante. Tomava do binóculo, examinava as posições argentinas. Sua voz firme ordenava: "Fogo!", e os canhões cuspiam a morte na orgulhosa cidade. Botava a pique, um a um, em manobras rápidas e jamais vistas de tão intrépidas, os buques portenhos. Destruía os fortes, rasgava as defesas e, entre a fumaça e o clarão dos incêndios, na torre do seu navio entrava no porto conquistado, pondo fim à guerra, o comandante Vasco Moscoso de Aragão.

A mulher movimentava-se na cama, abria os olhos sonolentos, reconhecia o quarto e o leito, tivera a sorte de ser escolhida na noite anterior, precisava agradá-lo, talvez até ele se enrabichasse. Estendia os braços, a voz mole de sono e de dengue:

— Seu Aragãozinho...

Rompia e despedaçava o sonho, que é a liberdade do homem, a que jamais pode ser domada, oprimida ou roubada, aquela que é seu último e definitivo bem. Arrancava o comandante Vasco Moscoso de Aragão da torre do seu navio.

ONDE VOLTA A APARECER A BESTA DO NARRADOR TENTANDO IMPINGIR-NOS UM LIVRO

PERMITAM-ME INTERROMPER a narrativa das aventuras do comandante, na versão de Chico Pacheco, destinada a tão graves conseqüências em Periperi, para afirmar solenemente, plantado na viva experiência, não ser nenhuma brincadeira essa questão de títulos e patentes. Ainda hoje, quando os tempos mudaram, uma coisa é um doutor ou um oficial, outra, muito diferente, é um infeliz sem diploma. Para os primeiros, todos os privilégios e regalias, para os demais a dura lei. Até direito a prisão especial possuem os diplomados, sem falar nos oficiais, presos no cassino do quartel, mera formalidade.

Hoje há quem caçoe dos doutores, faça burla dos advogados, achando que anel de grau não prova competência. Já li numa gazeta artigo repleto de argumentos onde se provava, por a mais b, residirem nos bacharéis todos os males do Brasil. É bem possível, também penso assim, mas não discuto, respeito a liberdade de opinião. Sou capaz de jurar, no entanto, que o autor do artigo é doutor em qualquer coisa ou oficial da ativa, senão onde iria buscar coragem para tais afirmações? Competir com um doutor é idiotice, rematada loucura, sou prova disso.

Eis por que dou inteira razão ao comandante (enquanto a versão de Chico Pacheco não ficar inteiramente provada não lhe retiro o título, um historiador não pode ser precipitado): a causa de sua melancolia parece-me das mais justas. Mesmo rico e instalado na vida, há de ter sofrido humilhações e aborrecimentos por lhe faltar um doutor ou um major no nome, por não ter curso universitário, mesmo desses feitos nas coxas, por malandrins jamais vistos nas aulas como Otoniel Mendonça, o tal amigo do Telêmaco Dórea, de cujas maledicências defendi, em boa hora, o eminente dr. Alberto Siqueira. Pois esse analfabeto é bacharel em direito. Durante os anos de faculdade trocou pernas na zona do baixo meretrício e falou mal da vida alheia na porta da Livraria Civilização, na rua Chile. Os professores mal lhe viram as fuças com o que, aliás, nada perderam os venerandos mestres. No entanto, repetindo matérias, fazendo exames de segunda época, passando pela tangente, obteve o canudo e, com ele armado, cavou em seguida emprego público (desses ótimos onde não há nenhum trabalho a fazer), continuou na rua Chile a falar mal da humanidade. Não chegava a uma hora diária o tempo por ele dispensado ao serviço do estado. Pois ainda assim pareceu-lhe demasiado tempo, insinuou uma infiltração no ápice do pulmão esquerdo, deram-lhe, sem pestanejar, licença para tratamento de saúde e em licença ele continua até hoje, gordo e corado, a macular com sua presença a paisagem de Periperi.

Agora, a diferença: só porque não tenho título de doutor, penei como cão sem dono, para obter uma licença de seis meses na repartição, os médicos numa intransigência medonha, fazendo os maiores elogios à minha vista, nunca tinham examinado olhos tão perfeitos. Garantira-me um amigo que o golpe da doença dos olhos pega sempre: os médicos, comovidos, assinam os papéis sem discussões nem exames. Conversa fiada; se a ele não examinaram os olhos foi em consideração a seu diploma de dentista, uma espécie de doutor de segunda classe mas ainda assim com suas vantagens. Só escapei ao descobrir, casualmente, ser um dos médicos sobrinho de um compadre meu. Joguei-lhe em cima o tio com um pedido, o farsante desencavou cataratas graves a ameaçar-me de cegueira. Deu-me seis meses e renovou. Pude assim dedicar-me, à custa do estado, à realização da minha obra sobre os vice-presidentes da República. Não sei se conhecem esse meu trabalho, se não o leram vale a pena fazê-lo, pois, digo-o sem falsa modéstia, obteve aceitação e apreço.

Aliás, o caso desse livro vem provar mais uma vez a importância de ser doutor. Escrevi-o para preencher uma lacuna e sanar uma injustiça: muito se escreve sobre os presidentes da República, sobretudo enquanto eles estão no poder, elogios a granel. Os vice-presidentes, porém, ficam no esquecimento, a não ser que assumam o governo. Quem se lembra, de memória, da relação completa dos vice-presidentes da República? Quem se recorda, por exemplo, do nome do vice-presidente durante o mandato de Prudente de Morais ou de Hermes da Fonseca? Duvido que saibam. Basta isso para demonstrar a oportunidade do meu livro.

Animou-me igualmente à árdua empreitada o concurso na ocasião aberto pelo benemérito Instituto Histórico e Geográfico para monografias históricas, modesto prêmio em dinheiro e impressão do trabalho selecionado às expensas do Instituto. Honrosa láurea a tentar-me, consegui tempo graças à catarata e ao compadre, atirei-me aos vices. Fiz obra de valia, perdoem-me a vaidade, onde o interessado encontra o nome completo, a filiação, as datas e locais de nascimento e morte, colégios e faculdades freqüentadas, cargos exercidos, obras realizadas, os feitos consideráveis de cada um dos vice-presidentes. Não esqueci nem mesmo as esposas e os filhos e até alguns netos são citados. Deu-me um trabalhão desgraçado e um renitente catarro devido à poeira da biblioteca estadual.

Pois bem: concorri ao prêmio, certo de abiscoitá-lo, e tive a decepção de vê-lo atribuído ao outro único concorrente, o dr. Epaminondas Torres, com um trabalho sobre a Sabinada. Mesmo em número de páginas datilografadas sua monografia é inferior à minha: quarenta magras laudas, metade exata do meu livro. E por que lhe deram o prêmio numa tão flagrante injustiça? Vão saber imediatamente. Ofendido em meus brios, fui ao Instituto e discuti com o senhor secretário. Ele olhou-me por baixo dos óculos, respondeu-me:

— Quem é o senhor para vir aqui falar em injustiça? Não conhece por acaso o doutor Epaminondas Torres, não sabe que se trata de um dos nossos mais ilustres advogados? Que títulos possui o senhor?

Estão vendo? Meu erro foi ter concorrido contra um bacharel, um doutor. Que títulos possuía eu? Nenhum, a não ser alguns sonetos publicados em cantos de página de jornais e revistas. Engoli o insulto, tentei obter do Instituto pelo menos a impressão do livro já que me haviam afanado o prêmio. Encontrei boa vontade, os nobres historiadores deviam estar com a consciência doendo. Mas o diretor da Imprensa Oficial, onde deviam ser impressos os volumes, o meu e o premiado, tapeou lindamente os velhinhos do Instituto, jamais mandou os originais para a oficina, meses depois deixou o cargo e o novo diretor nem quis ouvir falar no assunto. Assim o trabalho do dr. Epaminondas nunca foi publicado, não podendo estabelecer-se a comparação com o meu, o que me leva a crer ter havido, em todo esse assunto, sujeira grossa.

Quanto aos *Vice-presidentes da República*, editei o livro por minha conta, imprimindo-o na gráfica do sr. Zitelmann Oliva que me cobrou um preço absurdo mas facilitou-me o pagamento, tendo eu assinado duplicatas. Suei para pagar, mas saiu um volume bonitinho, noventa e duas páginas de "úteis informações", como sobre ele escreveu o erudito autor da *História da Bahia*, dr. Luiz Henrique Dias Tavares: "Caro confrade, acuso e agradeço o recebimento de seu livro *Vice-presidentes da República*, repositório de úteis informações. Cordialmente, Luiz Henrique".

Se transcrevo aqui o texto integral da honrosa carta do ínclito baiano, é para que a leia o pasquineiro Wilson Lins. Escondido no pseudônimo de Rubião Braz, esse jornalista de maus bofes tentou arrasar-me numa crônica em *A Tarde*, levar-me ao ridículo. Tivesse eu um título de doutor e ele teria sido mais amável e cordial. Ele e toda a crítica. Em vez de destratar-me, seria um coro de elogios.

Esses críticos apressados deviam tomar conhecimento da referência feita ao meu trabalho por um historiador eminente de São Paulo, o dr. Sérgio Buarque de Holanda, a quem eu nem sequer havia mandado o volume por desconhecer-lhe, confesso, a existência e a glória. No *Estado de São Paulo*, num artigo a propósito de certa Benemérita e Venerável Ordem do Hipopótamo Azul, aludiu ele aos *Vice-presidentes da República*, citando-o como um dos livros de cabeceira daquela douta instituição, volume, acrescentava, que é "um gozo, uma verdadeira delícia". Propunha inclusive, em seu evidente entusiasmo pela obra, minha candidatura para a Venerável Ordem, em cujos quadros parecia-lhe indispensável figurasse meu obscuro nome. Da Ordem sei apenas o que sobre ela escreveu o dr. Holanda, numa linguagem um tanto esotérica e confusa como, aliás, deve ser a linguagem de um verdadeiro historiador. Consegui depreender, no entanto, tratar-se de instituição de elevados méritos e objetivos, fundada na igreja de São Pedro dos Clérigos, em Recife, por figuras exponenciais de nossa intelectualidade. Infelizmente não voltei a ter notícias nem da Ordem nem de minha candidatura tão generosamente lançada pelo dr. Sérgio de Holanda. Certamente procederam a investigações, descobriram que não sou doutor, sabotaram-me.

Palavras de alto louvor, desvanecedoras, mereceu o livro igualmente do nosso ilustre juiz aposentado, dr. Alberto Siqueira. Apontou-me ele dois ou três insignificantes cochilos gramaticais, mas afirmando não passarem tais deslizes de nonadas desprezíveis em obra tão meritória e patriótica. Os deslizes fá-los-ei desaparecer numa segunda edição próxima, pois esgotei praticamente os quinhentos exemplares da primeira, apesar da má vontade das livrarias — falta-me o prestígio de um título — que não lhe concederam vitrinas nem boa exposição nos balcões, escondendo-o nas prateleiras. Vendi-o eu mesmo, a amigos e conhecidos, um aqui, outro acolá, variando no preço conforme a bolsa do comprador.

Tudo isso prova de sobejo não faltarem motivos ao comandante Vasco Moscoso de Aragão para melancolias e preocupações. Um título recomenda um nome, dá-lhe importância, abre portas e braços, força a consideração. Tanto isso é verdade que mesmo pessoas as mais simples sentem a agudeza do problema. Ainda há alguns dias, Dondoca, canora patativa cujo gorjear constante alegra as monótonas existências do meritíssimo e desse vosso criado, comunicou-me, entre beijos, sua próxima e solene formatura, com quadro e beca. Guardara segredo de seus estudos para fazer-me uma surpresa. E a fez das maiores, pois a nossa galante Dondoca (nossa: isto é, minha e do juiz, bem entendido) mal sabe assinar o nome e conta pelos dedos longos e formosos.

— Formatura, estrela da noite da minha vida? Em que vais te formar? Que faculdade cursaste?

— Na Escola de Corte e Costura de dona Ermelinda, em Plataforma, seu boboca. Me trate com respeito que agora sou doutora...

"Com respeito, sou doutora", estão vendo? Tenho ou não tenho razão? Doutora na agulha e na tesoura, nossa doce Dondoca, não satisfeita de ser doutora, professora emérita, *magister inter pares* na ciência do amor.

Não teria hoje problemas a apoquentá-lo, o comandante. Em quatro ou seis meses, desembolsando alguns cobres, seria doutor em relações públicas, em penteados e cortes de cabelo, em administração ou em publicidade.

Não faz muito fui apresentado, na capital, a um rapaz bem falante e satisfeito de si como nunca vi outro. "Doutor em publicidade", explicou-me ele benevolamente, ganhando cento e vinte mil cruzeiros por mês, ai meu Deus!, formado em São Paulo e New York. Convenceu-me ser ele quem dirige minha vida, minhas compras, meu gosto, através da ciência e arte da publicidade, a maravilha do século.

A mais nobre das profissões atuais, garantiu-me e provou-me, aquela que está na base da produção, do consumo, do progresso do país. A mais alta forma de literatura e de arte, a última instância da poesia: o anúncio, o reclame comercial. Homero e Goethe, Dante e Byron, Castro Alves e Drummond de Andrade são insignificâncias ante um jovem doutor publicitário especializado em poemas sobre sabonetes, pastas dentifrícias, geladeiras, baterias de cozinha, toalhas de matéria plástica. Na opinião categorizada do doutor em publicidade, o maior poema de nossa época, obra-prima e supra-sumo da genialidade poética, fora escrito por aquele especialista com o objetivo de incrementar a venda dos Supositórios do Ânus Jovial. Um poema sublime pela inspiração, pela forma perfeita, pela força da emoção transmitida: aumentaria em cento e setenta e oito por cento a saída dos beneméritos supositórios, musa moderna.

Fosse hoje e o comandante poderia ser doutor em publicidade, até por correspondência.

DO RAPTO DE DOROTHY COM UM DESEMBARGADOR EM CEROULAS

O RAPTO DE DOROTHY FOI PLANEJADO PELAS Forças Armadas, o coronel Pedro de Alencar e o comandante Georges Dias Nadreau, com a ativa colaboração do estado, representado no complô pelo chefe do gabinete e pelo ajudante-de-ordens do governador. Coube o comando geral da complexa operação a Carol e nenhum dos grandes estrategistas da história superou-a na perfeita organização, no exato conhecimento dos locais, no minucioso estudo dos detalhes, na escolha dos homens competentes para cada fase da empresa sigilosa e árdua. Se bem tenha partido do comandante Georges a idéia da façanha, deve-se, sem dúvida, a Carol o seu êxito cabal. Celebraram o êxito e Carol com champanha, numa esbórnia que por pouco se inscreveria na história dos cabarés e prostíbulos de Salvador, pois o comandante Georges, ante o magnífico resultado do rapto de Dorothy, quis ampliar o esquema, aproveitando a experiência e o entusiasmo, para reviver naquela noite o "rapto das sabinas".

Existia, no 96 da ladeira da Montanha, o Castelo de Sabina, pensão de mulheres especializada em estrangeiras: francesas, polacas, alemãs, russas misteriosas e uma egípcia. Algumas delas haviam mesmo nascido na vastidão do Brasil, mas outras aportaram ao seio de Sabina após longa carreira iniciada em portos da Europa, com escalas na Argentina e no Uruguai. E entre elas destacava-se, não pelos dotes de beleza, mas pelos requintados conhecimentos do *métier*, a famosa madame Lulu, indiscutivelmente francesa, com mais de trinta anos de prática, tão celebrada e afreguesada que mantinha em permanência uma fila de clientes à sua espera. E, por mais rápido que ela trabalhasse, sempre alguns sobravam para o dia seguinte. De um coronel do interior, fazendeiro para os lados de Amargosa, contava-se ter vindo expressamente à Bahia para um *tête-à-tête* com tão solicitada e competente cortesã, contando passar apenas dois dias na capital. Teve de demorar-se uma semana, tão comprometido estava o tempo da insigne parisiense que concorreu como ninguém, na Bahia, para a influência da cultura e da civilização da França Eterna sobre os hábitos brasileiros. Gastou o fazendeiro uma semana e quase um conto de réis, na época uma fortuna, em passagens, hotel, comida e outras despesas mas, como ele próprio declarou ao embarcar de volta, "foi barato, valia outra semana e outro conto". Qualquer elogio à competência de madame Lulu e ao Castelo de Sabina faz-se supérfluo após esse testemunho.

O capitão dos portos propunha nada mais nada menos do que a invasão, pelos voluntários e vitoriosos raptores de Dorothy, do Castelo de Sabina, fortaleza defendida da curiosidade pública pelas janelas hermeticamente fechadas, cuja porta apenas se entreabria para fregueses, amigos e conhecidos ou pessoas recomendadas. Transportando de lá, após a abordagem, a batalha e a vitória, para a Pensão Monte Carlo, todo o mulherio, inclusive madame Lulu, e entregando aquela população estrangeira e trabalhadora a Carol para que a explorasse como escravos de guerra. Era Carol merecedora disso e de muito mais, afirmava o comandante Georges erguendo sua taça para brindar às qualidades de caráter e de coração da serena anfitriã a sorrir, bondosa e realizada, em sua cadeira austríaca de balanço.

Com certa dificuldade, conseguiram os amigos dissuadir o

comandante Georges de seus planos bélicos. Não puderam, no entanto, impedi-lo de lavar os pés de Carol com champanha, numa suprema homenagem.

Enquanto os amigos assim comemoravam o êxito do rapto, na casinha distante, nos confins de Amaralina, alugada há vários dias, circundada pelos ventos do oceano, iluminada pela lua cheia especialmente disposta pelo romântico tenente Lídio Marinho, ouvindo o rumor das ondas contra os rochedos e aspirando o excitante odor da maresia, Vasco Moscoso de Aragão tomava nos braços, como ansioso noivo em noite nupcial, o frágil corpo de Dorothy, abandonando intocados o frango tenro, o presunto inglês, o lombo frio, as maçãs e peras, as uvas espanholas, tendo apenas umedecido os lábios na champanha. Outras eram a sede e a fome antigas e exigentes a devorá-los, não se aplacavam com pão e vinho, era sede de beijos e carícias, fome de entrega e posse, de viver e morrer nos braços um do outro.

Ao mesmo tempo, ainda tremendo, trancado a sete chaves na casa paterna em Nazaré, o dr. Roberto Veiga Lima perguntava-se a explicação daquele mistério terrível: os homens embuçados em máscaras negras, de meia, a invadirem a Pensão Monte Carlo em plena luz meridiana, armados até os dentes, proferindo ameaças e juras, arrancando-o do leito de Dorothy. Vira a morte naquele dia, ainda sentia um frio no coração.

Acontecera na hora quieta do meio da tarde quando a pensão enchia-se de silêncio e paz. As mulheres andavam pelas ruas, às compras, em passeios, no cinema por ser quinta-feira, dia de matinê. Os garçons só chegariam às cinco, a própria Carol muitas vezes aproveitava aquele intervalo no movimento para ir aos bancos ou visitar seus inquilinos, cobrar os aluguéis de suas casas. Só Dorothy jamais saía, proibida de qualquer passeio ou diversão a não ser em companhia de Roberto. Por isso mesmo ele sentia-se na obrigação de vir àquela hora diariamente, estendia-se com Dorothy na cama, cobrava-se do dinheiro gasto. Por vezes levava-a para jantar, voltavam à noite para dançar e beber, ele só a deixava para regressar à casa dos pais, onde vivia, pela madrugada. Mulher paga por ele era assim, de rédea curta e tempo ocupado.

Naquele dia Carol ficara na pensão, descansava em sua cadeira de balanço na sala. Também uma das pequenas — a pícara Mimi, quase adolescente ainda — estava num quarto, ocupada. Era dia do desembargador Rufino, velhote de setenta anos. Vinha ele invariável e preciso uma quinta-feira sim, outra não, às três da tarde. Ouvia-se sua respiração ofegante na escada quando o cuco da sala começava a anunciar a hora. Pagava bem o desembargador, exigia, porém, meninas novinhas assim como Mimi, mais ou menos da idade de sua neta. Trazia um pacotinho de doces e balas, beijava a mão de Carol.

Apenas trancara-se o desembargador no quarto, despia-se ainda, começara a desatacar a reata dos borzeguins para em seguida tirar as ceroulas, quando o tropel dos invasores suspendeu-lhe o gesto:

— Que barulho é esse?

Mimi não sabia, estava nua na cama a comer doces e confeitos. Um grito desesperado ecoou na sala, era Carol a pedir socorro. Mimi saltou da cama, abriu a porta, o desembargador acompanhou-a sem se dar conta, um pé calçado, um descalço, o descarnado peito nu, as vacilantes pernas metidas nas ceroulas de algodão.

Na cadeira, Carol tinha a boca amordaçada com um lenço e um mascarado apontava-lhe uma garrucha. Ouviam-se sons confusos vindos do quarto de Dorothy. Continuando a visar o peito de Carol, o mascarado voltou-se para Mimi e para o apavorado desembargador:

— Os dois aí... Paradinhos, nem um movimento...

— Não fiz nada... — choramingou o velho. — Deixe-me ir embora, meu filho é deputado, pelo amor de Deus...

— Não dê um passo ou recebe chumbo...

— Em que eu fui me meter, meu Deus... Que não irão dizer quando souberem... Pelo amor de Deus, deixe-me ir embora...

Pela porta escancarada do quarto de Dorothy chegava a voz de Roberto, súplice:

— Não me matem... Não tenho nada com ela... Não fui o primeiro, ela mesma pode dizer. Quando encontrei ela, já era furada... Ela mesmo que diga...

Porque Roberto tomara os raptores por indignados parentes de Dorothy, vingativos sertanejos, chegados de Feira de Santana para lavar no sangue a honra da moça. No sangue do sedutor, e certamente pensavam ter sido ele quem a desencaminhara e a trouxera para a vida. Tentava explicar tê-la encontrado já descabaçada, quase morta à fome num canto de rua. Com as armas apontadas, os bandidos reduziram-no ao silêncio. Um deles trazia um rolo de cordas, era mestre em nós, amarrou-lhe braços e pernas. Outro, com voz fanhosa, ordenou a Dorothy vestir-se e arrumar sua mala. Partiram com ela, deixando Roberto de olhos esbugalhados, o suor a escorrer-lhe pela testa, fazendo-lhe uma última recomendação:

— Não tente procurá-la, se tem amor à vida.

Na sala, o outro bandido sentara-se numa cadeira em frente a Carol, para mais comodamente apontar-lhe a arma, e ordenou a Mimi:

— Venha cá... Aqui juntinho de mim, não tenha medo.

A voz recordava outra voz, familiar, Mimi quase a reconheceu. Idiotice, como iria ser o tenente Lídio aquele mascarado? Obedeceu ao chamado, aproximou-se. Com a mão livre, o bandido começou a tocar-lhe as carnes nuas, sentou-a no colo. O desembargador sentia-se desmaiar, a barriga desarranjada, súbitas cólicas incontroláveis.

Os outros chegavam do quarto com Dorothy, um deles levava-lhe a mala. Mimi foi afastada do gentil bandido (o mesmo perfume usado pelo tenente Lídio Marinho, que engraçado!), e, de costas, as armas apontadas contra o desmoralizado desembargador, os invasores ganharam a escada e a desceram numa correria. O desembargador Rufino murmurou:

— Preciso de um banho...

Carol, liberta da mordaça, atendeu ao velho em primeiro lugar, havia esquecido, em seus bem traçados planos, ser a terceira quinta-feira do mês, dia do desembargador. Despachou-o para o banheiro, acompanhado por Mimi, com sabonete novo e toalha limpa. Foi depois libertar Roberto, manteve com o jovem médico longa conversa. Era melhor para sossego de todos que não mais voltasse à Pensão Monte Carlo e desistisse de vez de Dorothy. Senão aqueles tipos sem entranhas, saídos ninguém sabe de onde ("são os parentes dela...", persistia Roberto em sua opinião), podiam voltar, matá-lo ali mesmo ou no salão de danças, arruinando para sempre o negócio e o conceito de Carol, em cuja casa jamais houvera escândalo, pancadaria ou crime.

— Vou embora para o Rio no primeiro vapor...

— E, enquanto espera, é melhor não sair de casa...

Deixou-lhe Roberto o dinheiro que levava consigo, não era muito mais servia. Afinal era ele o responsável por aquela invasão, pelo susto do desembargador — borrara-se todo o pobrezinho! —, pelos danos morais sofridos pela Pensão Monte Carlo. Quando circulasse a notícia, quem ainda se atreveria a freqüentar tão perigoso lugar? Roberto prometeu mandar-lhe quantia maior antes de viajar. Apenas pedia a Carol para descer e examinar as imediações, não tivesse ficado por ali na tocaia algum dos bandidos. Ela regressou afirmando estar tudo calmo e ele partiu.

Ria-se ainda Carol, em sua cadeira de balanço, quando saiu do banho o desembargador. Desejava ele também deixar quanto antes aquelas temerárias paragens, mas como fazê-lo sem ceroulas? Se vestisse as calças em cima da pele, iria pegar pelo menos uma gripe forte, quem sabe uma pneumonia. Carol emprestou-lhe rendadas calçolas de uma das pequenas, magra e de pernas compridas. Riram ela e Mimi ao verem-no assim ataviado e riu-se também o desembargador. Aceitou um cordial após vestir-se e, se bem recusasse ficar naquela mesma tarde — como iria conseguir alguma coisa após o susto? —, prometeu retornar na próxima quinta-feira, já convencido de que tal escândalo não voltaria a renovar-se. Explicou-lhe Carol o sucedido como conseqüência de antigas inimizades de Roberto, agora para sempre com a entrada proibida na Pensão Monte Carlo. Mau elemento, concordou o desembargador, pagando a Mimi o tempo e o banho, beijando a mão de Carol e pedindo às duas segredo sobre sua malcheirosa participação nos acontecimentos.

Acontecimentos festejados madrugada adentro, ruidosamente, pelos amigos, os quatro habituais e mais outros cinco ou seis cuja participação no rapto se fizera necessária para dar-lhe encenação mais brilhante, a gosto do comandante Georges Dias Nadreau. Fora difícil convencê-lo a abandonar a idéia do "rapto das sabinas", madame Lulu subindo a ladeira da Montanha para a praça do Teatro, carregada de correntes, escrava à disposição de Carol. Estava eufórico o capitão dos portos, acabara para sempre, assim pensava, com a causa daquela expressão de tristeza a ensombrar o rosto leal de Vasco Moscoso de Aragão. Já agora podia o comerciante usufruir, sem qualquer resquício de melancolia, dos bens com que lhe cumularam a Providência e o avô: a fortuna, a condição de solteiro, a sorte no jogo, o charme para as mulheres, a inata simpatia.

— Daria minha patente por sua sorte no pôquer... — afirmou o comandante.

— E eu lhe daria a minha por sua sorte com as mulheres... — suspirou o coronel.

— Eu trocaria, de olhos fechados, meu diploma de advogado por uma quinta parte de suas cotas na firma... — riu o dr. Jerônimo, acrescentando: — E de lambujem lhe daria minha futura cadeira de deputado.

— Mesmo a cadeira de deputado, bem? — admirou-se Carol, conhecedora das ambições do jornalista.

— De que valem títulos e patentes, Carolita, ao lado do dinheiro? Tendo dinheiro, pode-se ter tudo quanto se quiser: patentes, diplomas, deputação e senatoria, a mulher mais formosa. Com o dinheiro compra-se tudo, filha minha.

Por ora, Vasco Moscoso de Aragão tinha Dorothy na réstia de luar, no perfume do mar, na canção das ondas, embalada pelos ventos, morrendo em suspiros, revivendo em ais de amor, a face de febre, devoradora boca, indecifrável rosa de obscuro azul.

Quando as forças faltaram, no derradeiro embate, e ela dormiu, Vasco estendeu-se cansado e agradecido, e sonhou, os olhos abertos, a boca a sorrir, ouvindo ao longe o apito de um navio: na noite de tempestade salvava o navio em perigo, trazia-o para o porto batido de chuva, onde, transida e ansiosa, Dorothy esperava pelo amante, o comandante Vasco Moscoso de Aragão.

DE COMO, EM FARRA MONUMENTAL, VASCO CHORA NO OMBRO DE GEORGES E DO RESULTADO DESSAS CONFIDÊNCIAS

PASSARAM-SE OS MESES, ROBERTO VIAJOU para o Rio e de lá regressou trazendo na bagagem uma índia peruana conformada e quieta; Lídio Marinho teve quatro ou cinco novos casos nas pensões e castelos, inclusive com Mimi a quem revelou o mistério do rapto e dos bandidos mascarados; o desembargador Rufino morreu num prostíbulo, escandalizando a cidade. Apesar das promessas feitas a Carol, não mais voltara à Pensão Monte Carlo, horrorizado ante a perspectiva de outro assalto. Passara a freqüentar castelos mais resguardados, morrera no de Laura, onde descobrira uma certa Arlete de quinze anos incompletos. A pobre menina, ao ver o velho em cima dela no estertor da morte, pôs a boca no mundo, a chorar e a berrar, atraindo a vizinhança toda, inclusive um guarda-civil ocupado a jogar no bicho, nas proximidades. Tornou-se assim o acontecimento conhecido do público, reuniu-se verdadeira multidão de curiosos em frente ao castelo, na ladeira São Miguel, na hora do transporte do corpo. Piadas irreverentes provocavam gargalhadas, o filho deputado do falecido era apontado a dedo. Arlete e Laura tinham sido levadas à polícia onde sofreram vexames de toda espécie. O guarda-civil foi o único a tirar certo partido do escandaloso fato: voltara a jogar no bicho, arriscando quinhentos réis no milhar 7015, junção das idades do defunto e de Arlete. Palpite inteligente e feliz: o jogo do bicho exige perspicácia, atenta vigilância em torno das forças do destino, capacidade para extrair as lições (e os palpites) dos acontecimentos.

Tanta coisa passara, até mesmo a paixão de Vasco e Dorothy, tão intensa e febril, tão impetuosa e profunda durante uns tempos. A ponto de ter mandado tatuar seu nome no braço direito, seu nome bem-amado e um coração, trabalho executado com perícia por um chinês de barbicha, surgido na Bahia ninguém sabe como. Foi o doido xodó declinando naturalmente, pouco a pouco, no convívio cotidiano. Vasco começou a botar os olhos compridos noutras mulheres, a dar sua dormidinha aqui e acolá, se bem Dorothy permanecesse todo o verão às suas custas, na casinha de Amaralina, e a levasse a dançar na Pensão Monte Carlo. Quando chegou o inverno, ela voltou de vez para a Pensão, e Carol, conhecedora da natureza humana e da fragilidade dos enrabichamentos, aconselhou-a a sorrir para os outros fregueses, a animá-los em suas pretensões. Vasco guardou certos direitos de prioridade e certa responsabilidade em seus gastos, mas o amor terminara.

Só aquela velha tristeza, a melancolia a ensombrar-lhe os olhos e marcar-lhe o sorriso, continuara e crescia. Os amigos começaram a suspeitar seriamente de enfermidade secreta, estaria Vasco condenado à morte em prazo curto e guardava segredo. Talvez uma doença do coração, conhecida apenas dele e do médico. Não morrera do coração, ainda moço, o seu pai? O que explicaria muita coisa, segundo o coronel Alencar, defensor exaltado dessa tese: o celibato de Vasco, o esbanjamento de dinheiro, a ânsia de viver depressa, como se quisesse apossar-se do máximo dos bens da vida no pouco tempo de que dispunha. Não podia ser outra a causa misteriosa.

Desiludiu-os o dr. Menandro Guimarães, clínico de fama, aliás especializado em coração, a quem Vasco levara, mais de uma vez, para consultas, a frágil Dorothy, sujeita a gripes constantes.

— Aquilo é forte como um touro — respondera o dr. Menandro à comissão de amigos. — Tem um coração de jegue. Vai morrer de velhice, como o avô. Idéia mais absurda, essa de vocês.

— Merda! — exclamou o comandante Georges Dias Nadreau. — Hei de descobrir o motivo dessa aflição do homem. E aposto que descubro.

— Vasco é assim, deve ser coisa de sua natureza, por que preocupar-se? — filosofava o médico para quem só os males do corpo contavam.

— Porque não tolero ver gente triste. Muito menos amigo meu.

Iniciou-se então a "fase do grande interrogatório", como a intitulou Jerônimo. Encontravam-se com Vasco e o comandante Georges começava a sondá-lo, a puxar assuntos os mais diversos, a querer arrancar-lhe confissões. Vasculhou a infância, a adolescência do amigo, os tempos no escritório, a viagem como caixeiro-viajante, seus primeiros amores, seus planos. Não se contentava o capitão dos portos em puxar pela língua do comerciante. Entrevistou-se com Menendez, com o sueco Johann — sempre enrabichado por Soraia, com quem passara a viver amancebado —, até com o negro Giovanni manteve longa conferência. Infrutíferas pesquisas, não conduziam a nada. Jamais encontrara Georges um homem com tantas razões para ser alegre, mais completa e totalmente feliz. Por que diabo, então, aquela tristeza?

Mas tudo no mundo tem um fim, mesmo o segredo mais bem guardado. Tudo termina por conhecer-se, todo o mistério encontra um dia sua explicação. Foi em noite de grande bebedeira, comemoravam o aniversário do tenente Lídio Marinho e seu compromisso de casamento. O tenente noivara naquela tarde, numa festa íntima, com a filha de um fazendeiro do sul do estado, o casamento fora marcado para dezembro.

Começaram a beber ainda cedo, antes da cerimônia do pedido. Continuaram durante o jantar oferecido pelo sogro no palacete do Campo Grande, com vinho português e champanha francesa. Quando chegaram à Pensão Monte Carlo, grande comitiva de amigos e mulheres, encontraram o salão enfeitado de bandeirolas de papel de seda, as pequenas todas nos trinques, os garçons e a orquestra a postos, e nenhum cliente. Carol, numa comovente prova de amizade, dispensara os demais fregueses naquela noite, reservara toda a Pensão para eles.

A roda crescera muito para tão importante comemoração. Tinham vindo oficiais do 19, da Capitania dos Portos, da Polícia Militar, colegas do Palácio. O comandante Nadreau fora de pensão em pensão, de castelo em castelo, arrebanhando todos os casos conhecidos do tenente, para fazer-lhe uma surpresa. Marcara encontro com todo aquele mulherio na Pensão Monte Carlo e com outras várias, inclusive madame Lulu, encarregada do discurso de saudação a Lídio, no mais puro francês das *maisons closes* de Paris. Georges e Vasco haviam tomado a frente da preparação da festa, queriam algo nunca visto, a superar qualquer outra realizada antes. Quando chegaram ao jantar de noivado já estavam altos, o comandante rindo sem parar, o comerciante macambúzio como de hábito quando bebia muito. Em cada pensão e castelo visitado emborcavam um trago, recusar seria uma indelicadeza com a madame e as meninas.

Foi realmente festa sem comparação, esbórnia memorável, farra a inscrever-se nos anais da cidade, pois de madrugada, em ceroulas os homens, as mulheres de espartilho, realizaram um desfile na praça do Teatro para gáudio dos transeuntes retardatários, ante o olhar impotente dos guardas e policiais. Só se fossem loucos iriam meter-se a impedir a original manifestação, quando à frente do cortejo, empunhando uma garrafa de champanha, cantando com voz roufenha, reconheciam o dr. Jerônimo Paiva, sobrinho do governador.

Pelo meio da festa, quando mais animados estavam, após a demonstração de cancã oferecida por madame Lulu, Georges anunciou ao coronel Pedro de Alencar, apontando Vasco cuja tristeza aumentava a cada taça:

— Vou pegar o touro à unha, esse fístula vai me dizer o que é que ele tem...

Largou a mulata Clarice instalada em seus joelhos, tomou Vasco pelo braço, arrastou-o para um canto deserto da sala:

— Seu Aragãozinho, é hoje que você vai me dizer que espécie de merda tem atravessada no peito. Abra a boca e vomite a história.

— Que história?

— História ou mulher ou doença ou remorso de um crime, o que for. Quero saber por que diabo essa sua tristeza…

Vasco fitou o amigo, sentiu sua lealdade, seu solidário interesse, o capitão dos portos era um homem bom.

— O que me acabrunha é, no fundo, uma tolice. Mas não posso deixar de me incomodar, de pensar nisso…

— Nisso, o quê? — era o momento culminante, Georges ficara inteiramente lúcido, curado da carraspana.

— Não sou igual a vocês, não sou…

— Não é, o quê?

— Igual a vocês, compreende?

— Não…

— Veja lá: você é capitão dos portos, oficial da Marinha, comandante… Pedro é coronel; Jerônimo, doutor; Lídio, tenente… E eu? Eu não sou nada, sou um merda, seu Vasco, seu Aragãozinho, sem título nenhum.

Fitava o comandante, abria o peito, desabafava:

— Seu Vasco… Seu Aragãozinho… Cada vez que ouço me chamarem me dá uma coisa aqui dentro, um desgosto…

— Mas, que besteira, seu moço! Nessa nunca pensei. Pensei em tudo, até que você tivesse cometido um crime, sei lá… Mas essa de ficar sofrendo por não ter um título, não. Se vê cada uma…

— É que você não sabe…

— Que coisa… E ainda outro dia a gente aqui, cada um a querer trocar seu título, sua posição pela tua vida… Como é o mundo…

— Você sabe lá o que é andar o tempo todo com coronéis, comandantes, doutores e não ser nada…

De repente o comandante pôs-se a rir, como se lhe houvesse voltado a bebedeira, como se as amarguras de Vasco fossem irresistíveis anedotas, e não parava de rir. Ofendeu-se o comerciante:

— Se era para rir, por que me perguntou...? — e levantava-se.

O comandante segurou-o pela manga do paletó:

— Senta aí, seu bestalhão — continha o riso com esforço. — Quer dizer que se você tiver um título acaba essa tristeza, essa cara trombuda?

— Que título iria eu arranjar com minha idade?

— Pois eu vou lhe arranjar um...

— Você? — desconfiava Aragão, habituado às farsas de Georges.

— Eu mesmo. Pode ficar tranqüilo.

— Pelo amor de Deus, Georges, eu lhe peço um favor: brinque com tudo que você quiser, faça tudo que seja pilhéria comigo, mas não com esse assunto. É um favor que lhe peço...

Estava grave e quase comovido. O capitão dos portos balançou a cabeça, seus olhos azuis pousaram-se em Vasco:

— Não seja tolo, então sou homem para pilheriar com as aflições de um amigo? Disse que ia lhe arranjar um título e vou mesmo. Estou falando sério. Hoje é dia de festa, vamos beber. Amanhã conversaremos novamente. Vou resolver seu caso.

No outro dia, logo no começo da tarde, o comandante mandou um marinheiro à casa de Vasco com um recado. Esperava por ele na Capitania dos Portos. O comerciante ainda dormia, quebrado pela farra da véspera. Só Georges possuía aquela resistência brutal, podia deitar-se já manhãzinha, estava a postos na capitania no horário preciso, a barba feita, o rosto risonho, como se houvesse dormido doze horas.

Aprontou-se Vasco rapidamente, voltava-lhe à memória a conversa da véspera, em meio à farra imensa. Que espécie de título era esse, prometido tão solenemente por Georges? Temia ainda uma farsa, mas o outro falara sério, suas brincadeiras tinham um limite. No entanto, não podia Vasco atinar com a solução anunciada para seu problema: afinal os títulos e as patentes não andavam na rua aos pontapés.

Quando chegou à capitania já ali se encontrava o coronel Pedro de Alencar. Foi logo dizendo a Vasco:

— Mas que absurdo, seu Vasco...

Vasco encabulava:

— Não é por minha vontade. Não quero pensar e penso, não quero sentir e sinto...

— Pois eu lhe arranjo o título — reafirmou Georges. — Que lhe parece, seu Vasco, o título de capitão-de-longo-curso? Sabe o que é um capitão-de-longo-curso?

Vasco ouvia desconfiado:

— Comandante de navio mercante, não é?

— Isso mesmo... Que lhe parece: comandante Vasco Moscoso de Aragão, capitão-de-longo-curso?

— Mas, como? — voltava-se para o coronel: — Como?

— É simples. Georges vai lhe dizer...

O capitão dos portos cerrou os olhos, recostou-se na cadeira giratória, seu rosto cobriu-se de beatitude, começou a explicar. Naquele tempo o título de capitão-de-longo-curso, o posto de comandante da Marinha Mercante, não era obtido numa escola após freqüência regular aos estudos e exames anuais. Conquistavam-no os imediatos e pilotos de larga experiência, os práticos e oficiais de bordo, através de um concurso, requerido e prestado na Capitania dos Portos, ante uma banca examinadora constituída por oficiais da Marinha. Constava o concurso, bastante puxado e difícil por sinal, da apresentação de um trabalho, uma espécie de tese de doutorado, na qual o candidato demonstrava sua competência descrevendo uma viagem marítima, num trecho da costa, com todas as minúcias geográficas e técnicas, desde a saída de um determinado porto até a chegada a um outro. Nesse trabalho devia o candidato resolver diversos problemas de navegação, em mar calmo, em meio a tempestades, defeitos no barco, ameaça de naufrágio. Aprovada a tese, sujeitava-se então a exames em diversas matérias, provas orais somente: navegação astronômica, meteorologia, polícia de navegação marítima e fluvial, direito comercial marítimo, direito internacional marítimo, máquinas e caldeiras de bordo. Tendo passado nos exames, entregavam-lhe o título, podia sair mar afora no comando de seu navio.

— Simples, não é? — perguntava-lhe Georges, estendendo-lhe uma folha de papel na qual pousaram os assombrados olhos de Vasco.

Passou a vista pela folha cheia de uma escrita miúda porém nítida. Ficou sabendo que o exame de navegação astronômica compreendia o uso e a retificação do sextante, o uso e o traçado das cartas, a navegação ortodrômica (sobre o círculo máximo), o uso e o estudo completo do cronômetro, o uso, a teoria e a retificação das agulhas magnéticas.

Nem quis informar-se das outras matérias. Pousou o papel sobre a mesa, não havia mais dúvidas, Georges estava a divertir-se à sua custa, mais uma vez.

— Você tinha me prometido...

— ...um título e estou cumprindo...

— ...que não ia fazer pilhéria...

— E que porra de pilhéria eu estou fazendo? — ficava brabo.

— Ora, não está... Um exame desses... Sem falar que eu não sou nem piloto, nem imediato, nem prático, nem coisa nenhuma. Até hoje só entrei em navio desses aí do rio Paraguaçu, para ir até Cachoeira. Uma vez fui a Ilhéus, no *Marahu*, um da Companhia Bahiana, atrás de uma zinha. Vomitei a alma, nunca vi jogar tanto nem tamanha fedentina.

— Tem razão. Esqueci de lhe dizer que não é necessário ser piloto, prático, oficial de bordo para fazer o concurso. É aberto a todo mundo. É claro que, em princípio, só o requerem homens de bordo, em geral após uma vasta experiência. Mas ainda há pouco, para certificar-me, estudei a lei que estabeleceu o concurso: é aberto a qualquer pessoa. É só você requerer. Aliás, já estou com o borrão do requerimento pronto, você só tem o trabalho de copiar e assinar.

Estendia-lhe outro papel, Vasco ficava com ele na mão:

— Muito bem, posso requerer. E como vou fazer os exames, não sei nada desse latim todo, nunca vi coisa tão complicada. Sem falar na tese, onde vou buscar conhecimentos para escrevê-la? Não gosto de escrever nem carta, levei muito esporro de meu avô por isso...

— Já providenciei tudo, meu velho. A tese, descrição de uma viagem de Porto Alegre ao Rio, passando por Florianópolis e Paranaguá, já está sendo escrita.

— Você mesmo?

— Não, até aí não vou, estou velho para isso. O tenente Mário está lhe prestando esse favor... Depois você, se quiser, lhe dá um presente... Uma besteira qualquer...

— O que ele preferir, sem falar na minha amizade eterna. Mas, e os exames orais? Não sei pitangas de nada do que está nesse papel.

— Simples, meu filho, pensei em tudo. Sobre cada matéria vamos formular duas ou três perguntas e, ao mesmo tempo, as respostas. Lhe entregamos perguntas e respostas. Você decora as respostas, presta os exames, é aprovado com distinção, recebe seu bendito título.

Vasco parecia duvidar da realidade daquela oferta inesperada. Georges continuava:

— Não se esqueça que a banca examinadora é nomeada e presidida por mim. Vou designar o tenente Mário e o tenente Garcia, bons rapazes e seus amigos. E fica sendo você comandante, jurado e sacramentado, e sem perigo para a humanidade porque jamais irá se meter a comandar navio.

— Deus me livre.

Georges levantou-se, bateu nas costas de Vasco:

— E, se depois me aparecer ainda de crista caída, junto aos marinheiros, mando lhe dar um surra.

O coronel interveio, esfregando as mãos:

— E no dia da entrega do título, vamos fazer uma farra bestial. Maior que a de ontem... Dessas de lavar a alma.

— Daqui a um mês reunirei a banca examinadora — anunciou Georges.

— Por que tanto tempo? — amedrontou-se Vasco.

— Você já está apressado, hein? Para dar tempo a Mário de redigir o trabalho escrito e a você de copiá-lo com sua letra e decorar as respostas para a oral, uma por uma, tintim por tintim. Tem que saber tudo na ponta da língua. Esse é o preço que você vai pagar pelo título de capitão-de-longo-curso, seu comandante de merda.

— E se eu me atrapalhar na hora do exame, se ficar nervoso?

— Não se atrapalhe, não fique nervoso. E agora copie o requerimento e depois dê o fora, tenho trabalho a fazer.

— Vamos começar a preparar as comemorações — avisou o coronel.

Vasco curvou-se sobre o papel, passou a copiar. Estava tonto, tudo aquilo parecia-lhe irreal, um sonho absurdo. Sentia os olhos úmidos, mal podia enxergar as letras. Nada no mundo igual à amizade, os amigos são o sal da terra. Gostaria de dizer-lhes, não sabia como.

DA NAVEGAÇÃO ASTRONÔMICA AO DIREITO INTERNACIONAL MARÍTIMO, CAPÍTULO EXTREMAMENTE ERUDITO

DURANTE UM MÊS RIU ÀS gargalhadas o comandante Georges Dias Nadreau, gozando o nervosismo de Vasco, seu esforço de aluno aplicado, cobrando-se assim do favor que lhe prestava.

Divertiam-se também o coronel, Jerônimo e Lídio, o tenente Mário e o tenente Garcia. Vasco chegara a emagrecer, tanto zelo empregava na tarefa de decorar as respostas complicadas às três perguntas de cada matéria, repletas de sextantes, ventos e correntes marítimas, fretes, mares territoriais e mares internos, higrômetros, indicações magnéticas, uma confusão.

Todas as tardes, por ordem expressa do comandante, submetiam o alarmado candidato a uma sabatina. A princípio, Vasco embrulhava-se nas palavras desconhecidas, a memória refratária àqueles termos arrevesados, o tenente Garcia ameaçando reprová-lo. Era um custo levá-lo para o bilhar, o pôquer, as mulheres, queria Vasco gastar as noites no estudo.

Mário e Garcia viveram à tripa forra durante aqueles trinta dias. Vasco convidava-os diariamente para jantar, pagava-lhes aperitivos, vinho português do bom e do melhor, ceias na Pensão Monte Carlo. Pouco a pouco foi-se assenhorando das respostas, familiarizando-se com os nomes esdrúxulos dos instrumentos de bordo. Na Capitania dos Portos, o tenente Mário mostrou-lhe um dia alguns daqueles objetos, Vasco entusiasmou-se. Pareciam-lhe belos e apaixonantes, começava a amar sua nova profissão.

O pior de tudo foi ter de copiar, com sua letra, o trabalho elaborado pelo tenente Mário, "sua tese de formatura", como costumava dizer. Longo, de trinta e duas páginas de escrita incompreensível, como se o rapaz fosse médico e não oficial da Marinha, e cheio de borrões. Passava as manhãs a copiá-lo, trancado na sala, a criada proibida de abrir a porta para quem quer que fosse.

Entregue e aprovado o trabalho, marcou-se finalmente o dia do exame oral. Cerimônia solene, com o coronel presente e fardado, dr. Jerônimo e o tenente Lídio Marinho. Marinheiros em posição de sentido guardavam a porta da sala, onde a banca examinadora, constituída pelo comandante Nadreau e os dois joviais tenentes da Marinha, sentava-se gravibunda ante a grande mesa repleta de objetos e mapas. Pálido e emocionado, Vasco foi introduzido por um marinheiro, repetindo em voz baixa, numa última rememoração, as perguntas e respostas. Ouviu seu nome proclamado enfaticamente por Georges, aproximou-se, sentou-se rígido na cadeira em frente à mesa, o coração aos saltos. Mas as respostas saíram-lhe fáceis e corretas, sem um erro, sem um deslize de pronúncia sequer.

Aprovado plenamente, o diploma foi expedido, assentados num livro da Capitania dos Portos o nome e o endereço do novo capitão-de-longo-curso. Cada vez que mudasse de casa devia comunicar à capitania a nova residência. Era um livro grosso, de capa verde e encadernada, com as armas da República. Em cada página um nome, com a data do concurso, a qualidade da aprovação, números e referências, a idade, o estado civil, o endereço do titular. Poucas páginas preenchidas, uns quantos nomes apenas antes do nome de Vasco. E quase todos possuidores apenas de "cartas de borracha" como eram chamados os títulos dos comandantes de navios fluviais, para cuja obtenção dispensava-se o trabalho escrito e reduzia-se o exame oral. Eram esses títulos facilitados aos comandantes de barcos a vapor no rio São Francisco, aos quais era vedada a navegação marítima, os caminhos do oceano. O título de Vasco era dos verdadeiros, dava-lhe o domínio dos rios, dos grandes lagos e dos mares, estava autorizado e tinha direito a comandar navios de todas as nacionalidades e bandeiras, em todas as rotas, nos cinco oceanos. Armado com o direito internacional marítimo e a ciência da navegação astronômica.

— Agora — disse o coronel quando tudo terminara e Vasco segurava amorosamente o diploma — vamos comemorar. Comandante Vasco Moscoso de Aragão, leão dos mares, tome do leme, leve-nos às putas!

DE COMO SE CONSTRÓI UM VELHO MARINHEIRO, SEM NAVIO E SEM NAVEGAÇÃO

NUNCA, JAMAIS, NA HISTÓRIA da navegação, foi tão honrado o posto de capitão-de-longo-curso, tão zelosamente usado o título de comandante, como por Vasco Moscoso de Aragão, com seu diploma enquadrado em moldura dourada, na parede da sala, sua pose de homem de fibra temperada nos mares distantes, sua dignidade de experiente lobo-do-mar.

Mandara imprimir a toda pressa cartões de visita, seu nome precedido do título, seguido do posto. Passava pelas casas de famílias conhecidas, relações feitas nas festas de Palácio e nas recepções onde era convidado, e deixava-lhes cartões com os cumprimentos do comandante Vasco Moscoso de Aragão, capitão-de-longo-curso.

Exigia o título, não admitia mais o vergonhoso "seu" a anteci-par-lhe o nome.

— Como vai, seu Vasco?

— Perdoe o amigo. Comandante Vasco, capitão-de-longo-curso.

— Não sabia, desculpe.

— Pois fique sabendo e faça-me o favor de não esquecer — entregava o cartão de visita do qual fez grande gasto, sobretudo nos primeiros tempos.

Nos castelos e pensões, quando interessada mulherzinha passava-lhe os braços em torno ao pescoço e a ele se agarrava, murmurando: "Seu Aragãozinho...", ele reagia, paciente e firme:

— Filhinha, não sou "seu Aragãozinho", tenho um título, sou o comandante Aragão, da Marinha Mercante.

Até Carol foi obrigada a mudar o tratamento ao saudá-lo no alto da escada, rolando agora as sílabas em deleitosa melodia:

— Comandante Aragãozinho, meu rico capitão...

O coronel e o capitão dos portos davam o exemplo, comandante para cá, comandante para lá, em torno ao bilhar, na mesa de pôquer, bebendo cerveja ou estourando champanha.

E até o governador, ciente do caso e da felicidade nova a inflar o peito do generoso amigo de seu sobrinho, abriu os braços ao vê-lo pela primeira vez após a cerimônia de diplomação:

— Como vai essa bizarria, comandante?

Inclinou-se Vasco comovido:

— A serviço de Vossa Excelência, meu governador.

No escritório da firma Moscoso & Cia. Ltda., onde aparecia agora apenas uma ou duas vezes por semana como se o cheiro mercantil do bacalhau e do charque repugnasse as suas narinas impregnadas de maresia, as ordens tinham sido categóricas, de Menendez a Giovanni: proibição terminante de pronunciar-se o nome do patrão sem dar-lhe o título de comandante. Rafael Menendez, ao receber as ordens, baixou a cabeça num assentimento, escondendo o sorriso calculista. Declarou ser aquela distinção conferida ao chefe uma grande honra para toda a firma. E esfregava as mãos eternamente úmidas.

Giovanni, surpreso e sem entender aquela súbita qualidade marítima do patrãozinho, mas achando-a merecida, contou-lhe histórias de seu tempo de embarcadiço e, quando Vasco aparecia na firma, era com Giovanni sua maior demora, o negro a puxar pelo bestunto.

Após os cartões de visita, sua imediata preocupação foram as fardas. Seu alfaiate, dos melhores da cidade, revelou-se incapaz mas deu-lhe indicações: havia uma alfaiataria, na Baixa do Sapateiro, especializada em uniformes, lá os comandantes dos navios da Bahiana mandavam talhar suas túnicas e calças. Também os oficiais do Exército. E, nas proximidades do Carnaval, a rapaziada dos clubes ali encomendava as fantasias de príncipe russo, conde italiano, mosqueteiro francês e pirata sem pátria.

Encomenda tão grande de um único freguês não recebera ainda a alfaiataria, foi um rebuliço. Vasco queria pelo menos duas fardas de cada tipo, para verão e inverno, para o diário e para festas, fardas de gala e grande gala, em mescla azul e em branco, com os bonés apropriados, e fios de ouro de verdade. Um enxoval completo. E tinha pressa, era indispensável uma farda de gala pelo menos, pronta daí a quinze dias para a parada do Dois de Julho. O alfaiate em delírio prometeu horas extraordinárias, noites sem sono, para entregar-lhe em tempo uma farda branca para o desfile matinal e uma azul para a recepção à noite, em Palácio. Vasco garantiu-lhe, em troca, polpuda gratificação para os competentes oficiais da agulha.

Foi uma apoteose naquela manhã do Dois de Julho quando, no largo da Soledade, tudo disposto para o início do desfile — as carretas com o caboclo e a cabocla, os andores com os retratos de Maria Quitéria, Labatut e Joana Angélica, os oradores a postos, o coronel Pedro de Alencar à frente da tropa formada, o comandante Georges Dias Nadreau à testa dos marinheiros da capitania, as bandas marciais executando dobrados — quando ali apareceu, em sua farda branca com alamares de ouro, o comandante Vasco Moscoso de Aragão e se incorporou ao grupo das autoridades civis, à espera do governador.

Firme e teso ouviu os discursos, o coração latindo de patriotismo e orgulho. Ao lado de Jerônimo desfilou, atrás do governador, do coronel, do capitão dos portos até o largo da Sé, atestado de gente, em cuja venerável igreja o arcebispo celebrou o Te Deum. À noite, na recepção, envergava a farda azul, mais formal e suntuosa, em compensação quente como quatrocentos diabos. Não havia, em toda a festa, figura mais esplêndida e nobre, postura tão digna e distinta.

Em certo momento, Georges aproximou-se dele, cumprimentou-o:

— Você está perfeito, o próprio Vasco da Gama teria inveja se o visse. Falta apenas uma coisa para completar essa prosápia toda.

— O quê? — alarmou-se Vasco.

— Uma condecoração, meu filho. Uma bela condecoração.

— Não sou militar nem político, onde vou conseguir?

— Conseguiremos... Conseguiremos... Só que vai lhe custar uns cobres... Mas vale a pena.

Jerônimo encarregou-se das negociações com o cônsul português, dono de uma pastelaria na praça Municipal, para assim fazer-lhe sentir o interesse do governo naquela honraria ao comandante Vasco Moscoso de Aragão.

— Mas não é o Aragãozinho, da firma Moscoso & Cia., do velho José Moscoso, ao pé da ladeira da Montanha?

— Pois é o mesmo, sim, senhor. Somente agora ele é comandante da Marinha Mercante...

— Não sabia que houvesse embarcado...

— Não embarcou mas fez o concurso exigido por lei.

— Pois conheci-lhe muito o avô, um português às direitas, um homem de bem. E por que Sua Augusta Majestade lhe condecorará o neto?

Jerônimo bateu a cinza do charuto, espichou o olho cínico:

— Pelos seus relevantes feitos marítimos...

— Marítimos? Que eu saiba... Se nem embarcou...

— Ora, seu Fernandes, o homem paga, Sua Augusta e Arruinada Majestade condecorará o nosso bom Aragãozinho por uns ricos contos de réis... E se outro pretexto não tivesse, lembre-se que ele se chama Vasco, é comandante, neto de portugueses, quase parente do almirante Vasco da Gama... Que diabo você ainda quer discutir? Invente os motivos, arranje a comenda, e depressa...

Assim, selou-se definitivamente a glória do comandante Vasco Moscoso de Aragão, quando, após alguns meses e cinco contos pagos adiantados, Sua Majestade d. Carlos I, rei de Portugal e Algarves, outorgou-lhe o grau de cavaleiro da Ordem de Cristo, antiga de setecentos anos, vinda da época das Cruzadas, por sua "notável contribuição à abertura de novas rotas marítimas". Com medalha e colar, coisa de ver-se. A cerimônia foi simples e íntima, porém noticiada nos jornais e regiamente comemorada depois, com ginja e vinho português como mandava o protocolo.

Titulado, fardado, condecorado, não mais apareceu Vasco Moscoso de Aragão de crista caída ante o capitão dos portos. Sua alegria era total e esfuziante, jamais andara alguém tão feliz nas ruas da velha cidade da Bahia.

Dedicava agora grande parte de seu tempo a buscar nas casas de *bric-à-brac* (aliás existiam apenas duas em Salvador) objetos marítimos, instrumentos de bordo. Pagava-os a qualquer preço. Foi assim iniciando sua coleção de mapas, gravuras de barcos, sextantes, bússolas, relógios antigos. De uma viagem ao Rio, o comandante Georges trouxe-lhe alguns instrumentos, de presente.

Enriqueceu-se de muito seu museu marítimo quando nas costas da Bahia, próximo à capital, naufragou um barco inglês. Foram os objetos a leilão, em hasta pública, e o maior lançador foi o comandante Vasco Moscoso de Aragão. Arrematou a roda do leme, uma preciosa luneta, cronômetros, agulhas magnéticas, anemômetros, higrômetros, o cronógrafo de bordo, uma escada de cordas, sem falar em duas caixas de uísque para oferecer aos amigos.

Não iria mais perder aquela mania de comprar instrumentos náuticos. Terminaria, vários anos depois, por adquirir um telescópio a um aventureiro alemão de passagem pela cidade. Tentara o germânico explorar o objeto na via pública, cobrando um mil-réis de cada cliente interessado em olhar o céu de perto, aproximar a lua e as estrelas. Fracassada a tentativa, conta de pensão a pagar, foi o telescópio para a casa da rua dos Barris, de onde aliás projetava o comandante mudar-se.

A sua peça predileta, na coleção a crescer, era a miniatura de um navio, o *Benedict*, de meio metro, reproduzindo em seus mínimos detalhes um barco de passageiros, colocada dentro de uma caixa de vidro. Fora um presente de Jerônimo, no aniversário de Vasco. O jornalista descobrira aquilo no porão do Palácio, a caixa coberta de poeira, jogada num canto como coisa imprestável. Vasco delirou, não tinha palavras para agradecer.

Numa das suas longas conversas com Giovanni, veio a saber ser hábito dos oficiais de bordo, sobretudo dos comandantes, o uso do cachimbo. Comandante sem cachimbo a pitar não era comandante, na abalizada opinião do negro velho. No dia seguinte, Vasco surgiu na roda atrapalhado com um cachimbo inglês, diabo difícil de fumar-se, apagando a cada momento. Aprendeu com o tempo, não tardou a possuir vários, de matérias e formas diferentes, de madeira e porcelana, de espuma-do-mar.

De quando em vez, no começo da tarde, ia Vasco visitar o comandante Georges Dias Nadreau, na Capitania dos Portos. Envergava o uniforme de trabalho, o boné na cabeça, um cachimbo no queixo. Da janela da capitania olhava o mar, atento acompanhava a atracação dos navios.

Um dia foi apresentado, num bar, onde esperava o coronel, a um senhor de Pilão Arcado. Ficaram os dois a conversar, o sertanejo encantado com aquelas relações citadinas:

— Então o senhor é comandante de navio?... Mas de navio de verdade, não daqueles do rio que vivem encalhando... Deve ter muito o que contar. Me diga uma coisa: o senhor já viajou lá para as bandas da China e do Japão?

Pousaram-se no bronzeado rosto do homem de Pilão Arcado os olhos inocentes do comandante:

— Na China e no Japão? Várias vezes, sim, senhor... Conheço aquilo tudo...

— E me diga uma coisa que tenho muita vontade de saber: — o interesse jogava-o para a frente sobre a mesa — é verdade que as mulheres de lá são peladas, só têm cabelo na cabeça, no resto nem um fio, e que o xibiu delas é atravessado? Me contaram essa conversa...

— Mentira, andaram lhe bobeando. Não tem nada disso. São como as de toda parte, só que mais apertadas, uma gostosura...

— De verdade? Como são? O senhor andou com muitas?

— Uma vez em Shangai saí pela rua sem destino... Num beco esconso deparei com uma chinesa chorando. Chamava-se Liú...

Acendiam-se os olhos do rude sertanejo, enquanto o comandante Vasco Moscoso de Aragão perdia-se nos mistérios de Shangai, em vertigens de ópio, conduzido por Liú, uma chinesinha de laca e marfim.

Caía a tarde sobre o largo da Sé, o sangue do crepúsculo nas pedras negras da velha igreja. Vasco tomava da mão de Liú, iniciava sua viagem.

DO PASSAR DO TEMPO E DAS MUDANÇAS NO GOVERNO E NA FIRMA, COM FALCATRUAS E UMA CRISTA ERGUIDA

CUMPRIU SUA PROMESSA O COMANDANTE Vasco Moscoso de Aragão: nunca mais apareceu diante do comandante Georges Dias Nadreau de crista caída. Tinha seu título, era feliz, nenhum desgosto, nenhuma dificuldade pôde turvar-lhe daí por diante a radiosa expressão, a exuberante alegria. Por um breve minuto podia irritar-se ou entristecer-se mas logo voltava ao seu natural folgazão, sem dar tempo à tristeza, sem dar maior importância às contrariedades da vida.

Tristezas e contrariedades não faltaram, no entanto. Mas um comandante de navios, um capitão-de-longo-curso habitua-se, na esteira das ondas, à inconstância do mar e do tempo, forja seu caráter e enrijece seu coração, torna-se apto a enfrentar, com um sorriso nos lábios, as decepções e os desgostos.

Desgosto dos maiores, o primeiro a suceder, foi a transferência de Georges Dias Nadreau, promovido e enviado para o comando de um destróier. Como imaginar a noite da Bahia, as pensões e os castelos, a boemia, as mulheres, a magia do amor, sem a presença do marinheiro de cabelos loiros de trigo, de olhos de azul-celeste, inventando blagues, caçoadas, pilhérias divertidas, sempre às voltas com uma negra ou mulata escura? Quando a notícia circulou entre o mulherio e os noctívagos, foi geral a consternação, houve lágrimas e lamentações e preparou-se uma despedida digna de Georges.

— Levanta a crista, comandante — disse Georges a Vasco quando o viu, na noite da festa de adeus, carrancudo e calado. — Um marinheiro não se dobra à tristeza.

Foram todos, no dia seguinte, levá-lo a bordo do paquete no qual viajava para o Rio e viram pela primeira vez Gracinha, a esposa, de luto fechado, o macerado rosto coberto por negro véu, os lábios trancados. Estendeu-lhes, na apresentação, as pontas de dois dedos gélidos. Vasco compreendeu então não ser uma frase oca de sentido aquela pronunciada na véspera pelo antigo capitão dos portos. "Um marinheiro não se dobra à tristeza", as palavras de Georges adquiriam uma brusca significação concreta, ele não se dobrara à tristeza, não se entregara vencido.

Voltaram para o centro, foram para o bilhar, mas já não era a mesma coisa. A ausência de Georges povoava o bar, a Pensão Monte Carlo depois, a noite ficara subitamente vazia.

Já um ano antes casara-se o tenente Lídio Marinho e, por uns tempos, desaparecera de circulação. Mas todos sabiam ser passageira sua ausência, voltaria quando a vida de casado entrasse na normalidade e assim aconteceu. Ao findar-se o expediente em Palácio, aparecia para o bilhar e, na maioria das noites, juntava-se novamente a eles após o jantar, ia arrastar os pés na Pensão, por vezes trancava-se com uma pequena, continuava a ter apaixonadas nos castelos. A esposa era para dar-lhe filhos, cuidar da casa, receber as visitas. Georges, porém, fora de vez, era partida sem regresso, reuniria outra turma no Rio, colegas do navio, amigos diferentes. Foi uma noite difícil, mas Vasco recordava a frase e via a figura dilacerante de Gracinha, animava os outros, um marinheiro não se entrega à tristeza.

O novo capitão dos portos, o substituto de Georges, capaz talvez de assumir seu lugar na turma, tardou meses a chegar e foi uma completa decepção: sujeito arredio, pouco dado a amizades, tendo horror às noitadas, às mulheres da vida, circunspecto e sisudo. Vasco deixou de freqüentar a capitania.

Continuou, porém, a ir ao porto ver a entrada dos navios, admirar-lhes a beleza, reconhecer-lhes as bandeiras; a adquirir, onde encontrasse, objetos náuticos e estampas de barcos; a sair todas as noites com Jerônimo e o coronel, a jogar seu pôquer e a enrabichar-se por novas mulheres. Tinha nesse então pouco mais de quarenta anos e todo mundo já se habituara a tratá-lo de comandante.

Aproximava-se o governador do fim do mandato e era um fim melancólico, pois o presidente da República, levado por outras personalidades do partido, vetara o nome de seu candidato à sucessão, impusera-lhe um outro e quase lhe sonega a cadeira de senador, tradicionalmente reservada aos governadores cujos mandatos terminavam. Conseguiu a cadeira, mas foram-se pelos ares a deputação de Jerônimo e sua carreira política. Arranjaram-lhe um lugar no Ministério da Justiça, no Rio, procurador ou qualquer coisa equivalente. Não era mau, mas seus planos políticos goraram.

Com a mudança de governo, partiu também Pedro de Alencar, veio comandar o 19º Batalhão de Caçadores um outro coronel, amigo do novo chefe de Estado. Vasco nem chegou a ser-lhe apresentado, era homem fiel a seus amigos, à recordação da roda famosa, desapareceu do Palácio, das recepções e festas da sociedade. Ainda participava dos desfiles do Dois de Julho e do Sete de Setembro, com suas fardas de gala, mas distante da gente do governo, misturado com o povo.

Não quis juntar-se a outra roda, ingressar noutra turma. Quem pertencera, como ele, à suprema elite da cidade, não podia misturar-se novamente com comerciantes, empregados no comércio ou mesmo médicos e advogados jovens. Ocupava, nas pensões e cabarés, mesas solitárias e a champanha começou a ter, em sua boca, um gosto amargo de saudade.

E, um dia, Carol vendeu a Pensão Monte Carlo a um cáften

argentino, sujeito cabuloso, comercial e desagradável. Vasco foi embarcá-la, ela regressava a Garanhuns, onde lhe morrera o cunhado e a irmã necessitava de auxílio e companhia. Recordaram no cais as grandes noites e os amigos: Jerônimo, de quem ela fora amante; o belo tenente Lídio Marinho, agora capitão servindo em Porto Alegre; o coronel Pedro de Alencar, impávido bebedor; e aquele inesquecível comandante Georges Dias Nadreau, com seu ar de estrangeiro, doido por uma negrinha, divertido como ele só. Tudo aquilo terminara para Carol. Ia agora ajudar a criar sobrinhos e sobrinhas, respeitável senhora, viúva rica na pacata cidade onde nascera. Beijou Vasco nas duas faces, os olhos molhados de lágrimas:

— Você se lembra do rapto de Dorothy?

Por onde andaria Dorothy? Um coronel do interior apaixonara-se por seus olhos inquietos, era viúvo, levou-a para a fazenda. Vasco dormira com ela na véspera da partida, noite de loucura como se o antigo xodó, a paixão alucinada, houvesse renascido com a mesma força de antes. Nunca mais souberam notícias, se ficara ou não com o fazendeiro. Mas no braço direito de Vasco permaneciam tatuados o nome de Dorothy e um coração.

— Te lembras do chinês das tatuagens?

Tanta recordação, tanta coisa a lembrar no caminho do cais. O navio levantou âncora para Recife, Carol, gorda e chorosa, acenava com um lenço. "Um marinheiro não se dobra à tristeza", mesmo quando órfão abandonado, no cais deserto da cidade.

Passaram-se os anos, foi desaparecendo o comandante Vasco Moscoso de Aragão das pensões de mulheres, das salas dos castelos. Já não era também o chefe, o patrão da firma Moscoso & Cia. Ltda. O negro Giovanni morrera a repetir-lhe que tomasse cuidado com Menendez, o gringo não prestava. Mas quando Vasco quis seguir o conselho, assumir realmente a direção dos negócios, Menendez era o verdadeiro dono da firma. Vasco gastara naqueles dez anos de esbórnia o que possuía e o que não possuía, sua conta devedora era espantosa. Foram lentas e complicadas negociações, com advogados ávidos e sabidos. Finalmente Vasco deixou a firma, recebendo uns prédios para aluguel e uma quantidade de apólices do estado que lhe garantiam renda suficiente para viver com decência. Vendeu naquela ocasião a residência dos Barris, comprou casa menor no largo Dois de Julho, onde instalou seus instrumentos náuticos, na parede da sala de visita os diplomas de capitão-de-longo-curso e de cavaleiro da Ordem de Cristo, no centro da mesa a caixa de vidro com a miniatura do *Benedict*.

"Um marinheiro não se dobra à tristeza" mesmo quando de milionário passa a simples remediado, quando desaparecem os amigos, já não se renovam os amores, perde o gosto a bebida e o sono chega antes da meia-noite. Na nova casa, relacionando-se com vizinhos desconhecidos, o comandante Vasco Moscoso de Aragão fez-se logo popular e estimado. Sentava-se numa cadeira na calçada, juntavam-se a ouvi-lo, contava suas aventuras no mar. Tinha sempre uma bonita cozinheira a servi-lo, mulatinha escolhida a dedo.

Outros anos passaram, pratearam-se os cabelos do comandante, já não eram tão lindas suas cozinheiras, a vida tornava-se cara e suas rendas não cresciam. Também os vizinhos não o levavam tão a sério como antes, havia quem dissesse não ter entrado ele jamais num navio, ser o título de comandante resultado de uma brincadeira nos tempos do governo José Marcelino, a Ordem de Cristo paga a peso de ouro quando nadava ele em dinheiro e o consulado de Portugal na Bahia estava entregue a um comerciante.

Mais de vinte anos depois da cerimônia na Capitania dos Portos, um dia, um tipo à-toa que se estabelecera na rua com uma bomba de gasolina, a quem Vasco, sempre pronto a relacionar-se, a fazer amizades, começou a contar a terrível travessia do golfo Persa em noite de furacão, interrompeu com uma gargalhada a narração heróica:

— Logo em cima de mim... Deixe essas lorotas para engabelar os tolos... Então eu não sei de toda a história? Todo mundo sabe, fica rindo por detrás... Tenho mais que fazer, seu comandante, não tenho tempo para ouvir lambanças...

"Um marinheiro não se entrega", foi difícil levantar a crista novamente. Onde andaria Georges Dias Nadreau, hoje com certeza almirante, onde andariam Jerônimo e o coronel Alencar, o tenente Lídio e o tenente Mário? Dorothy, como seria bom rever teu esguio perfil, teus olhos inquietos, tua face de febre... Viveria ainda Carol, a criar os filhos dos sobrinhos, dizendo-se viúva na cidade de Garanhuns, em Pernambuco? Ainda ia ele ao porto, fizesse sol ou chovesse, para assistir à entrada e saída dos navios, conhecia todas as bandeiras.

Não poderia mais andar de crista erguida ali, no largo Dois de Julho, nem em outra rua qualquer de Salvador. Vendeu a casa por bom preço, comprou a de Periperi, um subúrbio onde não chegavam os ruídos da cidade, tomou da mulata Balbina, sua cozinheira e amante, dos instrumentos de navegação, da roda do leme, da escada de cordas, da luneta e do telescópio, dos cachimbos, dos diplomas enquadrados, do seu passado nos tombadilhos dos navios, cruzando os mares por entre as tempestades, mudou-se.

Um velho marinheiro de cabeça erguida, a cabeleira ao vento no alto dos rochedos.

ONDE O NARRADOR, ATRAPALHADO E OPORTUNISTA, RECORRE AO DESTINO

VEJAM OS SENHORES: METE-SE UM ESFORÇADO historiador a pesquisar a verdade em anais tão embrulhados quanto estes, e, de repente, depara com versões desencontradas e opostas, na aparência merecedoras de crédito umas e outras. Em quem acreditar? Das duas versões expostas, a do próprio comandante, homem de méritos indiscutíveis, e a de Chico Pacheco, com tantos detalhes comprováveis, qual preferir e oferecer à boa-fé dos leitores? Está esse poço atravancado de obstáculos, rodas de leme e devassas de mulheres da vida, não sei como chegar-lhe ao fundo para de lá arrancar, resplandecente e nua, a verdade capaz de exaltar a memória de um dos dois adversários e expor a do outro à execração pública. Exaltar a quem, qual desmascarar? Para ser sincero, devo confessar encontrar-me, nessa altura dos acontecimentos, desorientado e confuso.

Aconselhei-me com o dr. Alberto Siqueira, nosso eminente porém discutido luminar da ciência jurídica. Juiz durante tantos anos, no interior e na capital, devia estar ele apto a enxergar a luz da verdade nessa trapalhada toda. Tirou o corpo fora, o meritíssimo, afirmando ser-lhe impossível uma sentença ou mesmo um parecer sem aprofundada análise dos autos do processo. Como se estivesse julgando a pendência entre Chico Pacheco e o Estado, e não um trabalho de pesquisa histórica com vistas a um prêmio do Arquivo Público. Feriu-me o tratamento dado às minhas páginas e lhe disse. Mas o fátuo magistrado replicou-me secamente faltar ao meu estudo as mais rudimentares noções do que seja obra de historiador. A começar pelas datas. Insuficiência de datas, ninguém consegue saber direito quando se passam os sucessos narrados, o tempo decorrido entre eles, dia, mês e ano de nascimento e morte das principais figuras. Onde já se viu livro de história sem datas? O que é a história, senão uma sucessão de datas a recordar feitos e fatos?

Engoli calado a crítica, não me havia preocupado com esse detalhe. E aproveito para esclarecer o assunto aqui mesmo, dando em seguida as datas mais necessárias. De nascimento e morte, não sei de quase ninguém, nem do velho Moscoso, nem mesmo do governador. Quanto ao comandante, morreu neste subúrbio de Periperi, no ano de 1950, aos oitenta e dois anos de idade, e, fazendo-se as contas, logo se descobre ter nascido em 1868, andando pelos trinta e tantos anos quando se tornou amigo íntimo daquelas influentes personalidades. Já se sabe haverem decorrido os fatos narrados por Chico Pacheco, verídicos ou inventados, no começo do século, durante o governo José Marcelino, iniciado em 1904, e datar de 1929 a mudança do comandante para Periperi. Que outras datas devo precisar? Não sei, para falar francamente. Aliás, nunca consegui decorar datas nos manuais de história, nem nomes de rios e vulcões nos de geografia.

Ao demais, a seca restrição do meritíssimo obedece menos a um justo critério crítico do que a certa má vontade em relação a mim, demonstrada ultimamente pelo juiz. Começou há alguns dias, deixou de tratar-me com a mesma antiga estima, não mais me convidou a acompanhá-lo à casa de Dondoca pelas tardes, e, por mais que o adule, elogiando-lhe os conceitos e a virtude, mantém-se reservado, a olhar-me acusadoramente. Não sei o motivo dessa mudança brusca, devem ter feito alguma intriga, intrigantes não faltam em Periperi e muitos desses canalhas invejam-me a intimidade com um jurista de trabalhos publicados em revistas do sul.

Chego a pensar no pior: tenha o meritíssimo suspeitas, ainda que leves, dos meus amores com Dondoca. Seria um desastre. Conversando sobre o assunto com a meiga rapariga, alarmei-me ainda mais, pois ela tem notado o juiz diferente no trato, perguntador, examinando fronhas e lençóis, a exigir-lhe a cada momento juras de fidelidade.

Ainda por cima isso, como se não me bastassem as dificuldades em meu trabalho, nessa árdua tarefa de restabelecer a verdade completa em torno das discutidas aventuras do comandante. Tenho aqui, diante de mim, o monte de notas, resultado de minhas pesquisas. E o que acontece? Se tomo de umas, encontro-me no meio do mar, viajando pela Ásia no caminho da Oceania, e Dorothy é a esposa angustiada de desatento milionário, a abandoná-lo pelo amor de um comandante de navio em cujos braços morre de paixão e febre no porto sujo de Makassar. Se tomo das outras, Dorothy é uma rameira na Pensão Monte Carlo (pensão que comprovei ter realmente existido, funcionando no primeiro andar de um prédio onde, mais tarde, se estabeleceu a redação do *Diário da Bahia*), largando um amante por outro, dormindo com quem lhe pagasse, terminando por amancebar-se com um coronel do interior. Aquele sueco Johann é piloto em certas notas, comerciante noutras, Menendez vai de armador a sócio de firma comercial, mantendo-se, no entanto, péssimo caráter. Uma confusão dos diabos.

Já me disseram ser o tempo que termina sempre por estabelecer a verdade, mas não creio nisso. Quanto mais passa o tempo, mais difícil apurar os fatos, encontrar as provas concretas, os detalhes esclarecedores. Se foi difícil aos habitantes de Periperi descobrir, na ocasião mesmo, quem falava a verdade e quem mentia, imagine-se hoje, nesse mês de janeiro de 1961, trinta e dois anos após o sucedido. Cheguei à conclusão de que só a intervenção do destino, numa dessas casualidades ainda sem explicação, pode realmente, por vezes, levar ao reconhecimento da verdade. Sem o que, permanecerá a dúvida eterna: foi Maria Antonieta leviana e corrupta, como querem os sectários da Revolução Francesa, ou era uma flor de pureza e de bondade, como a pintam os adoradores do obscurantismo da realeza? Quem é capaz de descobrir a verdade, passado tanto tempo? Quem sabe se ela dormiu ou não com aqueles condes todos, inclusive com o sueco?

Se não fosse o destino ter intervindo no momento exato, nem sei o que teria acontecido em Periperi, naquele ano de 1929, no fim do inverno. Porque a população, ante a espantosa história contada por Chico Pacheco, dividiu-se em duas metades. Os partidários do comandante de um lado, empunhando o título e a Ordem de Cristo, os seus detratores do outro, bradando a narração do ex-fiscal do consumo. Formaram-se dois partidos, duas seitas, duas colunas de ódio. Os bate-bocas violentos sucediam-se, aqueles poucos que haviam conservado a cabeça fria, como o velho Marreco, temiam um conflito a cada momento. Os aposentados e retirados dos negócios, reumáticos, os rins funcionando mal, quase todos com estreitamento de uretra, ameaçavam-se uns aos outros, insultavam-se, e, certo dia, Zequinha Curvelo avançou cego para Chico Pacheco, anunciando, em alto e bom som, sua disposição de arrancar-lhe a língua empesteada. Como disse o chefe da estação, os velhotes estavam com o demônio no corpo.

Dividiu-se a população e também o arrabalde: nos bancos da estação que davam para o mar, sentavam-se os partidários do comandante, nos que davam para a rua, os de Chico Pacheco. A praia ficou para os primeiros, a praça para os segundos. Em Plataforma, o padre Justo recebia as notícias, botava as mãos na cabeça: como escolher, no próximo ano, o padrinho das festas de São João?

No meio disso tudo, um homem permanecia calmo e tranqüilo, a sorrir seu sorriso bonachão; a trepar nos rochedos para espiar, com a luneta, a chegada dos navios; a preparar seu grogue quente, à noite; a ganhar no pôquer e a contar suas histórias: o comandante Vasco Moscoso de Aragão.

Quando lhe chegaram aos ouvidos os primeiros rumores da agitação provocada por Chico Pacheco, ele confidenciou aos íntimos:

— Puro despeito...

E encolheu os ombros, dispondo-se a desconhecer tudo aquilo. Não lhe foi possível, porém, pois uma parte dos atentos ouvintes de antes virava-lhe as costas e muitos riam de suas histórias. E seus próprios partidários disseram-lhe ser necessário fazer qualquer coisa que provasse, sem sombra de dúvida, a inverdade da narrativa do ex-fiscal do consumo. Zequinha Curvelo, após o quase pugilato com Chico Pacheco, abriu-lhe o coração:

— Comandante, me desculpe, mas é preciso fazer alguma coisa para silenciar esses caluniadores.

— Creio que você tem razão. Pensei em não tomar conhecimento dessas misérias. Mas, como há quem acredite nelas, só resta tomar uma atitude...

Estava num dos seus melhores momentos: a mão apoiada na janela, o olhar perdido nas águas, a cabeleira agitada pela brisa.

— Você, caro amigo, e Rui Pessoa estão designados como minhas testemunhas para desafiar esse caluniador para um duelo. Como sou o insultado, tenho direito à escolha das armas. Exijo revólver de seis tiros, podendo-se usar toda a munição. Ficaremos a vinte passos um do outro, o local será a praia. O morto rolará no mar.

O entusiasmo dominou Zequinha Curvelo, saiu apressado para sua missão. Fracassou. Chico Pacheco não quis sequer nomear padrinhos. Não era homem para duelos, isso era idiotice sem cabimento, em nossa época o duelo havia passado de moda, coisa ridícula. Ele, Chico Pacheco, tinha horror a armas de fogo, não gostava nem de vê-las. E o charlatão andara privando com oficiais do Exército e da Marinha, era capaz de ter aprendido a atirar, possuir boa pontaria. Nessa ele não se metia. Se o charlatão quisesse, recorresse à justiça, iniciasse um processo por difamação, e ele, Chico Pacheco, iria provar tudo quanto contara. Se tivesse coragem, fosse à justiça. Um duelo não provava nada, levava vantagem quem fosse melhor atirador. Não, não queria saber de duelos.

Zequinha Curvelo pronunciou apenas uma palavra:

— Covarde!

O desafio dera-se na praça, onde se reuniam os inimigos do comandante, Chico Pacheco perdeu certo terreno junto aos seus admiradores. A perspectiva de um duelo agradava aos dois grupos igualmente, excitava-os. Foi, no entanto, passageira essa vantagem do comandante. No fundo, persistia a dúvida, suas histórias já não encontravam aquele eco antigo, já não despertavam o entusiasmo anterior.

O próprio Zequinha Curvelo um dia observou-lhe:

— A verdade é que a invenção desse pulha nunca foi desmentida.

O comandante fitou-o com seus olhos puros:

— Se eu tiver de buscar provas para defender-me de um covarde que fugiu do campo de honra, se entre minha palavra e a dele há quem vacile, então prefiro ir-me embora. Vi, num jornal, o anúncio de uma casa à venda na ilha de Itaparica. Lá, pelo menos, estarei no meio do mar, como se estivesse num navio, longe da infâmia e da inveja.

Levantava a crista caída:

— Um dia me farão justiça, sentirão minha falta. Mas não me rebaixarei a desmentir um pusilânime, um cagão.

Estavam assim as coisas, nesse impasse, quando um fato novo aconteceu e a verdade se impôs. Não dependeu nem do comandante nem de Chico Pacheco, nem de Zequinha Curvelo, de Adriano Meira ou do velho José Paulo, o Marreco, o único a não se exaltar, a conservar seu equilíbrio em meio à tempestade. Foi o destino, o azar, o acaso, dêem-lhe o nome que melhor lhes pareça.

Quisera eu também a intervenção do destino para afastar as suspeitas crescentes do meritíssimo juiz dr. Alberto Siqueira, algo a provar-lhe a pureza de minhas relações com Dondoca, reflexo apenas da amizade por mim dedicada ao ínclito e desconfiado luminar. Impossível? Porque de fato ando ornamentando a testa do meritíssimo, comendo-lhe os chocolates e a rapariga? Só por isso? Então não sabem ser o destino caprichoso? Quando intervém para restabelecer a verdade, ele o faz ao sabor de suas simpatias, e não à vista de provas e documentos. Por que não poderia, então, demonstrar ao juiz minha inocência, levando inclusive em conta o serviço por mim prestado ao meritíssimo, ao substituí-lo no leito de Dondoca? Deixo-a pela manhã satisfeita e alegre, disposta assim a aturar, com paciência e sorrisos, a chatice infinita do emérito luminar.

ONDE SE CONTA DE COMO O COMANDANTE PARTE COM DESTINO IGNORADO OU PARA CUMPRIR O SEU DESTINO, POIS AO DESTINO NINGUÉM ESCAPA NESTE MUNDO

NAQUELE DIA DE CHUVA ININTERRUPTA, cargas diluviais, vento cortante e frio, chegado do mar alto a varrer o subúrbio, o céu fechado em cinza escura, sem uma nesga de sol, as ruas encharcadas, também o comandante estava de luto. Negra fita no boné, negra braçadeira na manga do paletó de gola ampla. Explicou aos íntimos, com voz comovida, ser data aniversária da morte de d. Carlos I, rei de Portugal e Algarves, assassinado por exaltados republicanos em 1908, pouco tempo depois de haver-lhe reconhecido os méritos e tê-lo honrado com a condecoração da Ordem de Cristo. Todos os anos, naquela data, punha luto o comandante, em memória do monarca excelso que, das alturas de seu trono, soubera proclamar e premiar os feitos de quem abria novas rotas ao comércio marítimo.

Na estação, pouco freqüentada naquele dia, num banco voltado para o golfo, Zequinha Curvelo perorava, atirando nas fuças de Chico Pacheco (sentado no outro lado da plataforma, em banco voltado para a rua) aquela Ordem de Cristo, com medalha e colar, argumento positivamente irrespondível. Só um irresponsável era capaz da afirmação gratuita e ridícula: um rei de Portugal a vender, como se vende bacalhau ou palitos, comenda tão respeitável, a negociar, como um quitandeiro qualquer, uma ordem venerável, vinda dos tempos dos cruzados e templários, tão séria e cobiçada que a haviam conservado os republicanos e para obtê-la pelejavam governantes e diplomatas, cientistas e generais. Realmente era muita infâmia dizer e ouvir tais disparates; não merecia aquele subúrbio de Periperi a honra de abrigar, em sua velhice gloriosa, cidadão de tanta fama e prestígio como o comandante, portador de uma distinção que, na Bahia, apenas J. J. Seabra possuía: a Ordem de Cristo. Estava pensando o comandante, ante tanta inveja e ingratidão, em ir-se embora, levar a outro burgo mais civilizado o privilégio de contá-lo entre seus habitantes.

— Vai é fugir desmascarado — começou a responder Chico Pacheco —, pregar suas petas noutra freguesia, velho sem-vergonha...

Não prosseguiu porque chegava o trem das dez e dele desembarcava misterioso viajante, jamais visto por ali, embrulhado numa capa de borracha, abrindo um guarda-chuva, a perguntar se alguns dos senhores sabia onde habitava um certo capitão-de-longo-curso, o comandante Vasco Moscoso de Aragão. Tinha urgência de vê-lo, relevante assunto a discutir com ele. Amigos e adversários, unânimes, prontificaram-se a levá-lo à casa de janelas abertas sobre o mar, apesar de naquele instante mesmo haver caído nova carga-dágua violenta. E os chefes dos dois grupos, Chico e Zequinha, quiseram ambos informar-se da natureza do importante assunto que o forasteiro ia discutir com o comandante.

Não se fez de rogado o desconhecido, e, no caminho de poças sucessivas, onde os pés afundavam, foi contando: um navio da Companhia Nacional de Navegação Costeira, um ita dos grandes, arribara naquela manhã chuvosa com a bandeira a meio-pau. Na travessia entre Rio e Salvador falecera o comandante, assumira o imediato o comando do barco, mas a lei exigia que, do primeiro porto em diante, até a chegada de um comandante da

Companhia, fosse o navio conduzido por um outro capitão-de-longo-curso, qualquer um que ali se encontrasse desocupado ou em férias ou já aposentado. Leis absurdas, como se o imediato não pudesse levar o navio até Belém, onde dispunha a Companhia de outro comandante: um paraense a passar as férias em sua terra, para quem já seguira telegrama.

Ele, o desconhecido, era o sr. Américo Antunes, representante da Costeira na Bahia, cabia-lhe descalçar aquela bota. Como se já não bastassem as providências para o enterro do comandante falecido...

— Não jogaram o corpo no mar...? — quis saber Zequinha.

Antes tivessem jogado, evitar-lhe-iam trabalho e aborrecimentos. Onde arranjar outro comandante? Fora, como é natural, à Capitania dos Portos, em cujos livros estão inscritos os nomes e os endereços dos capitães-de-longo-curso diplomados pela capitania. Quase todos eram comandantes de carta de borracha, sem serventia no mar, estavam para as bandas do São Francisco, nos gaiolas. Comandante mesmo, com exame completo e trabalho aprovado, só havia um, esse tal Vasco Moscoso de Aragão, de cujo paradeiro nada sabiam na capitania, e em cujo endereço, no largo Dois de Julho, não era encontrado. Descobrira finalmente seu destino atual e vinha convidá-lo a assumir o comando do ita, levá-lo até Belém, porto final da viagem de ida, onde já o outro comandante estava à espera para a travessia de volta. Seria um favor prestado à Companhia e aos passageiros, alguns ilustres, inclusive um senador federal, do Rio Grande do Norte, pois se não houvesse ele descoberto esse providencial comandante, teriam navio e passageiros de esperar três ou quatro dias pela vinda de um outro, do Rio de Janeiro. Atraso para os passageiros, prejuízo enorme para a Companhia.

Chico Pacheco riu ironicamente:

— Pois vão ter de esperar, porque esse comandante não vai levar navio nenhum... Não vai arredar os pés daqui...

— Não creia nisso — atalhou Zequinha Curvelo. — O comandante ficará feliz com essa oportunidade.

— Feliz ou não — considerou o sr. Antunes —, ele terá de fazê-lo. A lei o obriga. Mesmo que esteja de férias ou aposentado...

Chegavam à porta da casa do comandante, viam-no na sala dos fundos ante a grande janela de vidro, a fitar o mar encapelado. Zequinha Curvelo chamou por ele, fez as apresentações, explicando já o caso, esfregando as mãos:

— Agora, comandante, o senhor vai esmagar essas serpentes.

Os adversários tinham ficado do lado de fora, sob a chuva, apenas Zequinha Curvelo e Emílio Fagundes haviam transposto, com Antunes, a soleira da porta. O comandante relanceou o olhar por uns e outros, silencioso. O representante da Costeira completava as explicações de Zequinha, dizia de como a Companhia ficar-lhe-ia grata e certamente o recompensaria à altura do favor prestado.

— Jurei não voltar a pôr os pés na ponte de comando de um navio, quando me aposentei. Foi uma história triste, os amigos aqui presentes conhecem os detalhes.

Zequinha Curvelo não gostou daquele começo:

— Mas, diante das circunstâncias atuais...

— Juramento é juramento, palavra de marinheiro não volta atrás.

Interveio o sr. Américo Antunes:

— Desculpe-me, comandante, mas o senhor é obrigado por lei. Aliás, o senhor sabe disso melhor do que eu. São as leis do mar.

— E da honra enlameada por invejosos — acrescentou Zequinha.

O comandante via o grupo adversário lá fora a dissolver-se, expulso pela chuva cada vez mais forte, os mais renitentes abrigando-se em casa das irmãs Magalhães, no batente da porta das solteironas o vulto de Chico Pacheco. Voltou-se para os dois amigos:

— Permitam-me conversar a sós com o senhor Américo. Desejo discutir uns detalhes com ele.

Levou-o para a sala, deixando Zequinha e Emílio na entrada. Durou pouco mais de dez minutos a conferência, viram o comandante voltar acompanhando o representante da Costeira que repetia:

— Pois fique descansado, vai tudo sair bem.

Um aperto de mão e o forasteiro atirou-se sob a chuva, correndo, pois se ouvia o barulho do trem, vindo de Paripe, não o apanharia se não se apressasse. Chico Pacheco foi-lhe ao encalço para saber as novidades, mas não podia competir em ligeireza com o outro, e quando alcançou a estação, o trem já partia.

O comandante explicava a Zequinha e Emílio:

— Exigi um documento da Companhia, assinado pelo presidente da Costeira, dando as razões pelas quais rompo meu juramento...

— Quer dizer que vai assumir o comando? — exultava Zequinha.

— E por que não havia de ir, se o dever me obriga e dão-me uma declaração sobre o juramento? Dorothy perdoará...

Vai, não vai, é um farsante, é um grande homem, a discussão cresceu, a notícia se espalhara, arrancando das casas os aposentados e retirados dos negócios e trazendo-os à estação, apesar da chuva sem tréguas, cada vez mais forte. Discussão e chuva continuaram mesmo depois da partida do comandante, acompanhado de Balbina, pelo trem das duas da tarde, vestido com sua farda de gala. Caco Podre carregava-lhe as malas, na mão o comandante levava a magnífica luneta. Na estação, apertou, num adeus, as mãos de amigos e adversários, indistintamente; apertaria a de Chico Pacheco talvez, se o ex-fiscal do consumo não se houvesse afastado para um extremo da plataforma. Quando a composição chegou, o comandante Vasco Moscoso de Aragão abraçou Zequinha Curvelo, prendendo-o longamente contra o peito. Não disse uma palavra. Da porta do vagão, bateu a mão no boné em continência.

— Fugiu... — anunciou Chico Pacheco. — Nunca mais vai voltar.

— Vai comandar o navio até Belém — afirmou Zequinha Curvelo.

— É preciso ser muito burro para acreditar nisso. Se não arranjarem outro comandante, esse navio cria raízes no porto. O charlatão vai é sumir no mundo, ninguém vai saber mais dele.

— Calúnias.

— E por que então ele levou a empregada? Um dia desses, vocês vão ver, aparece alguém para recolher-lhe os trastes, trazendo a notícia de que a casa foi vendida. Ele já estava preparando a fuga, apenas se apressou.

— A verdade se saberá. Quem viver, verá — disse Zequinha, que amava as grandes frases.

Às cinco horas da tarde, vários deles encontravam-se na praia, apesar da chuva. Dali viam o cais da Bahia, distinguiam no dia enevoado o vulto negro e majestoso do ita nas manobras de desatracação. Saía fumaça do bueiro, estaria apitando naquele momento. Rumava depois em direção à barra, desaparecia além do quebra-mar.

E as discussões prosseguiram, ásperas e violentas, até que os jornais trouxeram as primeiras notícias, chegadas por telegrama.

TERCEIRO EPISÓDIO

MINUCIOSA DESCRIÇÃO DA
IMORTAL VIAGEM DO COMANDANTE
A COMANDAR UM ITA,
DOS MÚLTIPLOS SUCESSOS DE BORDO,
ROMÂNTICOS AMORES, DISCUSSÕES POLÍTICAS,
VISITA GRATUITA ÀS CIDADES NAS ESCALAS,

COM

A CÉLEBRE TEORIA DAS BAQUEANAS

E

OS VENTOS EM FÚRIA DESATADOS

DO COMANDANTE NA PONTE DE COMANDO

SUBIU A ESCADA DE BORDO ACOMPANHADO POR Américo Antunes, o representante da Companhia. Um marinheiro levava-lhe as duas maletas. Forte comoção tomou-lhe o peito quando pôs os pés no navio, mal escutava a voz do outro a apresentá-lo a um homem bem trajado:

— O doutor Homero Cavalcanti, senador pelo Rio Grande do Norte, o comandante Vasco Moscoso de Aragão...

— Uma sorte, comandante, encontrar-se o senhor na Bahia. Senão estaríamos retidos aqui, para mim seria um horror. Tenho assuntos importantes em Natal a esperar-me...

— O comandante foi muito gentil — explicou Antunes.

— Cumpro meu dever, apenas.

Era apresentado ao comissário de bordo, os passageiros cercavam-no curiosos, aquela vinha sendo uma acidentada viagem, com morte a bordo, o corpo do comandante uma noite e um dia na sala de danças transformada em câmara mortuária, a ameaça de demora na Bahia, a notícia auspiciosa da descoberta de um comandante retirado.

Atravessou, guiado por Américo Antunes, por entre a numerosa desordem do embarque, gente a despedir-se, malas transportadas por cabineiros, crianças a atrapalharem os passantes, os latidos de um cão assustado nos braços de madura e enfeitada senhora. Rosnou ameaçador o pequinês para o comandante, querendo libertar-se das mãos da viajante. Esta sorriu ao capitão-de-longo-curso e desculpou-se:

— Perdoe-lhe, comandante, ele não imagina quanto lhe devemos…

Sabiam os passageiros do seu gesto e o valorizavam, sentiu-se Vasco envaidecido:

— …Meu dever, minha senhora…

Bonitona, o rastro de seu perfume acompanhou o comandante, que perguntava baixinho a Américo:

— Então é só dizer…

— …é só dizer…

Subiram a pequena escada conduzindo à coberta reservada aos oficiais. O marinheiro os precedera e colocava as malas do comandante em sua cabine. Vasco apontava o leito:

— Ele morreu aí?

— Não. Morreu na ponte de comando, um colapso, coitado.

Passava o médico de bordo, foi-lhe apresentado e os acompanhou à ponte de comando, onde os oficiais já esperavam, perfilados.

— O comandante Vasco Moscoso de Aragão, que nos dá a honra e presta-nos o obséquio de assumir o comando do navio até Belém.

— Geir Matos, o nosso imediato.

Adiantou-se um rapaz loiro, sorridente. Vasco teve a impressão de uma troca de olhares entre ele e o representante da Companhia, como um piscar de olhos. Mas já o imediato estendia-lhe a mão:

— Muita honra em servir sob as ordens de quem ostenta tão alta condecoração — referia-se à comenda da Ordem de Cristo, no peito da farda, a brilhar.

Seguiram-se os pilotos, o chefe das máquinas, o segundo-maquinista. Então o imediato, à frente dos demais, na ponte de comando, inclinou-se:

— Aguardamos suas ordens, comandante.

Vasco lançou um olhar a Américo Antunes, este fez um leve gesto com a cabeça, como a animá-lo, o comandante falou:

— Os senhores sabem que minha presença aqui é apenas uma formalidade exigida pela lei. Não vou querer modificar seja o que for nesses poucos dias de comando. O navio está em boas mãos, meus senhores. Continue, senhor imediato, a comandá-lo, não desejo envolver-me em nada.

— Bem se vê, comandante, ser o senhor um velho lobo-do-mar, conhecedor dos costumes da navegação. Só recorreremos ao senhor se algum problema grave surgir inesperadamente, exigindo seus conhecimentos, o que, espero, não aconteça.

Américo Antunes finalizou a cerimônia:

— O navio é seu, comandante. Eu lhe desejo, em nome da Costeira, uma viagem agradável.

Despediu-se, aproximava-se a hora da partida. Vasco ficou na ponte de comando, ouvindo o imediato transmitir as ordens. Retiravam a escada a ligar o navio ao cais, o apito saudoso perdeu-se além das torres das igrejas, lenços acenavam adeuses, mulheres choravam sob a chuva. O navio foi-se afastando lentamente, nas primeiras manobras. Vasco olhou em direção a Periperi. Lá estariam, na praia, os amigos, certamente, Zequinha Curvelo, de braço estendido, mão de adeus, a desejar-lhe sucesso e boa viagem. Gostaria o comandante de levar a luneta ao olho, procurá-los na chuva e na distância a fazer-se maior. Mas não se atrevia sequer a mover-se, naquela hora solene das ordens de partida.

DO COMANDANTE PRESIDINDO A MESA DE BORDO, EM MAR AGITADO, COM AMEAÇAS DE REVOLUÇÃO INTESTINA E INTESTINAL

NÃO ESTEVE A SALA DE REFEIÇÕES muito concorrida no jantar daquela primeira noite. Chovia e ventava, e, no mar picado, jogava valentemente o navio, desanimando os passageiros, recolhidos em sua maioria às cabines.

Preferiria Vasco talvez descansar em seu beliche das emoções de tão movimentado e decisivo dia. Seria mais seguro também: por vezes subia-lhe do estômago um engulho ameaçador. Cabia, porém, ao comandante presidir as refeições dos passageiros, no centro da grande mesa principal. O imediato, o comissário, os pilotos, o médico, revezavam-se na presidência das mesas menores. Não podia faltar, fez das tripas coração, engoliu duas pílulas do vidro comprado numa farmácia, com garantias expressas do empregado. Quem sabe, encontraria na sala a dama do pequinês, trocaria com ela um sorriso e umas palavras. Já o senador do Rio Grande do Norte, dr. Homero Cavalcanti, esperava esfomeado e impaciente.

Com o senador à direita, e, à esquerda, um deputado federal pela Paraíba, dr. Othon Ribeiro, grande proprietário e banqueiro, o comandante deu sua primeira ordem a bordo: mandou servir o jantar. Olhou em torno à sala: muitos lugares vazios, a senhora do cachorro não se animara a enfrentar o mar encapelado. Uma pena.

O senador e o deputado discutiam política, a sucessão presidencial em plena marcha, agitado aquele ano de 1929 com a escolha das candidaturas de Júlio Prestes e Getúlio Vargas, e a formação da Aliança Liberal, reunindo os governadores do Rio Grande do Sul, Minas Gerais e Paraíba. O deputado paraibano ameaçava o poder com revoluções iminentes e fatais, sussurrava estarem Siqueira Campos, Carlos Prestes, João Alberto e Juarez Távora incógnitos e clandestinos cortando o Brasil de ponta a ponta, pondo de pé o movimento armado.

Ria o senador daqueles boatos: o país encontrava-se calmo e satisfeito, apoiando o programa de trabalho do eminente dr. Washington Luiz, a ser continuado pelo seu sucessor, o não menos eminente paulista dr. Júlio Prestes. Não passava toda aquela agitação de tempestade em copo dágua, não ia além dos discursos inflamados dos oradores gaúchos, João Neves, Batista Luzardo, Oswaldo Aranha. Quanto aos militares, esses revolucionários de meia-pataca, caso se atrevessem a cruzar a fronteira, abandonando o exílio no Prata, seriam impiedosamente caçados pela polícia, metidos no xadrez. O comandante inclinava-se à direita, ouvia, respeitoso, as palavras oficiais do senador.

— Polícias... Xadrez... Ora, meu caro senador, não se iluda. Essa sua polícia não vale nada. Então o ilustre amigo não sabe que ainda outro dia Siqueira Campos foi visto em São Paulo? A polícia ficou maluca, cercou o quarteirão. Enquanto isso, ele saía da redação do *Estado de São Paulo*, em companhia do dr. Júlio de Mesquita, vestido de padre. Atravessou bem no meio dos policiais... Todo mundo sabe disso.

— Conversas... Não acredito numa só palavra. Esses peralvilhos estão em Buenos Aires, a brigar uns com os outros. Não se atrevem a pôr o pé no Brasil, vivem mandando recados pedindo anistia. Uns jovens sem juízo, com a cabeça virada. O que, aliás, não admira, quando até um Artur Bernardes se fantasia de revolucionário... Não se atrevem...

— Não se atrevem? E a fronteira não é no Rio Grande do Sul?

— Getúlio Vargas não é louco, não vai se meter com esses alucinados. Então eles iriam fazer um movimento para botar Getúlio no Catete? Se tivessem alguma possibilidade, não era Getúlio quem iria governar. Seria o Isidoro ou o Prestes. Não pensa assim, comandante?

Vasco preferia não pensar, sobretudo não olhar para a sopa, um creme branco, repugnante, de todo contra-indicado nas condições do mar naquela noite. Deveria chamar a atenção do comissário, não repetisse tal descuido, o menu de bordo devia levar em conta as previsões atmosféricas. Empurrava o prato, fazia um gesto vago em resposta ao senador, perdia as esperanças na vinda atrasada da dona do cãozinho. O deputado voltava à carga, após limpar, inconsciente!, o prato de sopa:

— Pois fique não acreditando, continue atrelado ao carro desse cabeçudo que é Washington, e quando se der conta será tarde, a fogueira estará acesa sob seus pés. Em minha última viagem para o norte, num ita igual a este, sabe quem vinha a bordo e ficou no Recife? João Alberto, sim, senhor. Posso lhe dizer, porque ele já não está ali, sei com certeza. Viajava como caixeiro de uma firma do Rio, mas eu logo o reconheci. Todos esses marítimos — e apontava o comandante — estão conosco, com a revolução. Trazem os conspiradores escondidos em suas cabines. Aliás toda a nação está com eles. Não é verdade, comandante?

Uma pura e revoltante provocação, aquele outro prato, posta de peixe a nadar em molho de tomate e camarões, acompanhada de purê de batata onde se viam amarelos filetes de manteiga. Bastava bater os olhos naquele horror e o estômago embrulhava-se. O comandante, para evitar a fixa mirada e a perigosa pergunta do deputado, fez um esforço desesperado, levou uma garfada à boca amarga. Aquele deputado da Paraíba era, evidentemente, um leviano: a contar de revolucionários e conspirações, a engolir vorazmente os pedaços de peixe, os camarões, o amanteigado purê. Poucas vezes havia descido tanto a natureza humana, refletiu o comandante ante aquele asqueroso espetáculo. Indicando com um estalo dos lábios a ótima qualidade do peixe, o deputado persistia a ligar os fios de sua mazorca:

— Vai ver e aqui mesmo, neste navio, está o Prestes ou o Siqueira. Escondido na cabine do médico ou do maquinista. Ou na do nosso bravo comandante, por que não?

O senador estremeceu: apesar de sua aparente seriedade e de sua confiança na força do governo, aqueles boatos perturbavam-no. Pois não lhe confirmara a própria polícia ter passado Juarez Távora, não há muito tempo, por Natal? Conspirando com jovens tenentes como Juracy Magalhães e agitadores como Café Filho? Não sabia terem-se eles reunido bem nas vizinhanças do Palácio? A polícia só descobrira o rastro do revolucionário quando já ele partira para a Paraíba, onde a casa de José Américo de Almeida era sabidamente centro de conspiração. Por que não ficava esse Zé Américo a escrever seus romances? Podia ter razão o deputado, encontrar-se no navio um daqueles fanáticos perturbadores da ordem pública. Lançou um olhar desconfiado ao comandante, achou-lhe estranha a fisionomia. O deputado insistia, alarmante:

— Um dia desses atraca um ita em Natal, inofensivo, e em vez de desembarcar passageiros, solta uma leva de revolucionários nas ruas. Marcham sobre o Palácio, *pum-pum*, *pum-pum*, atirando... Não se engane, toda essa gente da Costeira está com os tenentes. Não é verdade, comandante?

— Não pertenço aos quadros da Costeira. Fiz sempre navegação de longo curso, até aposentar-me. Estou aqui devido ao infausto...

— Ah! É verdade, tinha me esquecido. Foi o senhor quem salvou a nossa situação... Senão, teríamos de esperar a chegada de outro comandante do Rio. Sim, senhor, muito bem! Não que eu me importasse de demorar uns dias na Bahia. Não estou apressado, como o senador, que necessita chegar logo a Natal. Eu tenho tempo e gosto da Bahia. Terra boa, só que a Aliança Liberal está muito fraca por lá, com o Vital Soares candidato à vice-presidência... Em compensação, tem cada mulherzinha de estalo...

Sorriu com esforço o comandante, concordando. O senador,

contente com o novo rumo da conversa a afastar os revolucionários que lhe estragavam o jantar, aproveitou a deixa:

— Longo curso, mares afora... Conheceu muitos países, comandante?

— Praticamente o mundo inteiro, naveguei sob várias bandeiras.

— Profissão tentadora mas um tanto monótona, não? Dias e dias no mar, sobretudo nas viagens longas... — filosofou o senador.

— Mas deve-se pegar umas zinhas de vez em quando, hein, comandante? — o deputado abandonava os conspiradores pelas mulheres.

O frango assado estava tentador, Vasco ainda não comera praticamente nada, além do pão. O difícil era cortá-lo, devido ao jogo do navio. Pegar com a mão não ficaria bem.

— Um comandante a bordo é um eremita.

— Oxente, comandante, não me venha com essa história...

— Nos portos, porém, tira-se a forra...

— Desse mundão todo que o senhor viajou, onde encontrou as melhores mulheres, as mais quentes?

Não era hora para aquela conversa, o frango ameaçava saltar do prato, exigia completa atenção e todo cuidado. Vasco desistia:

— É difícil dizer. Depende...

— Ora, então quem não sabe que as inglesas são frias, as francesas só querem dinheiro, as espanholas, quentíssimas. Até eu que ainda não saí do Brasil...

— Bem, é verdade, há diferenças. Na minha opinião, as mais ardentes de todas... — fazia uma pausa, baixava a voz, o senador e o deputado curvavam-se para melhor ouvir a revelação — ...as melhores de todas são as árabes.

— Quentes? — sussurrou o senador.

— Um incêndio!

— Quando eu era rapazola havia uma turca de casa aberta em Campina Grande. Um peixão. Mas cobrava os tubos, não chegava para o bico da rapaziada, só para os fazendeiros ricos — recordou o deputado.

A salada de frutas, com sua calda açucarada, quase provoca o desastre. Apenas o comandante engoliu a primeira e última colherada e foi-lhe necessário todo o caráter para contê-la no estômago. Havia uma confusão em suas vísceras, uma espécie de desgosto de viver, um desencanto. Felizmente a gentil e bonita balzaquiana não viera ao refeitório. Não teria podido conversar com ela, não sentia gosto para nada, tudo quanto desejava era o fim do jantar.

— Quase não comeu, comandante — o deputado devorava.

— Não estou passando bem, tive uma complicação devido a umas cajaranas verdes que comi. Não quero abusar.

— Pensei que estivesse enjoado, imagine. Um comandante enjoado, que absurdo!

Riram os três da idéia impossível e cômica. Vasco resolveu não arriscar o café. Esperou, contendo-se, que todos terminassem, para levantar-se, dando por findo o jantar. O deputado tentava retê-lo no tombadilho:

— E se o senhor descobrisse, comandante, um desses revolucionários escondido em seu beliche? Que faria? Entregaria à polícia ou guardaria segredo?

O que faria? Sabia lá como agir num caso desses? Não se metia em política, desde o fim do governo de José Marcelino e do assassinato de d. Carlos I, de Portugal e Algarves. Não queria saber de revolucionários e revoluções, que se danassem Washington, Júlio Prestes, Getúlio, nada o impediria agora de voltar urgentemente à sua cabine. Nem a sorridente criatura do cachorro, se por ali aparecesse. Queria ficar sozinho, deitado, a cabeça pousada num travesseiro.

— Desculpe, doutor. Tenho de assumir meu posto, na ponte de comando. Ver como marcha a viagem.

— Pois vá e depois volte, vamos conversar. Estarei no salão de leitura.

Precipitou-se Vasco escada acima, a chuva açoitava a coberta reservada aos oficiais. Um vulto cruzou em seu caminho para a cabine.

— Boa noite, comandante.

Era o médico de bordo, a fumar um charuto baiano:

— Vai à ponte, dar sua cachimbada? Não prefere um charuto?

Retirava um do bolso da túnica, negro e malcheiroso.

— Muito obrigado, só fumo cachimbo...

— O senhor é nascido mesmo na Bahia?...

— Sou, sim...

— E não gosta de charutos? É um crime... — riu.

— Questão de hábito. Desculpe-me, vou descansar um pouco...

— Ainda tão cedo?

— Tive um dia fatigante...

— Pois então, boa noite.

O vento jogou-lhe nariz adentro a pesteada fumaça do charuto, uma onda mais forte balançou o navio. Vasco apressou-se para a cabine, o médico descia a escada, felizmente. Porque não houve tempo de alcançar a almejada porta. Debruçou-se mesmo na amurada, saíam-lhe a honra e a vida em golfadas, tinha a impressão de haver chegado sua derradeira hora, sentia-se sujo, humilhado, reduzido a um trapo. Olhou a medo: ninguém nas proximidades. Foi andando para a cabine, trancou-se por dentro, jogou-se no beliche sem forças para tirar a roupa.

DO ITA NAVEGANDO AO SOL, CAPÍTULO QUASE FOLCLÓRICO, A LER-SE COM O ACOMPANHAMENTO MUSICAL DE «PEGUEI UM ITA NO NORTE», DE DORIVAL CAYMMI

AMANHECEU UM SOL DE Dois de Julho de tão brilhante e cálido, o céu despejado, o mar como um lençol de aço reluzente cortado pelo orgulhoso ita de altaneira proa. Quando o comandante saiu do banho e encontrou o café-da-manhã servido na cabine, o moço de bordo muito solícito a sorrir-lhe, novamente estava de crista erguida e sorvia o ar marinho como nos tempos de suas travessias nas rotas da Ásia e da Austrália. Vestiu a farda branca, trauteando a melodia daquela canção da bailarina Soraia, uma que falava em mar e marinheiros.

Espalhava-se pelas salas, tombadilhos e corredores a característica população daqueles itas que durante tantos e tantos anos subiram e desceram a costa brasileira, de Porto Alegre a Belém do Pará. Quando os aviões ainda não cruzavam os céus aproximando as distâncias, encurtando o tempo e retirando às viagens toda a sua poesia e o seu encanto. Quando o tempo era mais lento e menos desperdiçado, menos gasto na sofreguidão inútil de chegar quanto antes, numa avidez de viver tão depressa que transforma a vida numa pobre aventura sem cor e sem sabor, uma corrida, um atropelamento, um cansaço.

Existiam três tipos de ita, os grandes, os médios, os pequenos, com certas diferenças de conforto e rapidez, mas eram uns e outros igualmente alegres, limpos, agradáveis. A viagem, um prazer: estabeleciam-se relações, faziam-se amigos, iniciavam-se namoros e noivados, não existia melhor lua-de-mel para os recém-casados, eram de festa os dias de bordo.

Os itas grandes só escalavam nas capitais importantes e, indo do Rio para o norte, arribavam nos portos de Salvador, Recife, Natal, Fortaleza, Belém. Os médios incluíam Vitória, Maceió, São Luís em seu itinerário. Os pequenos alargavam a viagem, parando também em Ilhéus, Aracaju, Cabedelo, Parnaíba, desembarcando e recebendo passageiros. Era um dos maiores, aquele agora entregue ao comando do capitão-de-longo-curso Vasco Moscoso de Aragão.

Nele movimentava-se a irrequieta e álacre humanidade habitual dos itas: políticos em visita às suas bases eleitorais ou voltando de rápida viagem ao Rio. Os políticos iam e vinham naquele ano de campanha presidencial, num trânsito intenso de esperanças e ambições. Comerciantes e industriais, regressando com a família do passeio à capital da República, excursão de prazer e de negócios. Moças e senhoras de volta de uns tempos passados em casas de parentes, no Rio ou em São Paulo; caravanas de estudantes retornando da clássica viagem ao sul nos meados do ano de formatura, a recordar, entre gargalhadas, detalhes das farras, dos cabarés, dos passeios, das mulheres e, por vezes, das paisagens vistas. Convalescentes de operações e tratamentos difíceis, tendo ido buscar na metrópole as condições hospitalares inexistentes em seus estados, a ciência e os cuidados dos médicos de fama nacional e preço alto. Solteironas na esperança de um noivo surgido das ondas; padres em férias; frades destinados à catequese nas selvas; literatos federais no rumo das praças do norte, sonetos e conferências nas malas; funcionários do Banco do Brasil transferidos, curiosos sobre as cidades onde irão servir. Jogadores profissionais de pôquer, a mudar de navio a cada viagem, de um ita para um Ara, de um Ara para um Lloyd Brasileiro, a arrancar o dinheiro dos fazendeiros de cacau, de algodão, de babaçu, de criadores de gado e de usineiros, de regresso da primeira e inesquecível visita ao Pão de Açúcar, ao Corcovado, a Copacabana e Botafogo, ao Assírio, cabaré no subsolo do Teatro Municipal, ao Mangue. Caixeiros-viajantes das grandes firmas com o seu repertório de anedotas. E a inspiradora presença das prostitutas, relegadas em geral à segunda classe, os olhos voltados também para os fazendeiros e comerciantes, aparecendo pela madrugada nos tombadilhos e cobertas de primeira.

Era um desses itas nos quais desceram do norte e do nordeste os políticos e administradores, os poetas e os romancistas, os "cabeças-chatas" impávidos e pobres, de peito aberto e indômita resistência às cruezas da vida, feitos de vivacidade, de imaginação e força de vontade, dotados do dom da improvisação e do poder de criação, nascidos nas terras áridas, batidas pela seca, ou nas barrancas dos rios gigantescos de cheias colossais, os paraenses e baianos, os pernambucanos e cearenses, alagoanos, maranhenses, sergipanos, piauienses, os papa-jerimuns do Rio Grande do Norte. Aqueles que viraram música popular na voz do poeta e cantor das graças da Bahia, junto com todos os itas:

Peguei um ita no norte,
Pra vir pro Rio morar.
Adeus meu pai, minha mãe,
Adeus Belém do Pará.

Os que regressavam agora, sob o comando e aos cuidados de Vasco, eram os mesmos embarcados há muitos anos, noutro ita qualquer, em demanda do sul, da fortuna, do sucesso, do poder ou apenas da possibilidade de ganhar a vida.

Entre eles passava, com sua impecável farda branca, o comandante Vasco Moscoso de Aragão. Estivera antes na ponte de comando, onde o primeiro-piloto lhe informara encontrar-se tudo em ordem, sem novidades, transcorria a viagem normalmente, chegariam a Recife na manhã seguinte e partiriam, se ele estivesse de acordo, às dezessete horas.

— Já disse não desejar fazer nenhuma alteração nem meter-me a dar ordens onde tudo está em boas mãos. Vou dar uma volta por aí.

— Muito bem, comandante. Sua presença vai alegrar os passageiros, eles adoram conversar com o comandante, fazer perguntas sobre a viagem.

Ia distribuindo amáveis "bons-dias" e sorrisos. Acariciou a cabeça de uma criança a correr no convés. Acendera o cachimbo: se o mar se conservasse assim, seria essa viagem o prêmio de sua vida. Em espreguiçadeiras descansavam várias pessoas. Rapazes e moças, em ruidosa animação, disputavam partidas de malha, pingue-pongue e golfe de convés.

Na sala de estar começavam a organizar-se mesas de pôquer. O comandante passeou o olhar pelas cadeiras, mas só viu, de conhecido, o senador. Foi andando para onde ele estava.

— Oh! Bom dia, comandante. Então como vamos de viagem? Já tem o horário de chegada em Recife?

— Amanheceremos no porto, se Deus quiser. E sairemos às cinco da tarde.

— Tempo bastante para almoçar com o governador, discutir com ele uns problemas políticos. Ele me ouve muito, aliás todos os governadores do nordeste acatam minha opinião e pedem-me conselhos. É que sabem da consideração que me tem doutor Washington.

— É uma honra para mim tê-lo a bordo, senador — sentava-se o comandante na cadeira vazia ao lado do parlamentar. — Uma honra e um prazer.

— Obrigado. Quem fica em Recife é o Othon...

— Quem?

— O deputado que estava à sua esquerda. Rapaz de talento mas completamente avoado. Metido nesse desatino da Aliança Liberal. Ele e outros arrastaram a Paraíba para essa loucura, um estado pequeno, que depende da presidência da República para tudo, imagine. E, como sabe que a eleição está perdida, fica a inventar golpes e revoluções.

— Confesso ter ficado um pouco assustado ontem com aquela idéia de conspiradores a bordo...

— Um rapaz de futuro que está se estragando. Também bebe muito e não pode ver rabo-de-saia. Já de manhãzinha estava às voltas com as artistas por aí...

— Que artistas?

— Embarcaram no Rio. Uma companhia mambembe que vai dar espetáculos no Recife. Conjunto pequeno, quatro mulheres e quatro homens. As mulheres não estavam ontem na sala de jantar. Por isso o senhor não notou — apontava com o lábio: — Lá estão elas com Othon. Veja se aquilo é maneira de um deputado federal se comportar... No deboche com mulheres de teatro... Na vista de todo mundo.

O comandante olhou: três moças, duas delas vestidas com calças compridas, numa ousadia quase escandalosa para o tempo, a terceira num vestido leve e vaporoso, riam em torno ao deputado.

— E a quarta?

— É uma velha, faz papéis de criada... Deve estar por aí fazendo crochê... Passa o dia de agulha na mão.

Tinham sido vistos por Othon. O deputado acenava-lhes com a mão, aproximava-se acompanhado das artistas.

— Venham conhecer o nosso novo comandante.

O senador cumprimentava com a cabeça, sem levantar-se da cadeira. Não gostava de ser visto em público em gracejos com gente de teatro. Vasco pôs-se de pé, curvou-se para apertar as mãos das moças.

— Que prazer, comandante... — sorria a morena de seios fartos, ao lado de Othon.

— Me diga uma coisa, seu comandante: esse bicho ainda vai jogar como ontem? Nunca passei tão mal em minha vida. Essa é minha primeira viagem por mar... — falava uma franzina e loira, de olhos grandes.

— Garanto um tempo perfeito até o fim da viagem. Encomendarei para a senhorita um mar de rosas — não andara inutilmente o comandante nos bailes de Palácio e na Pensão Monte Carlo, não cruzara inutilmente os mares a comandar grandes paquetes, levando passageiros de Nápoles e Gênova para o Oriente. Aprendera como tratar as mulheres belas e gentis.

— O comandante é uma simpatia... — disse a terceira, de cabelos cacheados e covas no rosto.

— Othon... O doutor Othon nos contou que o senhor viajou o mundo todo... Que até medalhas ganhou, é mesmo verdade?

— Viajei bastante, sim. Durante quarenta anos.

— Esteve na Holanda? — quis saber a de covinhas, de nome Regina.

— Sim, senhora...

— E conheceu por lá uma família Van Fries? Moram... espera aí, vou me lembrar... Em Sasvangent, um nome assim.

— Van Fries? Assim não me lembro... Conheci sobretudo armadores e gente do mar. Eram eles, por acaso, ligados à vida marítima...?

— Penso que não... Theun me disse que cultivavam tulipas...

— E quem foi esse Theun, cultivador de tulipas?... — quis saber o deputado, cuja mão pousava familiarmente no braço da morena.

— Foi uma paixão que ela teve... — explicou a franzina.

A morena peituda lançou um olhar langoroso a Othon:

— A gente se apaixona e depois fica sofrendo...

O senador levantava-se, o convés começava a encher-se e ele não queria ser visto participando daquela conversa inconveniente.

Regina confessava:

— Foi o homem mais bonito que já vi em minha vida. Me bobeou... Tinha alguma coisa do senhor, comandante, só que era mais alto...

— Está vendo, comandante? — riu o deputado. — Está fazendo uma conquista...

— ...e mais moço, é claro...

— Que pode esperar um velho de minha idade...

— Ah! Deixe disso, comandante, não quis ofender. O senhor não é velho. Até está bem rijo, e bonitão.

— O comandante ainda é um pedaço de mau caminho na vida de uma mulher... — glosou a franzina cujos olhos acompanhavam o senador a desaparecer na sala de estar.

— Não digo, comandante? O senhor está despedaçando corações — os dedos de Othon desciam pela anca redonda da morena, ela tomava-lhe da mão e a retirava, olhando em redor.

Riam as moças, alegres na manhã de sol e mar tranqüilo.

— Quando estréiam em Recife? — quis saber Vasco.

— Amanhã à noite, no Santa Isabel.

— Pena que eu não possa ir ver o espetáculo. Irei na volta, se o navio pernoitar... Quero aplaudi-las...

O latido de um cão cortou-lhe a frase. Olhou e viu a bonita senhora, o vestido decotado nos ombros e curto nos joelhos, um lenço a prender-lhe os cabelos, ralhando amorosamente com o pequinês.

— Aquela se veste como se tivesse quinze anos... — comentou a morena.

— Não larga o cachorrinho. Nunca vi tanto amor, nem que fosse um filho...

— É mais do que filho... — disse o deputado.

— O que é, então? — quis saber a de covinhas.

— Lhe digo no ouvido...

— No meu... — reclamou a morena.

Sussurrou-lhe algo Othon, a boca colada à orelha da morena, ela tapou o riso com a mão, escandalizada:

— Que horror, que homem impossível...

— O que foi que ele disse? Conte...

Vasco cumprimentava com a cabeça a dama do pequinês, vítima do diálogo das artistas e do deputado. Ela sorriu respondendo, mas logo seus olhos viram o grupo do comandante, voltou as costas, num movimento brusco. Vasco inquietou-se, desejava ir ajudá-la a armar a espreguiçadeira. A franzina estava a lhe perguntar:

— O senhor também acha?

— O quê, senhorita?

— Isso que o doutor Othon está dizendo...

— Não sei o que é... Dêem-me licença, por favor.

Saía apressado, aproximava-se da dama, tomava da cadeira que ela não conseguia armar, com um braço ocupado em carregar o pequinês.

— Permita-me, minha senhora...

Ela agradeceu:

— Tomando trabalho... Muito obrigada.

— Foi um prazer, acredite... Mas sente-se, por favor.

Sentava-se, punha o animal no colo, ele mostrava os dentes ao comandante, rosnava. Vasco encostou-se ao balaústre, em frente.

— Quieto, Jasmim, respeite o comandante...

— Ele não gosta de mim...

— É assim com todo mundo, a princípio. Tem ciúmes de mim. Depois acostuma.

E, com a voz trocista e um pouco enfadada:

— Suas amigas estão reclamando sua ausência, comandante. Veja como nos olham e falam a nosso respeito...

O comandante espiou para o lado das artistas e do deputado, estavam rindo, a franzina piscou-lhe o olho.

— Não são minhas amigas. Acabei de lhes ser apresentado.

— São artistas, dizem. De terceira ordem, com certeza. Parecem mais mulheres da vida, desde o Rio é esse escândalo, os homens todos em redor delas. Esse tal de doutor Othon então não se afasta um minuto. Parece que não existe mais ninguém a bordo.

— Não é possível, a senhora exagera, certamente. Com a senhora a bordo, como pode alguém olhar outra mulher?

— Comandante, pelo amor de Deus... O senhor até me deixa sem jeito.

— Vai ficar também em Recife?

— Vou até Belém. Vivo lá... — e suspirou.

Já lhe examinara o comandante os dedos, não usava aliança.

— Foi passear no Rio?

— Passar uns tempos em casa de minha irmã. O marido dela é engenheiro no Ministério da Viação.

— Não quis ficar vivendo lá?

— Não podia, a casa é muito cheia, têm cinco filhos. Vivo com meu irmão, em Belém. É casado também, mas só tem dois filhos...

— E a senhora?

— Eu? — voltou o rosto, perdeu-se seu olhar no horizonte. — Não quis casar...

Houve um breve silêncio, Vasco sentindo ter sido indiscreto, talvez mal-educado, ela pensativa e melancólica.

— E o senhor? — terminou por perguntar. — Sua família vive na Bahia?

— Não tenho família.

— Viúvo?

— Solteirão. Não tive tempo para casar. Nessa vida de mar, sempre embarcado.

— Não pensou nunca em casar-se? Jamais?

O comandante segurou o cachimbo na mão, perdeu-se também seu olhar no céu infinito:

— Não tive tempo...

— Só por isso? Nada mais? — e a dama deixou escapar outro suspiro como a deixar claro que ela tivera motivo mais sério e doloroso.

Suspirou igualmente o comandante:

— Recordar, para quê?

— O senhor também? — e ela suspirou de novo. — Esse mundo é triste.

— Triste para quem é sozinho — disse ele.

Crescia o grupo em torno às atrizes, em gargalhadas e pilhérias. Enchia-se o convés, as cadeiras agora todas ocupadas. Um casal de noivos passava de mãos dadas. Ladrou-lhes o pequinês. A dama afirmou:

— Não acredito nos homens. São todos uns hipócritas.

Era professora de piano e chamava-se Clotilde.

DO COMANDANTE A COMANDAR, DA DAMA A SUSPIRAR, DA DANÇARINA A DANÇAR, NO NAVIO A NAVEGAR EM MAR DE ROSAS E MOÇAS

ESTIRAVAM-SE AS PROSTITUTAS NA COBERTA dos porões, a fazer as unhas, a ler a *Cena muda* e a *Cinearte*, a pentear os cabelos, estendidas ao sol como lagartas. Estudantes desciam da primeira, rondavam as mulheres, terminavam puxando conversa, confraternizando. Um deles tocava violão, acompanhando uma rapariga em popular marchinha da época, referente às eleições:

Ó seu Tonico,
Do torrão do leite grosso,
Ponha a cerca no caminho
Que o paulista é um colosso,
Pega a garrucha,
Finca o pé firme na estrada,
Que com esse puxa-puxa
Faz-se do leite coalhada.

O comandante passeava o olhar do alto da ponte, sobre a segunda classe, devia descer até lá, palestrar com aquela gente, eram seus passageiros também. Sem querer confessar a si mesmo o íntimo desejo de freqüentar a agradável companhia das rameiras: guardava dos seus tempos de moço, dos castelos e pensões de Salvador, das aventuras em esconsos portos perdidos do Pacífico, amável e grata recordação das mulheres da vida. Com elas sabia conversar, não lhe custava trabalho a prosa, não precisava medir as palavras como era obrigado a fazer com as passageiras de primeira, moças e senhoras de representação, algumas de nariz torcido. Concluiu ser o navio um mundo em miniatura, onde havia de tudo, desde os homens ricos e poderosos, os políticos e os banqueiros, até as pobres mulheres cujo negócio é a sua graça, cujos instrumentos de trabalho são sua sedução e seu corpo. E ele o indiscutido rei daquele mundo, o comandante, a maior autoridade a bordo, sem contestação, sem limitações a seu poder.

Naquela mesma manhã, ao subir à ponte antes do almoço, arriscara um comentário crítico, conversando com o comissário, em relação ao jantar da véspera. Aquela sopa, aquele peixe, tivesse paciência o comissário, não eram pratos a serem servidos com mar encapelado. Nos grandes navios estrangeiros, tomava-se muito cuidado com esses detalhes. O imediato, que assistia à conversa, deu-lhe inteiro apoio, com insistência e veemência até exageradas para assunto tão secundário:

— Mas o senhor tem toda razão, comandante. É uma falta lamentável, não deve ser repetida. É o que eu sempre digo: nada tão importante num barco quanto um comandante capaz.

— Não é que eu queira me meter... Mas o senador, por exemplo, o pobre quase não provou da comida.

O comissário ouvira de cenho franzido, mas ante a firme posição do imediato, mudou de atitude, tornou-se humilde e desculpou-se:

— Realmente, comandante, esqueci-me de consultar o serviço meteorológico, antes de estabelecer o menu. Não voltará a acontecer. Aliás, o melhor é, de agora em diante, sujeitar o cardápio à sua aprovação.

— Sim, isso é o melhor... — apoiou o imediato.

— Não, senhores, não é preciso. De jeito nenhum. Eu, repito, não quero envolver-me em nada, estou aqui apenas...

— O senhor é o comandante.

Gostara daquilo, sobretudo da impecável atitude do imediato, rapaz simpático aquele Geir Matos, recomendá-lo-ia à Costeira ao fazer o relatório da viagem.

Em tão poucas horas de travessia e convivência, já sua popularidade afirmava-se entre os passageiros. Conversava com uns e com outros, informava sobre a velocidade do navio — treze milhas horárias, milhas marítimas, é claro —, a hora da chegada em Recife, a da partida, fazia-se modesto quando lhe recordavam os feitos marítimos e perguntavam o motivo da condecoração. Modesto, não porém rogado.

Assim, pela tarde, viu-se rodeado, na sala de estar, de enorme grupo a beber-lhe o saboroso relato de suas aventuras. Contou primeiro de uma tempestade no mar de Bengala, num barco cargueiro de bandeira inglesa e tripulação quase toda hindu. Iam de Calcutá para Akyab, nas costas da Birmânia. Aquela é uma rota sempre perigosa, batida pelas monções, perturbada pelas correntes marítimas. No entanto nunca vira, nas inúmeras vezes que atravessara aquele mar incerto, tal fúria dos elementos. Idosas senhoras abandonavam o tricô e o crochê, na emoção da narrativa. Como dispensar atenção à agulha quando o comandante se arrastava na coberta, arriscando a vida, podendo ser levado pelos vagalhões descomunais, para arrancar, de sob o madeirame do mastro partido por um raio, o esquelético marinheiro hindu, de pernas e costelas rotas.

Parou a ouvi-lo, em respeitoso silêncio, o primeiro-piloto. Encostou-se à porta, acendeu um cigarro, o comandante não chegou a vê-lo de tão entretido em seu relato... Passava pelo lado de fora o chefe das máquinas, o primeiro-piloto o chamou, ficaram os dois a escutar.

Quando, pelo fim da tarde, voltou à ponte de comando, surpreendeu o primeiro-piloto a comentar com o imediato, com os outros pilotos e com o médico, as suas aventuras. Ouviu apenas um pedaço de frase:

— ...foi se arrastando pelo tombadilho como uma serpente...

Silenciou o moço ao vê-lo, o imediato disse:

— Muito bem, comandante. Aqui estávamos a ouvir suas façanhas. Uma dessas noites, vamos abrir uma garrafa e o senhor vai nos relatar essas histórias gloriosas. Nós passamos a vida a subir e descer essa costa, onde não sucede nada — apontava-lhe o dedo. — O senhor vai ter de nos contar suas viagens com todos os detalhes...

— Coisas de pouca monta, não vale a pena. Para distrair os passageiros, vá lá. Mas, aos senhores, homens do mar...

— Não dispensamos, comandante. Fazemos questão.

Ficou olhando as meretrizes na coberta do porão. Até a ponte subia a voz agradável da mulata, na marchinha política:

Seu Julinho vem,
Seu Julinho vem,
Se o mineiro
Lá de cima descuidar,
Seu Julinho vem,
Seu Julinho vem,
Vem mas custa
Muita gente há de chorar.

Deu um bordejo pela segunda classe, desceu à terceira. Ali viajavam, de regresso ao nordeste, na mesma dramática pobreza, retirantes fugidos nos anos da seca para as faladas terras do sul, onde havia trabalho e dinheiro. Um dia a esperança de mudar o destino levara aqueles homens e mulheres a palmilhar os caminhos da caatinga, atravessar os sertões, cruzar os caudalosos rios e os campos gerais, no rumo de São Paulo. Hoje só lhes resta o desejo de voltar à terra natal, árida e pobre, porém a deles, onde nasceram e onde desejam morrer. Era um espetáculo deprimente e o comandante voltou às modinhas e sambas da segunda classe.

As mulheres da vida, ao vê-lo aproximar-se, compunham-se, sentando-se mais decentemente, baixando os vestidos sobre os joelhos, afastando-se dos estudantes a boliná-las. Parou de cantar a mulata, apenas o violão prosseguiu em seu lamento. Bonita voz possuía a cantora, o comandante não desejava estragar a alegria de ninguém:

— Estejam à vontade... E por que aquela ali parou de cantar? Continue, por favor, eu estava gostando.

— O comandante é gente boa — riu uma avelhantada.

— Um camaradão — decidiu um estudante. — Na véspera de chegar a Fortaleza vamos lhe fazer uma serenata.

— Muito obrigado, meu amigo.

Mas as raparigas não relaxavam a posição de forçada compostura, não voltava a mulata a cantar. Uma pena, pensou Vasco, retirando-se.

Na primeira classe, os passageiros começavam a chegar do banho vespertino, substituídas as camisas de manga curta e as calças de brim, os leves vestidos, pelos ternos de casimira e as toaletes de jantar. Também ele necessitava trocar de farda, vestir a azul, com a comenda.

Demorou ainda alguns minutos, porém. Porque, perfumada, os cabelos em cachos cuja perfeição custara-lhe com certeza grande parte da tarde, vestido majestoso, um xale de seda na mão, aqueles olhos de quem conduzia secreto desgosto, e sem o pequinês (detalhe alvissareiro), vinha deslizando Clotilde pelo convés. Pulsou mais forte o coração do comandante. Ela já o enxergara e atirava-lhe um adeusinho que era ao mesmo tempo um chamado. Aproximou-se:

— É uma deusa do mar...

— Comandante... — cobria os olhos com o xale, para logo retirá-lo e perguntar com voz dengosa:

— Não quer dar umas voltas para abrir o apetite?

— Nada desejaria mais. Devo, porém, trocar-me para estar digno de sua elegância no jantar... Mas, se me esperar um instante, vou buscá-la daqui a pouco no salão.

— Esperarei, mas não demore, seu adulador.

Quando voltou, o desafinado piano do salão dava tudo que podia na partitura de uma ária de *La Bohème*. Vasco admirava a música clássica com respeito mas sem intimidade, sem verdadeira estima. Certa vez, arrastado pelo coronel Pedro de Alencar, assistira a uma ópera levada no Teatro São João por decadente companhia italiana, extraviada na Bahia ao fim de penosa excursão pelos palcos da América Latina. O coronel adorava as óperas, possuía um gramofone e discos com árias cantadas por Caruso. Convenceu Vasco da oportunidade única que o destino lhe oferecia de ouvir barítonos e tenores, um renomado baixo, mavioso soprano e o não menos mavioso contralto, na apresentação de *La Bohème*, com cenários e tudo. Decidiu-se, apesar dos conselhos reiterados de Jerônimo e de Georges, porque era uma ocasião a mais para exibir a farda de gala e a Ordem de Cristo, lá se foi com o coronel. Resultou numa caceteação em regra, um suadouro terrível. Devia pesar a soprano seus bons cento e vinte quilos, em compensação o tenor era um fio de gente, magérrimo. Vasco sentia vontade de rir quando a volumosa cacarejadora perguntava:

Mi chiamano Mimì
Ma perché?
Non so.
Il mio nome è Lucia.

O coronel Pedro de Alencar deliciava-se, sabia parte da ópera de memória. Abafado de calor, Vasco renegava a vaidade que o fizera aceitar o convite só para envergar a farda e a condecoração. Quando a soprano, vendendo saúde e banhas, despenhou-se frágil e tísica nos braços evidentemente incapazes de sustê-la do raquítico tenor, Vasco não pôde conter o riso, com grande indignação do coronel, que o tratou de ignorante e burro. Desde então guardara conveniente distância da música chamada erudita, certamente digna da maior admiração, mas muito elevada para ele, acima de sua capacidade. Reconhecia agora ao piano uma daquelas árias de lamentável memória. Só não recuou porque Clotilde estava a esperá-lo para uma volta pelo tombadilho antes do jantar, com seu vestido de tafetá, os bandós do cabelo, e um mundo de esperança na voz desfalecente. Tentou evitar a entrada na sala: sendo o comandante, talvez o protocolo o obrigasse a demorar algum tempo na admiração do pianista. Olhou pela janela, dando as costas ao canto do salão onde se encontrava o piano, para evitar uma comprometedora troca de olhares com o executante. Clotilde não se achava na sala, não a via. Para onde teria ido? O virtuose parecia tomado de novo ímpeto, a música crescia, onde se metera a estonteante dama? Arriscou uma olhadela para o lado do piano e ela sorriu-lhe sem levantar as mãos do teclado, a cabeça caída e os olhos em êxtase, os bandós saltando ao sabor das notas. Era professora de piano, contara-lhe na conversa matutina, mas a modéstia, mãe de todas as virtudes, como se sabe, fizera-a silenciar sua competência, seus dons artísticos, sua elevada condição de pianista capaz de executar música clássica. Ele a imaginara simples professora de um pianinho vasqueiro, ensinando o curso primário do instrumento a moçoilas casadoiras, o bastante para assassinarem marchas, sambas, um fox, no máximo uma valsa. Não indo ela, tampouco, além da simpática execução de músicas dançantes nas festas sem orquestras das famílias conhecidas. E eis que, atirando a cabeça para um lado, desfazendo os cachos trabalhosos, revirando os olhos, atacava as óperas, era uma artista. Sentiu-se orgulhoso, entrou na sala, a tempo apenas de acompanhar os demais ouvintes na salva de palmas a saudar os dons da pianista e, talvez, o fato de descer a tampa do piano, dando por finda a audição.

O comandante, dirigindo-se à aplaudida e modesta executante a cobrir o rosto com o xale, estendeu-lhe as mãos:

— Mas, que beleza! Que sonoridade, que execução perfeita! Que momentos divinos!

— Gosta de música clássica?

— Se gosto... Tenho uma coleção de discos, sem vaidade uma das maiores da Bahia e talvez do Brasil.

— E de ópera?

— Adoro. Antes de aposentar-me, quando chegava a um porto, minha primeira preocupação era saber se tinha teatro de ópera...

Durante todo esse diálogo segurava-lhe as mãos. Ela deu-se conta, de repente, retirou-as, num pequeno estremecimento nervoso, num riso sincopado. Ele ficou um pouco encabulado, sem saber onde pôr as mãos, foi ela quem retomou o fio da conversa:

— O piano desse seu navio, nunca vi tão desafinado.

— Tão ruim assim?

— Péssimo, nem dá gosto tocar.

— Vou tomar providências, mandar chamar um afinador em Recife. E, agora, vamos dar nossa voltinha?

Mas não teve tempo, soava a chamada do jantar. Dirigiram-se à sala, conversando sobre *La Bohème*. Ela era louca por Puccini. Ele afirmou-lhe não ser menor sua admiração e seu entusiasmo.

As voltas pelo tombadilho aconteceram após o jantar, antes da víspora no salão. Iam em passo medido, ela a jogar com o xale, ele a pitar o cachimbo, falando do Rio que ela adorara, da Bahia que segundo ele era boa cidade para morar, de Belém do Pará onde chovia todos os dias às mesmas horas. De quando em vez, um passageiro os interrompia, para cumprimentar o comandante, pedir-lhe uma informação. Falaram de Recife, cuja aquática geografia a encantara na viagem de vinda. Infelizmente pouco pudera ver da capital pernambucana, chovia a cântaros e não tinha ela tampouco quem a conduzisse aos lugares dignos de visita. Amanhã seria diferente, disse a sorrir, teria o comandante às suas ordens para levá-la pelas pontes e praias, pelas avenidas e parques.

— Só que eu também não conheço Recife.

— Como não conhece? Comandante de navio, o senhor deve ter passado por aqui dezenas de vezes.

— Exatamente. Passado por aqui... Sem demorar nunca o tempo necessário para um conhecimento profundo, como desejaria ter para servir-lhe de cicerone. Quando digo que não conheço, quero dizer que conheço superficialmente. E já faz alguns anos que passei ali a última vez. Houve grandes mudanças depois.

— Pelo jeito, o senhor não quer me acompanhar. Talvez tenha uma namorada em Recife, não queira ser visto em minha companhia — e voltava a rir seu riso excitado e curto.

O comandante deteve-se, segurou-lhe o braço:

— Não diga isso, por favor. Esse tempo já passou há muito, desde que me aposentei. Cheguei a pensar que nunca mais olharia para outra mulher, mas agora...

— O quê?

Um passageiro parou junto deles, comunicou:

— A víspora vai começar. Só estamos esperando pelo senhor, comandante.

A dama suspirou, os dedos de Vasco pressionaram-lhe levemente o braço, andaram para o salão. Ela ia de olhos postos na noite de estrelas e água verde, agitando o xale inconseqüente, ele ouvia as palavras do indiscreto passageiro mas sem apreender-lhes o sentido, tomado pelo perfume que dela se evolava, sentindo na ponta dos dedos o tremor de seu corpo. Pouco antes de entrar no salão, teve-a nos braços, pois Clotilde, vogando no sonho, não se deu conta do cano a atravessar o tombadilho, a topada atirou-a contra o comandante, ele a susteve e durante uma fração de minuto, uma eternidade de emoção, os seus seios comprimiram-se contra o peito de Vasco, seus cabelos em cachos contra sua face, e mesmo o calor de seu ventre órfão ele sentiu.

Sentaram-se juntos à mesa onde o senador, com dois cartões de víspora em sua frente, reprovava com o olhar a algazarra da mesa vizinha, na qual o deputado Othon e as artistas exigiam, em altas vozes, o início do jogo. Senhoras gravibundas, numa demonstração de desagrado, voltavam as costas ao grupo ruidoso e teatral. Crianças reclamavam bombons e caramelos, todos os passageiros reunidos no salão. Veio um cabineiro e vendeu dois cartões para o comandante, um para ele, outro para Clotilde:

— O senhor me ajuda, comandante, a encontrar os números?

O comissário, junto ao piano, com a sacola de fichas ao lado, anunciou os prêmios, cinco em total. O primeiro, para ser disputado em víspora horizontal, era um vidro de água-da-colônia.

A um sinal do comissário, o camareiro exibia o perfume. Seguir-se-ia uma víspora vertical, o vencedor ganharia um chaveiro de prata, uma beleza. O comissário fazia considerações humorísticas sobre os prêmios, arrancando risos e apartes da assistência, enquanto o camareiro mantinha o chaveiro suspenso, à vista de todos. Seguia-se um cinzeiro com o escudo da Companhia Costeira e a fotografia daquele ita gravados ao fundo. Era o terceiro prêmio. O quarto, para cuja excelência chamava a atenção o comissário, seria outorgado numa víspora mosca, devendo-se encher todo o cartão. Tratava-se de uma peça de *biscuit*, de regular tamanho, um sofá Luís XV onde dois namorados de mãos dadas se olhavam. Aquela sublime expressão do gosto pequeno-burguês arrancou exclamações de êxtase de senhoras e senhores, de moças e rapazes, do senador e de Clotilde. Todos a cobiçavam, e o camareiro, ante tanto entusiasmo, foi levar a peça quase de mesa em mesa, pois todos desejavam vê-la, a começar pelas artistas. Clotilde suspirava:

— Ai, quem me dera ganhar...

O último prêmio, para uma víspora em cruz, era uma surpresa, coisa mais valiosa e bela do que a própria maravilha exibida antes. Ali estava, em cima do piano, embrulhada em papel de seda. Um volume quadrado e grande, possivelmente uma caixa, a despertar a curiosidade e os comentários. O comissário reclamou atenção, ia dar início à víspora do primeiro prêmio. Fez um apelo às crianças, "àqueles anjinhos", pedia-lhes um pouco de silêncio. Começou a cantar os números. A água-da-colônia foi ganha por um fazendeiro de cavanhaque, metido num duque de caroá, que declarou entre palmas:

— Vou levar para a patroa lá no Crato...

O chaveiro de prata saiu para uma garota de seus treze anos, após o desempate, na base da bola mais alta, entre ela e mais dois jogadores que haviam completado a víspora ao mesmo tempo. O cinzeiro foi para a artista morena que o ofereceu ao deputado ante os olhares de censura de algumas famílias e do senador. E chegou a hora emocionante da mosca, o primeiro a encher o cartão levando o sofá de namorados, "aquele primor, aquela perfeição, aquela obra de arte, aquele *nec plus ultra*", como dizia o comissário. Houve um silêncio quando começou o sorteio dos números.

Clotilde, cujos suspiros a cada prêmio perdido abalavam o comandante, atingia o auge do nervosismo, atrapalhava-se com o cartão, permitindo a Vasco tocar-lhe a cada momento o braço, chamando-lhe a atenção para um número cantado e esquecido de marcar. De repente, ela constatou:

— Só me falta uma casa...

Mas logo depois um sujeito, sentado próximo ao piano, declarou:

— Completo!

Era um tipo metido a elegante, muito conversador, dizendo-se capitalista em férias, a realizar aquela viagem para conhecer as capitais e as paisagens do norte, velho sonho a concretizar-se agora. No entanto, a paisagem marítima parecia não lhe interessar o mais mínimo, pois passava o dia e a noite na mesa de pôquer, a ganhar dos fazendeiros e comerciantes. O comandante, ainda naquela tarde, demorara-se uns minutos peruando o jogo e o sentiu nervoso, como se a presença de Vasco lhe diminuísse a sorte, lhe trouxesse azar. Realmente começou a perder, e o comandante, profundo conhecedor do pôquer e das manias dos jogadores, retirou-se discreto.

Clotilde só faltava chorar de tão triste:

— Por um número... E eu que tanto queria essa lembrança...

Consolou-a Vasco: se a peça tivesse de ser sua, ainda viria parar-lhe às mãos, não se entristecesse.

— Mas como, se aquele senhor ganhou... Antipático... — batia o salto do sapato no chão, revirava os olhos.

Vasco tinha uma idéia mas não a revelou. O comissário começava a cantar os números para o último prêmio, a surpresa. Saiu para uma recém-casada, sempre abraçada com o marido, a se beijarem em cada canto do navio, a se apertarem, dizendo-se carinhos, "minha pituquinha, meu bichinho de coco, meu bichano adorado", servindo de alvo a sorrisos e comentários maliciosos.

Juntaram-se em torno dela e do marido, para vê-la abrir o pacote de onde retirou uma caixa e dessa caixa outro pacote e do pacote outra caixa, e mais pacote e mais caixa, até chegar a um pequeno embrulho que, desfeito, revelou conter uma chupeta. Foi uma ovação, risos e piadas, a premiada a sorrir sem jeito, o marido encabulado. Dr. Othon comentou alto:

— A sorte soube escolher...

E a morena peituda completou em voz baixa:

— Pelo jeito que vão, ela terá pelo menos gêmeos...

Durante todo o desenrolar da víspora, o comandante alimentara a esperança de voltar com Clotilde ao tombadilho, na continuação do passeio e da conversa, sentia-se romântico e perturbado. Estava para propor-lhe abandonarem a sala, pretextando o calor, oferecendo-lhe a brisa marinha e as estrelas do descampado céu, quando um grupo de moças e rapazes aproximou-se da mesa.

— Com licença, comandante — e dirigiam-se a Clotilde: — A senhora podia tocar umas coisinhas para a gente dançar...

Fez-se importante e adulada:

— Não gosto de tocar música de dança. Executo meus preferidos...

— Oh! — disse em tom de súplica uma jovem de seus dezoito anos, flor das morenas de Pernambuco — é o último dia a bordo, para mim pelo menos. A gente queria dançar um pouco. — A seu lado um rapagão suplicava com os olhos, a sorrir para Clotilde.

— Toque, sim, seja boazinha... — pediu outra moça, de bronzeada pele, escorridos cabelos negros, beleza mameluca, olhos de labareda.

Insistiam os rapazes, e toda aquela juventude apenas começando a viver, tão ansiosa e frágil, comoveu o comandante e ele sacrificou o esperado passeio, também instou:

— Toque, sim. Gosto tanto de ouvi-la...

— Nesse caso... Só para lhe fazer a vontade, comandante.

Foi para o piano, acompanhada do grupo jovial, avisando:

— Não posso demorar... Jasmim está me esperando...

Os sons apenas começavam a elevar-se e já a morena pernambucana rodopiava nos braços do atlético namorado, conhecimento da viagem, paixão fulminante. Ia ele para Fortaleza onde vivia, trabalhava num banco. Prometia visitá-la em Recife no fim do ano, por ocasião do Natal.

A mameluca de olhos fundos de incêndio dirigiu-se ao comandante, fez-lhe divertida mesura:

— Dá-me a honra, comandante, dessa contradança?

Levantou-se Vasco, tomou da mão da moça, fora emérito dançarino, pé-de-valsa conhecido nos seus tempos da Pensão Monte Carlo, sua fama de bailarino até hoje recordada pelos marujos seus contemporâneos nas costas do Médio e do Extremo Oriente, no Mediterrâneo e no mar do Norte. Havia duas maneiras de dançar: *a la bruta*, os corpos juntos, rosto contra rosto, excitando-se ao cálido contato do par. Assim dançava na Pensão Monte Carlo, no cabaré do Dragão Amarelo, em Hong Kong, na misteriosa cave Nilo Azul, em Alexandria. E *a la familiar*, os dedos apenas tocando as costas do par, com um palmo de separação entre os dois, a postura austera, conversando com a dama. Assim dançava nas festas do Palácio, nas recepções da sociedade baiana, nos bailes dos grandes paquetes que faziam a linha entre a Europa e a Austrália. Assim iniciou o baile com a moça de sangue índio, de perturbadora beleza lunar. Por que ela lembrava-lhe Dorothy, se não se pareciam? Mas havia algo de comum entre as duas, entre a rapariga de Feira de Santana e aquela senhorita de Belém: os olhos inquietos e fulvos, a mal contida ânsia, um espasmo em cada gesto, no mais simples, a mesma pressa e avidez de amor. Eram, uma e outra, a fêmea simplesmente.

E logo a sentiu contra si, a coxa a tocar-lhe, o seio a crescer em seu peito, o negro cabelo escorrido a roçar-lhe a face. A moça fechara os olhos e mordia o lábio inferior, Vasco teve medo. Do piano, Clotilde olhava de cenho carregado, ele tentou afastar aquele corpo necessitado e louco, mas ela o mantinha próximo. Compreendeu, numa humildade aprendida em Dorothy, não ser a ele, Vasco, sessentão de cabelos brancos, que ela se prendia e entregava na dança. Era ao homem apenas, não lhe importava a idade, a cor, a elegância, a beleza.

Não demorou a música, felizmente. Clotilde abreviara a partitura, os pares se separaram, Vasco agradeceu:

— Muito obrigado, senhorita.

— Dança bem, comandante. Eu é que agradeço.

Foi para junto de Clotilde, ao piano. Ela comentou:

— Pra isso é que me pediu para tocar, não foi?

Não houve mais passeio naquela noite. Quando, finalmente, os jovens deixaram-na levantar-se e partir, já era quase meia-noite e Clotilde preocupava-se com o pequinês, sozinho na cabine. Combinaram visitar juntos Recife, no dia seguinte. Ela ainda estava um pouco arrufada e tachou a mameluca de "desavergonhada".

Vasco foi à sala de jogo. Rapazes jogavam *king*, três mesas de pôquer estavam funcionando. Numa delas, brilhava o tal capitalista em viagem de prazer, numa cadeira a peça de *biscuit*. Os outros parceiros eram comerciantes e fazendeiros. Perdiam os três. Vasco puxou uma cadeira, sentou-se ao lado do afortunado jogador:

— Dão-me licença?

— Ora, comandante, por favor... — respondeu um dos fazendeiros.

— Conhece o jogo, comandante? — perguntou o rapaz de sorte.

— Não sei jogar, não entendo. Mas gosto de ver... Quem está ganhando?

— Não está vendo? — falou outro perdedor. — O doutor Stênio. Nunca vi tanta sorte. Está de ganhador aberto.

O citado dr. Stênio riu satisfeito, da pilhéria talvez, talvez da notícia sobre a ignorância do comandante em matéria de pôquer. Demorou-se Vasco, ali sentado, fazendo, de quando em vez, uma pergunta idiota a propósito do valor dos jogos e das apostas. Acompanhava Stênio a dar cartas, interessado.

— O senhor desembarca em que porto, doutor Stênio?

— Em Belém. Ficarei alguns dias por lá, talvez siga até Manaus num vaticano. Devo voltar no *Almirante Jaceguay*, do Lloyd. — E replicava a aposta de um fazendeiro: — Seus trinta e dois mais sessenta e quatro.

Por volta de uma hora e meia da madrugada, um dos parceiros, cujas perdas subiam a vários contos de réis, propôs a rodada de fogo. Vasco assistiu à prestação de contas, às despedidas. Um dos fazendeiros ficaria em Recife, lamentou não continuar a viagem para recuperar o prejuízo. O dr. Stênio embolsava os lucros, ia pegar a peça de *biscuit*, preparava-se para recolher-se à cabine. O comandante, no entanto, deixando partir os outros parceiros, disse-lhe:

— Ainda é cedo, vamos conversar um pouco, doutor...

— Estou morrendo de sono, comandante. Fica para amanhã.

— Hoje mesmo e agora. Ouça, seu batoteiro vagabundo, você não vai a Belém, interrompe sua viagem em Recife...

— Mas, comandante, o que é isso?

— É o que eu lhe digo. Nasci jogando pôquer, meu caro. Andei quarenta anos embarcado, vinte comandando navios na Ásia, conheço toda a corporação dos profissionais de bordo... Desembarque calado se não quiser ir para o xadrez...

— Mas paguei minha passagem...

— Capital bem empregado, já rendeu juros demais. Então?

— Se o senhor manda... — não discutia, aquilo fazia parte das regras do jogo de sua vida, esperaria outro barco para subir até Belém.

Levantava-se Vasco, tomava a peça de porcelana, retirava-se:

— Boa noite...

— Mas, comandante, me desculpe, esse negócio aí, que o senhor vai levando, é meu...

— Seu? O quê?

— Esse troço bonito... Ganhei na víspora e na pura sorte. Sem batota...

— Sem batota? Pode ser... Mas, isso dá uma urucubaca danada no pôquer. Aliás, você já teve a prova... É melhor deixar comigo.

Saiu arrenegando o competente profissional: por que diabo foram arranjar, para substituir o comandante morto, logo um velho marinheiro de longo curso, um finório conhecedor de toda a malandragem? Encolheu os ombros, conformado. Faria a praça do Recife, existiam uns usineiros cheios de açúcar e doidos por pôquer. Lamentava apenas o sofá de porcelana com os namorados, tão bonito, desejava levá-lo de presente a Daniela, sua esposa. Porque era bem casado, tinha quatro filhos, dois meninos, duas meninas, umas gracinhas todos, adorava a família, não existia melhor esposo e pai.

O comandante suspirou, tomou da peça de *biscuit*, saiu para o vento da noite.

DO COMANDANTE IMERSO EM PROFUNDO DEVANEIO E DO QUE LHE FOI DADO VER NA SOMBRA DO BARCO DE SALVAMENTO

ESTAVA O COMANDANTE IMERSO em profundo devaneio, naquela alta madrugada, na coberta do navio. Pousara com cuidado a peça de *biscuit* a seu lado, de quando em vez arrancava os olhos das estrelas como um infinito pasto a alimentar os sonhos, e volvia-os para o casal de namorados sentado no sofá de porcelana. Sua vida fora inteira de solidão, uma longa espera. Nos mares, como nesse instante, a pitar seu cachimbo, sozinho entre os ventos e as luzes do fogo-fátuo, de porto em porto, a trocar de navios e mulheres. Seu lar, estreito beliche. Nenhum dia era o dia da escala definitiva em cais com família a esperá-lo, a esposa macerada de saudades, os filhos curiosos dos presentes trazidos de terras exóticas e longínquas. Em nenhum porto tivera jamais casa montada, pousava a cabeça fatigada em travesseiros pagos de prostíbulos, repousava seu coração ardente no seio de mulheres desconhecidas, era só no mundo, só com seu navio. Só com suas viagens.

E pode um homem viver assim, para sempre sozinho? A casa dos Barris não fora jamais um lar, desde a morte do pai e da mãe, figuras esfumaçadas na memória. Crescera no escritório e no depósito, entre fardos e títulos de cobrança, entre o charque e as cartas aos fregueses. Os namoros de todos os adolescentes, o olhar a medo, o sorriso tímido, o adeus atirado de longe, o fugaz aperto de mão, o beijo roubado no escuro de uma porta, nada disso tivera, nem no escritório, nem no mar onde o grumete olhava de longe as orgulhosas e belas passageiras. Quando a morte do avô o libertara, ia pelos trinta anos, perdera o tempo romântico dos suspiros, dos doces sofrimentos, das moças em flor. Sozinho mesmo com os amigos, e quando pôde realmente ser um deles, foram-se um a um, como partiram as mulheres que se sucediam no leito dos Barris. Algumas demoravam mais, Dorothy deixara-lhe o nome e o coração no braço, eram, porém, como passageiras de uma viagem em transatlântico a seguir adiante, na esteira sem fim das águas. Que importavam as aventuras, enrabichamentos nos castelos, xodós nas pensões, que importavam as aventuras, as inesperadas paixões nas travessias, as noites de delírio nos portos de bruma e de mistério? Amor, constante amor a construir um lar e a vida, a desdobrar-se em crianças e a conservar-lhe o nome, afeição de esposa, voz de filho a chamar, pequena cabeça crespa, a acolher-se na fortaleza de seu peito, nunca tivera, faltara-lhe tempo, estava sempre a navegar, no leito dos Barris e dos castelos, a bordo de cargueiros e paquetes. Sempre sozinho, em seu navio, com suas viagens, naufrágios, tempestades, as correntes marítimas, os ventos e os ciclones.

Era agora como um náufrago nessa sua derradeira viagem. Porque, sabia, era sua última viagem, não voltaria ao vacilante chão dos tombadilhos, acompanharia a entrada e saída dos navios do alto dos rochedos de Periperi, a luneta ao olho. E cada vez mais sozinho, mais dobrado ao peso das recordações, ao fardo daquela vida sua, temerária, sem ter com quem dividi-lo, onde repousar a cabeça, outro ombro além da casmurra cozinheira, como nos tempos do desejo a desabrochar no quarto sem janelas da negra Rosa, no prédio da firma, ao pé da ladeira da Montanha.

Sim, é bela e invejável a vida de um comandante a comandar o seu navio, como ele o fazia a bordo daquele ita, tanta gente dependendo dele, tanto destino a cumprir-se em sua mão potente, tanto riso solto e tanta esperança louca, importantes homens políticos, ricos senhores de terra e de indústrias, as pacatas mulheres casadas, de estabelecido cotidiano, e as marcadas mulheres da vida, de fechado horizonte e incerto futuro, jovens apenas começando a viver, clandestinos profissionais do jogo arriscando a liberdade, todos dependendo dele, de suas ordens de comando.

Não tem um comandante o direito sequer de guiar-se por suas simpatias, há o dever a cumprir, inapelável. Foram-lhe sempre simpáticos os jogadores profissionais, que vivem da difícil e arriscada profissão dos baralhos marcados, da batota, dos passes de cartas, da agilidade das mãos e do pensamento. Privara com vários deles naqueles anos de boemia, tratara com alguns, reconhecera-os generosos e a seu modo leais, sabendo receber a derrota quando um detalhe qualquer transformava o permanente perigo em insultos, pancada, prisão. Praticara com eles, aprendera-lhes os truques na confiança das noites de farra. Não fosse comandante, em seu barco a comandar, um dever a cumprir, e poderia Stênio limpar os bolsos de todos os fazendeiros, industriais, comerciantes, usineiros, não lhe importaria, sorriria apenas, talvez até pinicasse um olho cúmplice ao competente profissional. Mas um comandante não é dono de sua vontade, de suas simpatias. Queria seus passageiros protegidos contra os perigos do mar e os imprevistos do mundo.

Tomara-lhe o sofá de porcelana com os róseos namorados de mãos dadas, aquilo não o roubara Stênio, ganhara na sorte, sem trapaça. Mas de que lhe serviria a obra-prima? Certamente, igual ao comandante, era ele homem sem lar e sem família, sem porto de pousada, ao léu da vida. Largaria aquela maravilha num quarto de prostíbulo, em mãos da primeira mulher com quem dormisse. E tanto a desejava Clotilde...

Seria tempo ainda? De romper a solidão, de terminar a longa espera? Fizera sessenta anos, tinha branco o cabelo, não era mais senhor daquela força antiga a levantar fardos de charque e bacalhau, barricas de manteiga, a sustentar a roda do leme em meio às tempestades, timoneiro sem rival, mas conservara um vigor surpreendente em sua idade e o coração era o daquele adolescente sem adolescência, íntegro e apto para o grande e definitivo amor de sua vida. Sim, ainda era tempo, havia uma casa à beira da praia, de verdes janelas abertas sobre o mar, onde faltava a dona da casa, havia um solitário, com toda uma vida a viver, um passado a distribuir sem ter quem nessa tarefa o ajudasse, sem um braço onde apoiar-se quando mais adiante o caminho se fizesse estreito. Por quanto tempo ainda levaria erguida sua crista, não se deixaria dobrar à tristeza, não se entregaria prisioneiro nos fechados muros do abandono? Ah!, se ela quisesse transferir seu nobre porte, suas músicas, seu piano, sua madura e ansiada graça, os bandós do cabelo e o riso sincopado, para o subúrbio de Periperi, se aceitasse plantar no desiludido coração magoado o broto de um novo amor, ah!, seria ainda tempo de romper os muros da crescente solidão e florir os jardins de seu porto de descanso no fim da última e definitiva viagem. Não seria tão grande assim a diferença de idade, calculava andasse Clotilde pelos quarenta e cinco...

Só agora sentia, ao encontrá-la, como fora inteira de solidão a sua vida, uma longa espera.

Um abafado rumor, como um gemido, desfalecente ai, trouxe-lhe a brisa, vinha do outro lado, da sombra do barco de salvamento. O comandante sempre a postos, vigilante, apurou o ouvido habituado ao silêncio e à voz do mar, aproximou-se em passo mesurado. Foi-lhe dado ver então, na sombra do barco de salvamento, a franzina artista e o pudico senador, ela estendida e com o vestido suspenso, ele, sem paletó, descomposto, suspirando naquela bem-aventurada brincadeira.

Afastou-se o comandante a pensar. Para fazer justiça, agir com inflexível rigor, como o fizera com o profissional de pôquer, devia arrancá-los um dos braços do outro, exigir do pai da pátria mais respeito a bordo. Mas deve um comandante também ser flexível, evitar o escândalo, a ruína de seu barco. Ao demais, como podia ele, homem de tantas aventuras, irritar-se com amantes, mesmo se amantes de um momento apenas, na sagrada hora da festa do amor? Recordava, de novo debruçado na amurada, aquele outro comandante Georges Dias Nadreau, da marinha de guerra. Quando lhe vinham queixar-se de um marinheiro, pegado em flagrante com uma cabrocha nos escuros do porto, ria apenas e declarava: "Vá queixar ao bispo, não sou cadeado do xibiu de ninguém". E ele mesmo, o comandante Vasco Moscoso de Aragão, não tivera, em certa noite perdida, em seus braços, no tombadilho de seu próprio navio, o trêmulo corpo de Dorothy, sua febre de amor?

Não sonhava ali, naquele devaneio, em tomar das mãos de Clotilde, dos seus cabelos, de murmurar-lhe ao ouvido frases apaixonadas, de esmagar sua boca à luz daquela estrela perdida, de tocar seu corpo no chão de seu navio?

DOS ADOLESCENTES NAS PONTES E RUAS DO RECIFE E DE IMPREVISTA E FUGIDIA VISÃO

PAGOU-LHE MANGABAS E SAPOTIS na rua Nova, ofereceu-lhe amarelos cajás e verdes umbus no cais da rua da Aurora, vermelhas pitangas na rua do Sossego, deu-lhe a beber água-de-coco na praia da Boa Viagem, Clotilde revelava-se gulosa das frutas nordestinas, as mangas e os cajus, os abacaxis de todo sabor, abius, cajaranas, goiabas, araçás. Ia num passo saltitante, esquecida da postura digna, o comandante levava-lhe a sombrinha inútil, eram dois adolescentes a cruzar as pontes, as praças e as ruas da cidade do Recife. Rindo sem quê nem por quê, "dois velhos gaiteiros", na expressão de uma transeunte apressada, quase ofendida com a disponibilidade juvenil do comandante e da pianista.

No porto haviam desembarcado pela manhã os artistas de teatro e o deputado paraibano. Também o dr. Stênio, a quem a visão da cidade de Nassau tanto encantara a ponto de levá-lo, segundo anunciou, a interromper a viagem para demorar-se uns dias a melhor conhecê-la. Ao pôr o pé na escada, procurou com um olhar de censura o comandante. Não por causa do desmascaramento de suas trampolinagens no pôquer, fora generoso o capitão-de-longo-curso, não o entregara à polícia, nada falara sobre o assunto, nem sequer com os fazendeiros logrados. Aquela censura referia-se à peça de *biscuit*. Onde conseguiria outra assim tão formosa para levá-la de presente à esposa? Vários outros desembarcaram igualmente, o ita ia deixando e recebendo passageiros em cada porto. Desceu inclusive a moça morena, cuja família a esperava no cais. Para ela a viagem fora curta, e ali mesmo, na chegada, apresentava o atlético bancário cearense aos pais e tias. No fim da tarde viria dar-lhe adeus do ancoradouro, seus olhos acompanhariam saudosos a esteira do navio.

Quando o comandante, após assinar papéis trazidos pelo imediato, ficou livre e procurou Clotilde, já ela estava no cais com outros passageiros. Saíram num grupo grande. Vasco não escondia sua decepção. Esperava tê-la a sós consigo, naquela manhã e no começo da tarde, pois necessitava voltar para bordo relativamente cedo, outros papéis a assinar. E via-se cercado pela algazarra de famílias inteiras, com cachos de crianças, todas a fazerem perguntas as mais tolas e absurdas, como se ele fosse uma espécie de enciclopédia universal, conhecendo não só as ruas, os restaurantes, os bares, como os preços da praça, inclusive os de fralda de recém-nascidos.

Não podia seguir o exemplo dos casadinhos de novo: esses agiam como se estivessem a sós no paraíso, como se os demais não existissem, só faltavam deitar num banco de jardim e ali mesmo, na vista de todos, chegar às últimas conseqüências. Beijinhos, apalpadelas, carícias, mas tudo aquilo lhes era permitido pelo Estado e pela Igreja, haviam passado pelo juiz e pelo padre.

Vasco arrenegou aquela primeira parte do passeio pela cidade. Sobretudo quando Jasmim, o único defeito sério que ele enxergava em Clotilde, arrancou-se das mãos da dona para participar, evidentemente sem nenhuma possibilidade de êxito, da concorrência estabelecida, em frondosa praça do centro, em torno da conquista de uma cadela em cio, uma *fox* de regular tamanho e pouca pureza de raça. A não ser que Jasmim contasse com sua nobreza oriental, sua exótica beleza a estontear a cobiçada fêmea, três vezes mais alta do que ele, como imaginar competir com um *boxer* de dentes arreganhados, um *fox* ao parecer com direitos de marido e disposto a defendê-los, e dois vira-latas? Um deles enorme, tendo nas veias sangue de dinamarquês, a rosnar para o *boxer*, o outro com o ar mais malandro do mundo, um vira-lata dos mais totais, de olho cínico e focinho simpático. Este último e o *fox* com ar de marido estavam na expectativa, esperançosos no resultado da batalha a travar-se entre os dois maciços campeões, o *boxer* e o enorme vira-lata. O mais provável era um empate, com liquidação dos dois, os nomes riscados da lista de pretendentes. E tanto o *fox* quanto o vira-lata menor mediam-se, preparando-se já para a segunda luta, a decidir da posse da cadela. Quanto a esta, parecia encantada com aquela disputa de seus favores. Animava a todos, mesmo o marido, uma devassa.

A situação mudou fundamentalmente quando Jasmim resolveu inscrever sua candidatura, fazendo-o num salto espetacular a situá-lo em meio aos contendores. Voltaram-se os quatro para o novo candidato, a rosnar. A cadela sorriu-lhe vaidosa, animando-o. Por um breve momento Vasco teve a ilusão otimista de um rápido e definitivo estraçalhamento do pequinês pelo *boxer* e pelo mestiço, com a eficiente ajuda do *fox* e do pequeno vira-lata. Mas não aconteceu. Aqueles apaixonados pareciam donos do tempo, não se decidiam a começar, ficavam a rosnar, a mostrar os dentes, de quando em vez uns latidos. Aliás, quem mais latia, agressivo, era Jasmim.

Quando o viu em meio à roda, entre os quatro rudes lutadores, Clotilde ameaçou um chilique. Escaparam-lhe dos lábios uns gritinhos histéricos, estendeu os braços, dizendo "Jasmim, Jasmim" aos arrancos, deixou-se cair num banco quase a desmaiar. Voltou-se para o comandante:

— Salve o pobrezinho, pelo amor de Deus!

Seus olhos suplicantes, a voz de quem ia ter imediatamente uma coisa, decidiram Vasco. Era um pedido louco, como penetrar naquele círculo de desejo e ódio e de lá retirar o denodado pequinês, cuja bravura raiava pela temeridade? Procurou nas vizinhanças um galho caído e com ele armado, a ouvir os comovedores gritinhos de Clotilde, avançou em direção aos cães como os cavaleiros medievais enfrentavam com sua lança o dragão de sete cabeças, a lançar fogo por todas elas, para obedecer às ordens de sua dama.

Sua inesperada presença causou rebuliço e confusão. O *boxer* suspendeu a guarda, recuou um passo e disso se aproveitou o grande vira-lata para atacá-lo por detrás. Jasmim, sentindo ser o objetivo daqueles movimentos do comandante, atirou-se para a frente e atropelou o *fox*, embolando os dois pelos canteiros. De tudo isso aproveitou-se aquele vivíssimo vira-lata menor para arrastar dali a requestada fêmea e levá-la para um beco próximo, mais calmo e favorável ao amor. Conseguiu o comandante agarrar a ponta da correia de couro e arrancar Jasmim dos dentes do *fox* que, no final, ficou com ar de tolo a procurar a companheira. Quando lhe obteve o rastro e partiu em direção ao beco, era tarde: os mestiços já estavam encomendados.

Clotilde nem agradeceu. Apertava o pequinês com os seios e o rosto, beijava-lhe o focinho magoado, examinava-lhe os ossos, desinteressada por completo da magnífica batalha a continuar entre o *boxer* e o dinamarquês falsificado, agora alimentada apenas pelo prazer da luta, sem fêmea, como prêmio, a lamber amorosa as feridas do vencedor.

Não há nada no mundo sem seu lado positivo. Daquela proeza a excitar o riso dos demais passageiros e a maliciosa curiosidade de uns moleques de rua, resultou a decisão de levar Jasmim de volta ao navio, a cidade estava demasiadamente cheia de tentações e perigos para o pobre inocente. Assim foi feito e, desta forma, libertou-se Vasco da companhia incômoda e limitadora dos outros companheiros de viagem.

Como já era quase hora do almoço, esperaram a bordo o toque da sineta, Clotilde ocupada em pôr iodo nas marcas de dente deixadas pelo *fox* numa das pernas de Jasmim.

Foi assim que, pela tarde calorosa, como dois adolescentes, eles andaram na cidade. Ela refeita das caninas emoções matinais, ele elevado em seu conceito pela coragem revelada e pela rapidez em atender a seu pedido.

Depois de rodarem pelas ruas e praças, terminaram numa sorveteria onde ela, glutona, quis provar todas as especialidades da casa, compará-las com os sorvetes de Belém, os melhores do universo em sua opinião. Estava a admirar-lhe Vasco o apetite quando seu coração quase parou: lançara os olhos para os lados da ponte do Imperador (a sorveteria era na rua da Aurora, viam dali a velha e nobre ponte) e, de repente, enxergou, por entre a multidão a passar, o vulto de uma gorda senhora vestida de preto, um xale na cabeça a esconder os cabelos brancos, levando pela mão uma criança. Apenas por um fugaz instante vislumbrou-lhe o rosto mas, tinha certeza, era Carol, velha e terna avó, a sorrir para o menino. Esqueceu-se Vasco da convidada ao lado, de sua condição de comandante em serviço ativo, dos sorvetes a pagar, atirou-se porta afora, a correr, em direção à rua da Imperatriz por onde desaparecera a fugidia visão. Não mais a encontrou, ainda disse seu nome em voz alta, fazendo voltarem-se alguns transeuntes. Deu-se conta, então, de haver largado Clotilde sozinha na sorveteria, retornou às pressas.

Encontrou-a furiosa, nem lhe queria falar. Tentou explicar-lhe, mas ela possuía sua própria versão do acontecido: por que não lhe dissera logo ter estado todo o tempo a buscar antigo caso de amor, cujo endereço, naturalmente, fora mudado? Andando com ela nas ruas e pontes mas de pensamento distante, os olhos esquadrinhando as fisionomias dos passantes.

— Não pense nisso. Realmente pareceu-me ver uma pessoa de quem não tenho notícias há quase vinte anos.

— Mulher?

Um dia lhe contaria tudo, talvez. Agora não valia a pena:

— Que mulher, que nada... Um amigo, um piloto que serviu comigo durante dez anos em mais de um navio. Éramos íntimos amigos, como irmãos... Mas ele teve de abandonar a carreira, com a morte de um parente em Pernambuco, em Garanhuns, uma cidade do interior. Deixou-lhe uma herança. Nunca mais soube dele...

Ela devia perdoar a emoção, ao perceber, entre o povo na ponte, a fisionomia do amigo perdido. Eram como irmãos, tão ligados que, se um desengajava, desengajava o outro também...

Arrufos de namorados, quanto mais violentos, mais doce reconciliação propiciam. Saíram os dois da sorveteria de mãos dadas, a caminho do porto. Ela chorara um pouco, duas lágrimas que ele enxugou com o lenço de seda onde, num canto, havia uma âncora bordada. Quando ele, na porta, lhe tomou da mão para ajudá-la a descer o degrau da calçada, ela não a retirou depois e, assim andaram, num silêncio mais expressivo que as palavras, para o cais onde o ita recebia carga e passageiros.

Da ponte de comando o imediato e o primeiro-piloto os viram vir, de mãos dadas, em saltitante passo de balé, os rostos inundados de sol e de ventura.

— O teu comandante está botando as manguinhas de fora... — disse o primeiro-piloto rindo.

Geir Matos, o imediato, perguntou:

— Você já viu alguma vez um comandante tão compenetrado? Tão comandante? Só mesmo o Américo, um vivedor, podia descobrir essa pérola...

— Pérola do mar... Do mar do Japão, do mar da China, das rotas do Oriente...

Os potentes guindastes erguiam sacos de açúcar, negros estivadores arrumavam os fardos no porão.

ONDE O NARRADOR INTERROMPE A HISTÓRIA SEM NENHUM PRETEXTO, MAS NA MAIOR AFLIÇÃO

PERDOEM-ME OS SENHORES a interrupção e as falhas por acaso notadas nos últimos capítulos. Se ainda estou escrevendo, apesar de tudo, é que o prazo concedido pelo Arquivo Público para a entrega dos originais (e das cópias datilografadas) encerra-se em breves dias. Mas nem sei o que escrevo — como cuidar do estilo e da gramática numa hora dessas, quando o mundo ameaça ruir sobre meus ombros?

Não, não me refiro à bomba atômica ou de hidrogênio, à guerra fria, aos graves problemas de Berlim, do Laos, do Congo e de Cuba, a uma plataforma na lua para de lá se fuzilar o mundo. Se isso acontecer, acabaremos todos ao mesmo tempo e mal de muitos é consolo dos pobres. Só desejava saber a hora exata para meter-me com Dondoca na cama, morrer junto com ela.

Refiro-me ao acontecido aqui em Periperi nestes últimos dias, logo após a passagem do Ano Novo, a entrada festiva de 1961, saudada por mim com esperanças de glória e pecúnia, devido a este meu trabalho, e de tranqüila alegria, dados o acordo e a paz reinantes no lar do beco das Três Borboletas onde, pela tarde, Dondoca acolhia o meritíssimo, e, pela noite, esse vosso servidor.

Sim, ele descobriu tudo, foi-se água abaixo a vida doce e gratuita. Reina a maior confusão nessas três almas batidas pelo temporal da paixão e do ciúme, pelo vendaval das recriminações e dos desejos de vingança. Já houve o diabo: gritos e palavrões, insultos, acusações, censuras, desculpas, pedidos de perdão, relações abaladas, corte da mesada e dos presentes, lágrimas, olhares súplices e olhares mortais de ódio, promessas de vingança e até uma surra.

Como historiador cioso de sua condição, devo impor método ao relato, mas não sei se vou consegui-lo, pois tenho o coração despedaçado e uma infernal dor de cabeça. Dor de cabeça devia estar sofrendo o dr. Siqueira, afinal cresce a frondosa galhada em sua testa e não na minha, o que devia servir-me de consolo. Não serve, no entanto. Como consolar-me, se paira sobre mim a ameaça de não vê-la mais, a minha Dondoca, de ter de me afastar do seu caminho, de não mais ouvir seu riso debochado de cristal, sua voz de desmaiado timbre, a pedir-me que lhe conte outra história do senhor comandante.

Foi de repente, se bem as desconfianças andassem no ar, nos olhos e nos gestos do jurista. Referi anteriormente significativas alterações ocorridas na atitude do magistrado em suas relações comigo e com Dondoca. O pobre pássaro ferido encontrou um dia o luminar a cheirar-lhe o lençol para ver se nele sentia odor estranho, suor de outro homem. Tornou-se ríspido e breve em seu trato comigo, olhando-me fixo e severo, sem se abrandar com meus multiplicados elogios, como acontecia outrora, quando, inclusive, louvava-me em pagamento a literatura. Apesar de haver eu atingido as raias do puxa-saquismo mais total, num esforço considerável, chegando a elogiar um horrendo pijama de listas pelo meritíssimo inaugurado naqueles dias, presente de Natal de Zepelim. Nem assim ele desamarrava a tromba. A inquietação nos dominou, a mim e a Dondoca, tomamos precauções extremas, a ponto de usar determinados lençóis e fronhas pela tarde, outros pela noite. Quanto a mim, evitei acompanhar dr. Siqueira em suas visitas vespertinas à nossa bem-amada. Antes eu aparecia, ou com ele ou logo após sua chegada, ia filar um cafezinho, dar dois dedos de prosa. Retirava-me discretamente depois, afinal ele gemia com as despesas, tinha certos direitos, eu não podia passar ali a tarde inteira, a empatar. Sem falar nas pesquisas históricas, no trabalho a redigir. Pois deixei de aparecer, colocando-me na sombra, indo vê-lo somente à noite, para a prosa na calçada e a prudente comprovação diária: o nobre cultor do direito com seus movimentos controlados, sob a inflexível batuta de sua digna esposa, dona Ernestina, apelidada de Zepelim pela canalha.

Nada disso adiantou. Há quatro dias, em noite cálida, exatamente quando eu terminava de estender-me no leito e começava a regalar-me com uma pêra, da meia dúzia trazida pelo juiz de uma visita à Bahia; enquanto Dondoca, numa brincadeira muito de seu gosto e divertida, escanchada como a cavalo no meu peito, dobrava o busto para beijar-me ora nos olhos, ora nas orelhas ou para arrancar-me da boca um pedaço da fruta; exatamente quando, numa dessas gostosuras, eu lhe passara os braços pelas costas e sobre mim a derrubara, surgiu na porta aberta do quarto o eminente dr. Siqueira, de chapéu de feltro desabado e óculos escuros, a rir um riso de Drácula e a dizer com voz funérea:

— Então era verdade!

Parecia, pelo menos. Se bem, caso ele me desse tempo, eu me disporia a discutir o assunto, pois em se tratando da verdade estou um verdadeiro craque. Aprendi, ao redigir estas memórias do capitão-de-longo-curso, ser arriscada empresa sair alguém proclamando a verdade, rua afora, só porque se encontra de posse de provas concretas ou tem o testemunho, sempre superestimado, de sua própria vista. Ainda outro dia, dona Caçula e dona Pequena, respectivamente esposa e cunhada de Tinoco Pedreira, alardearam terem enxergado um disco voador nestes céus periperianos, com aqueles seus dois pares de olhos que a terra há de comer. Fizeram um bafafá danado, até repórteres de gazetas da capital surgiram por aqui para entrevistá-las, e retratos das duas velhas, apontando o céu, apareceram nos jornais. Depois se provou não ser disco nenhum o objeto redondo, cor de prata, velocíssimo e com dois holofotes de fogo. A maré arrastou para a praia um enorme papagaio de papel impermeável que sob o sol parecia prateado, com duas rodelas vermelhas. Papagaio perdido, cortada a linha e arrancado o rabo, trazido pelo vento, e transformado, pelos olhos das velhotas voltados contra o sol, em disco voador, marciano ou soviético conforme a tendência dos jornais.

Não era, porém, hora de tais considerações. No primeiro momento, confesso, não apreendi toda a gravidade daquela aparição, de tal maneira haviam-me impressionado os óculos negros e o chapéu de aba caída sobre a testa. Óculos e chapéu a ocultarem a algum noctívago habitante de Periperi a identidade do juiz, vejam os senhores a premeditação do meritíssimo. Foi o grito de Dondoca, saltando do meu peito para o outro lado da cama, que veio despertar-me por inteiro para o drama. Engoli o pedaço de pêra e não encontrei palavras.

Ali, na entrada do quarto, a mão esquerda no trinco da porta a mantê-la aberta, a direita apontada para a cama, o dedo em riste, a voz embargada e trêmula, era o eminente jurista a perfeita imagem da virtude ofendida, da confiança enganada, da amizade traída, enfim a perfeita imagem do chifrudo clássico, do imortal Otelo. Não me foi possível deixar de admirá-lo.

Não podia continuar na cama, deitado, a olhar boquiaberto o meritíssimo cabrão. Levantei-me, calcei os chinelos, ouvi um grito saído do fundo da alma, partido de um coração desfeito:

— Saia dos meus chinelos, seu crápula!

Saí, fiquei com os pés descalços nos frios ladrilhos de barro e essa pequenez de homem tão eminente custou-me um resfriado ainda hoje a atanazar-me a vida. A cena, da qual fui testemunha e personagem, estava assim disposta: na entrada do quarto, trágico e acusador, o juiz aposentado; do outro lado, próximo à janela, as mãos tentando esconder a nudez numa prova talvez um pouco tardia de pudicícia e recato, soluçava Dondoca; entre os dois o leito, local do crime, ainda quente, e eu, com uma cara de idiota, a olhar meu umbigo. Creio que poderíamos ter demorado ali, nessa imóvel postura, horas e dias, se Dondoca não houvesse levantado os formosos olhos para o juiz e pronunciado com voz terna:

— Betinho! Bebeto, meu torrão de açúcar…

Palavras de indescritível efeito: pensei que o meritíssimo ia ter uma apoplexia, cair ali fulminado — imaginem o escândalo! —, ou bem sacar um revólver e meter dois tiros, um em Dondoca, outro em mim. Ficou vermelho, ficou pálido, estremeceu seu corpo como se houvesse sido chicoteado, tentou dar um passo em direção a Dondoca, não pôde, tentou falar, emitiu apenas um som gutural, qualquer coisa entre o soluço e o arroto. Fitou a cândida mulata com olhos de animal ferido e moribundo, lançou-me ameaçadora mirada, carregada de ódio, conseguiu articular:

— Cão! Poetastro!

Curvei a cabeça, preferi não responder.

— Serpente!

Era para Dondoca, mas ela não se reduziu ao silêncio como eu.

— Bebezinho querido, perdoe sua bichinha…

— Jamais! — e puxando a aba do chapéu, soltou uma cusparada em minha direção, voltou-nos as costas e partiu. Da porta da rua atirou para a sala a chave da casa. Ficamos ali os dois, nus e atarantados.

Dondoca estava inconsolável. Habituara-se àquela boa vida, tendo de um tudo, regalada. Casa, comida, vestidos e chocolates. Também me acostumara, eu, aos chinelos e à manceba do juiz. Naquela noite não pregamos olho, não ocupados no que estão pensando, mas a considerar a desgraça caída sobre nossas cabeças. Que seria da vida de Dondoca? Voltar para a mísera choupana dos pais, a suportar os porres de Pedro Torresmo, a ajudar a mãe a lavar e engomar roupa? Como fazê-lo, após esse tempo de unhas pintadas, de seda e de perfumes, de quase nenhum trabalho e muito dengue? Sustentá-la, dar-lhe o estado que a conta bancária do juiz lhe garantia, é-me impossível. Meus parcos vencimentos chegam-me apenas para os gastos essenciais, obrigam-me a viver neste subúrbio com meus pais. Caso obtivesse o prêmio do Arquivo Público — sinto-me animado com o fato de encontrar-se na direção do Arquivo o ínclito dr. Luís Henrique, cuja opinião sobre trabalho meu anterior, "repositório de úteis informações", é conhecida —, poder-lhe-ia oferecer um presente, um corte de fazenda, um par de sapatos, uns brincos para as orelhas, um anel talvez. Isso, se de repente não aparecer um doutor qualquer a surrupiar-me a láurea e o cheque. De qualquer maneira, esses vinte mil cruzeiros não bastariam para mantê-la senão por pouco tempo.

Dondoca, entre o amor e o conforto, lastimou-se a noite inteira. Chorou em meus braços, terminou por adormecer sobre meu peito.

No dia seguinte, agravou-se a situação. Pedro Torresmo, tendo ido, como era seu hábito, esfaquear o juiz — dinheiro para cachaça —, foi posto fora do gabinete de trabalho onde o magistrado, no silêncio e na meditação, escreve seus estudos jurídicos. Ali recebia ele o pai de Dondoca, pois, em geral, respeita-lhe dona Ernestina as horas de elucubração. Confiante, chegara Pedro Torresmo a saudar o doutor juiz e saber notícias da saúde da excelentíssima patroa. Foi informado, por um dr. Siqueira de cara amarrada, estar sua entrada proibida naquela casa, ser sua filha uma reles prostituta da pior espécie, que abusara da confiança nela depositada. Quanto a dinheiro, viesse ele pedir a mim, pois, se alguém tinha a obrigação de sustentar-lhe a cachaça e a filha, esse alguém era eu.

— Não tem onde cair morto... — replicou Pedro Torresmo, dando um perfeito balanço em minha situação financeira.

Não se impressionou o meritíssimo com o argumento, fechou a porta na cara do pai indignado. O bêbedo foi dali direto para a casa de Dondoca e, atingido em sua honra e na cachaça, aplicou-lhe uma surra dessas de criar bicho, quebrando o cabo da vassoura nova nas costas da inocente. Um prejuízo a mais em momento já tão melindroso.

Quando apareci à tarde, após constatar de longe a presença do juiz em seu gabinete de trabalho, tentando curar a dor-de-cotovelo no estudo das penalidades para os casos de sedução, estava Dondoca arriada, as costas e braços roxos das pancadas. Fiquei comovido às lágrimas, cuidei daquele adorado corpo, cobrindo-o de beijos e carícias, busquei-lhe consolação. Mas o problema continuava de pé, como pagar as contas? O fim do mês se aproximava, o aluguel da casa, a feira semanal e os luxos.

No momento, as coisas parecem marchar para uma solução. Com o passar dos dias, a mãe aflita de Dondoca obteve uma audiência do juiz. Contou-lhe do arrependimento da filha, vítima das blandiciosas falas de um tipo metido a poeta, a lhe mandar versos, a visitar-lhe a casa levado pela mão do próprio magistrado:

— Foi vosmicê mesmo que meteu ele em casa...

O que não era verdade, mas disso o meritíssimo não sabia. Dondoca, solitária em suas noites, fora vítima e não culpada. Quase à força eu a havia tomado, mas ela só pensava em seu adorado Alberto, o ingrato "Bebeto", como vivia a repetir. O doutor precisava ver o sofrimento da pobre, a chorar o dia inteiro, a lastimar seu destino, a recusar a comida, emagrecendo, e tudo isso porque já não via o doutor... Ele devia visitá-la nem que fosse para praticar um ato de caridade, impedir que a desgraçada fizesse uma loucura, pois não falava noutra coisa. Ela, a mãe, até estava dormindo lá, com medo do pior: a filha jogando querosene na roupa, botando fogo no corpo, morrendo envolta em labaredas.

Comoveu-se o ilustre luminar e preocupou-se também. Se a idiota fizesse uma burrada, tentasse o suicídio, não seria possível evitar o escândalo, as murmurações, a polícia, a coisa acabaria nos ouvidos de dona Ernestina e nem queria pensar na reação de Zepelim... "Só por caridade", disse, e voltou ao beco das Três Borboletas.

As pazes foram feitas, sim, mas com o meu sacrifício. Foi-me possibilitada uma última entrevista com Dondoca mas não a sós: na cozinha se encontrava Pedro Torresmo, armado com o resto da vassoura, para garantir a moral e a propriedade privada do juiz. Dondoca, as lágrimas rolando-lhe pelas faces, contou-me ter-lhe Bebeto perdoado por aquela vez, mas com a condição de que ela não voltasse a me falar, jamais! Que podia ela fazer, a pobre coitada? O pior era a decisão assentada pela qual a mãe e o pai passariam a viver com ela, morando no quarto dos fundos, cães de fila da integridade moral da rapariga, de sua completa fidelidade ao magistrado.

— Mas deixa passar uns dias e a gente dá um jeito, benzinho.

"Deixa passar uns dias", é fácil de dizer. Pedro Torresmo, quando me encontra na rua, olha-me atravessado e ameaçador. A mãe anunciou aos vizinhos sua decisão de correr-me a vassouradas se eu puser os pés no beco das Três Borboletas. Como voltar a vê-la?

Aqui estou sem mulher, as noites longas de passar, nunca tanto desejei e quis a alguém como a essa doirada mulata de lábios gulosos. Meu tempo nunca foi tão livre, disponho até das horas dedicadas à prosa com o juiz, pois o meritíssimo reduziu a simples aceno de cabeça as relações com esse seu incondicional admirador. No entanto, o trabalho marcha lento e difícil, saem trôpegas as frases, embrulham-se os acontecimentos em minha cabeça, não consigo fixar-me no comandante e em sua madura bem-amada, a solteirona Clotilde. Madura, bem madura, há uma veranista na praia cujos olhos me perseguem. Viúva, veio pela primeira vez passar aqui os meses de verão com umas sobrinhas. Não pode me ver sem ficar inquieta, puxa conversa, dá-me entrada, só falta me agarrar. Mas quem teve em seus braços os pequenos seios rijos de Dondoca, suas modeladas ancas, quem tocou seu ventre de fagulha, como poderia sentir, sequer por explicável curiosidade, o menor desejo por essa ruína a reclamar urgente meia-sola, operação de cirurgia plástica?

Como pesquisar a verdade sobre o comandante e suas aventuras, se, neste momento, o que desejo descobrir, tirar a limpo, pôr completamente a claro, é como veio o meritíssimo a saber de minhas noturnas visitas ao beco das Três Borboletas? Desconfio ter sido carta anônima. Um desses mexeriqueiros suburbanos, um Telêmaco Dórea, um Otoniel Mendonça, invejoso de meus sucessos nas letras históricas e de meu lugar no leito de Dondoca. A raça de Chico Pacheco não se extinguiu em Periperi. Ah!, mas se eu descobrir a verdade, não convidarei o canalha para um duelo como fez o comandante. Parto-lhe a cara na primeira esquina.

DA CIENTÍFICA TEORIA DAS BAQUEANAS

— LÁ VAI O COMANDANTE COMBOIANDO a sua baqueana... — disse o advogado paraense dr. Firmino Morais, com fumaças de literato, e vasto prestígio social. Regressava de viagem ao Rio, onde defendera, ante o Supremo Tribunal Federal, recurso de uma firma exportadora de borracha. Rendera-lhe o passeio mais de cem contos de réis.

Era grande a roda no salão, centralizada pelo senador, por um padre, o reverendo Clímaco, e por uma senhora idosa, de brancos cabelos anelados, amável porte, cuja beleza devera ter sido estonteante e que sabia envelhecer com dignidade e classe. Os netos, de quando em vez, vinham encostar-se em seus joelhos, receber uma carícia, uma palavra, um beijo. Os recém-casados estavam no grupo, além dos dois estudantes de Fortaleza, e da mameluca, sentada ao lado da simpática velha que, por vezes, sorria para a moça admirando-lhe a agreste beleza. Ainda outras senhoras e outros homens ali reunidos, nas cadeiras estofadas, contentes de privar com personalidades ilustres como o senador, o grande advogado, o reverendo e aquela anciã, cuja família, filhos e genros, era conhecida no país inteiro. Olhavam o comandante passar ao lado de Clotilde, no tombadilho.

— Balzaquiana, quer o senhor dizer... — corrigiu um estudante com a natural suficiência da idade.

— A mulher de Balzac... — completou o senador com seus laivos de literatura (clássica, bem entendido).

— Não. Quero dizer baqueana mesmo. Uma coisa são as balzaquianas, outra, muito diferente, são as baqueanas. Clotilde Maria da Assunção Fogueira é uma baqueana...

— Nome comprido, de nobre... — disse a recém-casada.

— O pai era representante comercial, enriqueceu. O irmão ampliou a firma, está muito bem.

A senhora de cabelos brancos levantou a mão onde um anel soberbo era valorizado pela elegância de seus dedos; fez um gesto para o advogado, seu largo rosto cearense aberto num sorriso:

— Diga-me, doutor Morais — qual a diferença entre as balzaquianas e as baqueanas?

— E a senhora não conhece, por acaso, dona Domingas, a teoria das baqueanas? Uma teoria famosa, baseada em estudos de psicólogos e psiquiatras, existe toda uma biblioteca sobre o assunto. Creio que Freud até lhe dedicou um livro... — sorria o advogado, contente de brilhar.

— Baqueanas? — interrompeu o reverendo padre Clímaco, fechando o breviário — De Bach? — Em sua distante freguesia, no interior do Amazonas, a vitrola e os discos eram o consolo e a vida, e Bach a sua paixão terrena.

O navio singrava águas verdes e tranqüilas, ao longo da linha alva das praias. Temerárias jangadas entravam mar adentro, passageiros na amurada observavam as velas minúsculas na distância. O comandante parara, apontava com o dedo uma jangada, entregava a luneta a Clotilde.

— Não, meu santo padre. Baqueana não vem de Bach. E grande é a diferença, dona Domingas, entre elas e as balzaquianas. Pequenos detalhes estabelecem grandes diferenças — o advogado tinha fama, em Belém, de amar os paradoxos. Publicara, tempos atrás, um pequeno volume de *Pensamentos e máximas*, muito louvado pela imprensa local, pela "originalidade dos conceitos e o castiço do estilo a recordar Herculano, Garret e Camilo", segundo um crítico da terra. Seu anel de grau, o rubi cercado de brilhantes, lançava fulgurações sobre a negra capa do breviário.

— Venha então essa teoria, doutor. Não se faça difícil — exigiu dona Domingas, acomodando-se na cadeira para melhor gozar as *boutades* do advogado, a quem conhecia de viagem anterior.

— A teoria, altamente científica como eu disse, refere-se às mulheres já de certa idade.

— De minha idade...

— Sua beleza não tem idade, minha senhora. Quanta moça não quisera ter a graça dessa avó... Bem: a balzaquiana era, segundo Balzac, a mulher aos trinta anos. Hoje, com o progresso e a arte da maquilagem, aos trinta anos a mulher é ainda uma jovenzinha. Reparem, por exemplo, na esposa do doutor Hélio, aquele médico de Natal. Tem trinta e cinco anos, o marido me disse. Parece, no entanto, uma adolescente.

— É uma bonita senhora — apoiou o senador. — E distinta...

— Mal empregada, o marido é um caco velho... — comentou um dos estudantes.

O reverendo o interrompeu:

— Olhe a caridade cristã, meu filho...

— E lembre-se daquele mandamento: "Não cobiçarás a mulher alheia" — completou o advogado.

— Senhora honestíssima! — o senador fitava reprovativo o estudante encabulado. — O marido está muito doente. Os médicos no Rio não lhe deram esperanças. E ele próprio, sendo médico, não tem ilusões.

— Deixemos a pobre senhora em paz, tão digna de pena. Vamos à teoria, doutor Morais, o senhor me mata de curiosidade — interveio dona Domingas.

— Pois bem: hoje diz-se balzaquiana para uma senhora de seus quarenta anos, não é, dona Domingas? Quando está em pleno... — parecia procurar a palavra exata, ajudando-se com a mão levantada — ...em plena exigência. A idade do vulcão...

— Gozado... — disse o estudante, evidentemente pouco oportuno.

— Aos quarenta? — O senador considerava a questão com o mesmo grave ar de entendedor com que votava de cabresto todos os projetos governamentais.

— Ora, as balzaquianas têm duas formas, dois meios, duas maneiras de sair de sua condição quando o tempo é chegado. A primeira é a maneira "vovó", essa que a senhora usa como ninguém, dona Domingas. Dando à sua beleza a dignidade devida aos cabelos brancos...

— É um triste galanteio...

— As outras, a grande maioria aliás, passam do estado de balzaquiana para o estado de baqueana. E assim chegamos à definição clássica, estabelecida por um sábio vienense, das baqueanas. A baqueana, dona Domingas, é a balzaquiana quando baqueia, a balzaquiana baqueada. Ou seja, quando avançada na casa dos quarenta, aproximando-se dos cinqüenta, já o continente não corresponde ao conteúdo...

— Que história é essa? — quis saber a mameluca, muito parada e silenciosa em sua cadeira, os olhos no advogado.

— Quando o exterior já não corresponde às necessidades interiores... Quando as rugas começam a virar pelanca. O pior é que a maioria das baqueanas não se dá conta de seu estado, agem como mocinhas ou como balzaquianas. Por exemplo, a menina Clotilde... Conheço muito a sua família, sou amigo de seu irmão.

— Mas o senhor é injusto com ela — comentou dona Domingas. Não está ainda nesse estado. Balzaquiana, sim, mas não baqueana. O senhor, tão entendido no assunto, cometeu um erro.

— Erro, e grave, quem cometeu foi a senhora, minha cara amiga. Mal está se informando dos rudimentos de uma ciência e já tenta dar quinau no professor... É que ainda não desenvolvi completamente toda a teoria das baqueanas. Nenhuma solteirona, dona Domingas, em nenhum momento, pertence à classe das balzaquianas. Passa diretamente de mocinha para baqueana.

Do tombadilho chegavam vozes de passageiros discutindo pontos no jogo do golfe de bordo. A recém-casada, para melhor escutar, descansou a cabeça no ombro do marido.

— Como é isso? — perguntou um dos estudantes. — Tenho visto muita balzaquiana solteira bem aproveitável... Na pensão do Catete onde mora um amigo meu, tem uma — que peixão!

— Note a diferença, que é evidente, dona Domingas: as balzaquianas, casadas e por vezes com amante...

— Te esconjuro! — disse o reverendo.

— ...são alegres, satisfeitas da vida. Só começam realmente a sofrer a grande inquietação quando os homens já não lhes deitam olhares cobiçosos.

— Deve ser triste... — falou em voz baixa a mameluca.

— É quando mudam de classe, descem ao círculo infernal das baqueanas...

— Essa sua teoria não é muito cristã, doutor — riu o padre.

— Científica, reverendo.

— A mulher honesta guarda a eterna beleza da alma... — declamou o senador.

— Deixem doutor Morais continuar... — dona Domingas impunha silêncio à roda, aquele senador era um imbecil.

— Isso é verdade, meu caro senador. Mas, quando a gente olha para uma mulher, não lhe vê a alma, espia-lhe as pernas... Mas, prossigo na teoria das baqueanas: as solteironas, desde o momento em que atravessam a fronteira dos vinte e oito anos e perdem as esperanças de casamento, formam imediatamente na fila das baqueanas. É quando, padre, começam a freqüentar as igrejas, a cuidar dos altares, a se confessar todos os dias. O senhor conhece o assunto melhor do que eu. São amargas e ranhetas, implicantes, más-línguas. Pertencem à categoria das Grandes Baqueanas.

— Que é isso de categorias?

— Há categorias e subcategorias. Os sábios que têm estudado o assunto dividiram as baqueanas em duas categorias fundamentais: as Grandes Baqueanas, solteironas, ácidas, inimigas, em geral, da humanidade. E as Sensitivas Baqueanas, categoria formada pelas baqueanas casadas ou viúvas. O sofrimento para as Sensitivas Baqueanas provém do conhecimento...

— Conhecimento de quê? — desejou saber a mameluca.

— Conhecimento de causa, senhorita Moema. O sofrimento das Sensitivas, dona Domingas, provém do conhecimento e se traduz em saudade.

— É uma indireta? Posso lhe dizer que não me atinge.

— Pelo amor de Deus. A senhora é de outra classe, a classe das avós formosas e realizadas — e beijou-lhe a mão ainda bela. — Para as Grandes Baqueanas, as solteironas, o sofrimento provém do desconhecimento e se traduz em vontade de provar.

— Deve ser horrível... — murmurou a mameluca, tomando, como a proteger-se da hipótese assustadora, as mãos de dona Domingas.

— Provar o quê? — o estudante não acertava uma.

— Vade-retro... — disse o reverendo.

— Provar o gosto do pecado...

— As Sensitivas Baqueanas são, em geral, compreensivas para com os erros alheios, as cabeçadas, a boemia. Gostam de proteger namoros, arrumar noivados, casamentos. Apenas não devem merecer demasiada confiança, pois, se tiverem ocasião... As Grandes Baqueanas odeiam as mulheres bonitas, os namorados, as recém-casadas como a senhora, dona Maria Amélia. Uma senhora grávida é, para elas, uma imoralidade.

— Que horror... — sorriu a recém-casada, aconchegando-se ao esposo, apertando-lhe a mão.

— Clotilde é uma Grande Baqueana. Mas, outra característica das baqueanas, sobretudo na categoria das solteironas, é conservar a esperança. E, em algumas raras vezes, acontece uma Grande Baqueana passar para a categoria de Sensitiva Baqueana, casando-se. É o que está tentando fazer Clotilde, apelidada, por suas alunas de piano, de Tildinha Chilique.

— O comandante é solteirão, segundo me disse — considerou o reverendo. — Seria o encontro de duas almas solitárias, a se darem o braço no outono da vida...

— O senhor é um poeta, reverendo. Nunca escreveu versos?

— Pobres composições em louvor da Virgem e de Seu Filho...

— Viu como adivinhei? Pois Clotilde Maria da Assunção Fogueira é um caso típico de Grande Baqueana de Coração Ferido. Trata-se de uma subcategoria, dona Domingas. Subcategoria das mais interessantes. É composta pelas Grandes Baqueanas que estiveram para casar-se, foram noivas, estavam prestes a romper o estado pecaminoso de solteira...

— Que heresia, meu Deus! — o reverendo levantou as mãos.

Riu contente a mameluca, sorria dona Domingas, o senador fez um gesto parlamentar, tanto podia ser de aprovação como de desaprovação.

— ...e um dia o noivo some, acaba o noivado. Assim aconteceu com Clotilde. Foi assunto muito comentado em Belém. Eu tinha então meus vinte anos, ela deve ser uns dois mais velha que eu. Estou com quarenta e três feitos.

— Não parece... — não pôde deixar de exclamar a mameluca.

— Que aconteceu?

— Conte-nos o caso, doutor.

— A família Fogueira era constituída pelo pai e três filhos, um rapaz e duas moças. Clotilde era a mais velha dos três. O rapaz está rico, começou a trabalhar com o pai e, depois que este faleceu, ampliou muito seus negócios. A irmã mais moça casou-se com um engenheiro, vive no Rio. Clotilde, prendada e instruída, foi muito requestada pelos rapazes. Aprendera piano com uma polonesa, esposa de um inglês exportador de borracha. Tinha gosto para a música, os pais encantados com a filha a tirar melodias ao piano. Se ela quisesse podia ter casado naquela época e até bem. Não era feia e sobravam-lhe prendas.

— E por que não casou?

— Escolheu demais. Seu defeito era o pernosticismo, queria um príncipe encantado. Quando se deu conta, sua irmã mais moça já tinha casado e esperava o primeiro filho. Nessa ocasião apareceu em Belém, vindo de São Luís, um médico, tirado a elegante. Montou consultório, ficou esperando clientela, e enquanto esperava arrastou a asa a Clotilde. Conquistou-a com a música, era entendido. Também ela já não estava tão exigente...

— Hoje ainda menos... O comandante é um velhote...

— Não está tão ruim assim. Homem de boa presença...

— Andava então pelos vinte e um, vinte e dois anos, e, naquele tempo, quando as mulheres casavam aos quinze e dezesseis, já era "moça velha". Noivaram com um mês ou dois de namoro. Para namoro curto, noivado longo. Ele podia entender de música mas em medicina era nulo. Tinha uma clientela somítica, não ganhava para viver. Almoçava e jantava em casa da noiva, morava num quarto de pensão. O noivado se arrastou por uns quatro ou cinco anos.

— Noivado demorado não dá certo nunca...

— Um dia, finalmente, amigos do médico, políticos do Maranhão, arranjaram-lhe um emprego no Rio, médico da prefeitura, uma coisa assim.

— Ele foi embora e não voltou...

— Calma, senador. Deixe-me contar a história. O casamento foi marcado às pressas, ele devia ir tomar posse do emprego já com a esposa. Casamento pomposo, família conhecida. Deviam os noivos partir para o Rio uns dias depois da festa. Prestem atenção agora num detalhe importante: no mesmo dia do casamento saía de Belém um desses itas para o sul.

Voltavam a enxergar, através da janela, Vasco e Clotilde em seu lento passear, o comandante com seu cachimbo, ela com seu cãozinho, ele certamente a relatar-lhe excitante história, pois a baqueana escutava atenta. Esperaram vê-los desaparecer para os lados da proa.

— O casamento devia ser realizado em casa da noiva, tanto o civil como o religioso, era moda naquela época, gente importante só casava em casa. Festança grossa, comida e bebida em quantidade. O médico havia almoçado em casa dos futuros sogros, fora trocar de roupa, enviar as malas para o hotel onde passariam a noite de núpcias. O ato civil estava marcado para as cinco horas, em seguida seria o religioso. Às quatro e meia, chegou o padre, velho amigo da família. Daí a dez minutos, o juiz com o escrivão.

— E o noivo?

— Tenha calma. O noivo estava atrasado, pois às cinco e dez, quando, em seu elegante vestido de casamento, a noiva chegou à sala, ele ainda não aparecera. Os convidados cercavam Clotilde, elogiando-lhe o véu e a grinalda. O atraso do noivo atingiu o limite tolerável da meia hora. Mandaram um portador à pensão onde ele morava, a proprietária informou ter o doutor partido com as malas, dizendo que ia casar-se. O portador voltou às seis menos dez. Às seis, o juiz ameaçou retirar-se, os convidados, incômodos e inconformados, levantavam hipóteses. Às seis e dez...

— Chego a estar nervosa...

— ...o irmão da noiva saiu para ir à polícia e à Assistência Pública. Voltou quase às sete, sem notícias, mas, às seis e meia, o juiz havia ido embora, protestando. Quando ele se retirou, levando o escrivão, Clotilde teve o primeiro chilique, anunciador da Grande Baqueana. A partir das sete começou a debandada dos convidados. Iam curiosos e desolados, a comida e a bebida não chegaram a ser servidas. Às oito e meia, o padre, tendo buscado consolar inutilmente a noiva e a família, desertou. Às nove, o irmão da noiva que, às oito, novamente saíra a investigar, voltou com a notícia incrível: o miserável tinha partido para o Rio no ita, comprara a passagem a bordo, onde chegara quando já iam retirando a escada, às cinco em ponto.

— Que coisa...

— Foi assim que Clotilde Maria da Assunção Fogueira transformou-se em Tilde Chilique, ingressando diretamente na subcategoria das Grandes Baqueanas de Coração Ferido...

— Nunca mais teve outro noivo?

— Nunca mais, senhorita Moema. Primeiro porque, ferida em seu orgulho, levou muito tempo sem freqüentar festas e passeios. Trancada em casa, a tocar seu piano. Depois, quando quis, não encontrou mais quem a quisesse... Vive com o irmão, passa tempos no Rio com a irmã, dá aulas de piano, cuida de seu pequinês — as Grandes Baqueanas sempre têm um cão ou um gato —, amarra seus chiliques, mas, como podem comprovar, ainda conserva esperanças. É uma baqueana típica.

— História triste... — disse dona Domingas. — Tenho pena dela.

— Esse médico não era lá um caráter cristalino, que se diga — comentou o reverendo.

— Se fosse em Natal, não ficaria assim. Pelo menos uma surra ele levava — sentenciou o senador.

— E o noivo, que lhe aconteceu? — sorria, curiosa, a mameluca.

— Casou com a filha de um sujeito rico e importante, do Rio. Continuou na prefeitura, mas entrou na alta roda, com o dinheiro do sogro e a beleza da esposa. É visto todas as tardes na porta do Jockey Club, possui cavalos de corrida... Sua esposa é hoje uma Sensitiva Baqueana. Das mais sensitivas, pois tem passado considerável. Segundo me contaram, entre as éguas da coudelaria do marido, é a mais famosa...

— Oh! — exclamou o reverendo, enquanto dona Domingas ria a bom rir.

— "Às éguas de faraó eu te comparo, ó minha amiga..." — declamou o advogado... — É da Bíblia, padre...

Padre Clímaco abria novamente o breviário:

— Pois eu lhe digo, doutor, que os caminhos de Deus são, por vezes, surpreendentes. Talvez Deus a tenha reservado para o comandante.

— Só que a entrega um pouco tarde, padre. Fruta madura demais... — parou um instante de falar, balançando a cabeça: — Não, nada disso. Fruta madura demais é imagem a aplicar-se às Sensitivas Baqueanas. As Grandes Baqueanas são frutos pecos, que não chegaram a medrar.

— Frutos pecos, que coisa mais triste... — disse a mameluca.

Dissolveu-se o grupo, era hora de se prepararem para o jantar. Novamente passavam o comandante e Clotilde e riam os dois, indiferentes aos olhares curiosos, às luzes do crepúsculo começando a acender-se sobre o mar. Únicos a continuarem sentados, o senador e o advogado acompanhavam com miradas cobiçosas os requebros do andar da mameluca. Aquela, pensava o advogado, era o perigo solto, a desafiar os homens. Por ela podia-se fazer qualquer loucura, largar a família, esposa e filhos, a profissão, a respeitabilidade, o dever. O senador não pensava nada. Seus olhos se escureciam num soturno desejo.

ONDE SÃO NARRADOS PEQUENOS ACONTECIMENTOS APARENTEMENTE SEM IMPORTÂNCIA MAS QUE CONCORRERAM, TODOS ELES, PARA OS DRAMÁTICOS SUCESSOS FINAIS

O COMISSÁRIO COÇOU A cabeça, um tanto irritado:

— Nem sei se em Natal tem afinador de piano... Não sei mesmo se tem piano...

Geir Matos riu:

— Você está ofendendo toda a população de um estado, desprezando a cultura de uma capital. Se o senador lhe ouvisse...

— Mas você já viu uma coisa dessas, Geir? Afinar o piano... O pianista nunca achou necessário. Há três anos que está conosco, tocando todo dia no desgraçado do piano, e sempre achou ótimo. Agora aparece esse comandante de secos e molhados a exigir um afinador. Danado porque em Recife não providenciei... Pregou-me um sermão.

— E por que você não fez vir um afinador em Recife? Ordens do comandante são ordens... Procura em Natal.

— Mesmo de um comandante de opereta, a rebocar uma velhota pelo convés, num namoro ridículo? Pois se o pianista diz que não precisa...

— Olhe, meu velho: o comandante pode ser tudo que você

quiser, foi o comandante que nos coube, era o único disponível na Bahia. Agora, uma coisa é certa: a velhota, que, aliás, é professora de piano e entende do riscado, eu, o padreco que vai aí, o foguista, qualquer marujo da tripulação, sabe mais de piano do que esse seu pianista. Eu penso que esse cara nunca tinha tocado nem disco em vitrola quando veio para o navio. Quando ele começa é um verdadeiro pesadelo, meu velho. Aliás, médico e pianista de bordo... Veja o nosso doutor: se não fosse o enfermeiro, ele seria incapaz de receitar até uma lavagem.

— É, você tem razão. Com esse comandante, acabou-se de esculhambar a merda deste navio. Assim, nem o Lloyd...

— Mas que o comandante é digno como o diabo, lá isso você não pode negar... De comenda no peito, não larga a luneta... Você é um mal-humorado, meu velho. Faça como eu: divirta-se. Estou me divertindo à beça e pretendo me divertir muito mais... — riu a gozar por antecipação.

— O que é que você está tramando?

— Vá tratar de sua vida, deixe o resto comigo. E arranje o afinador, o melhor de Natal.

Resultava aquele diálogo, na ponte de comando, da severa admoestação do comandante ao comissário, a propósito do piano. Pois não lhe ordenara, quando atracava o barco em Recife, fazer vir um afinador capaz de pôr o piano de bordo em condições? Descera para terra confiante, esperando que suas ordens fossem cumpridas. E, no entanto, a srta. Clotilde, uma pianista de mão-cheia, professora diplomada, batuta em Chopin e em árias de óperas, em peças difíceis, dissera-lhe estar o piano no mesmo, uma lata velha. Para batucar uns sambas, musiquinhas tolas de dança, vá lá. Os jovens não estavam ligando para a desafinação, queriam apenas deslizar no salão, arrastar os pés, agarrados. Mas, e os verdadeiros pianistas, como dona Clotilde? Não têm direitos, não lhes garante a Costeira o uso do piano?

— Essa velhota encruada, comandante, está muito exigente. Pois se na viagem passada embarcou um pianista de São Paulo e o homem até deu um concerto a bordo. E não se queixou do piano...

O comandante explodiu, indignado:

— Faça-me o favor, senhor comissário, de tratar os passageiros com respeito. Não use expressões grosseiras. Quanto a esse tal pianista de São Paulo, devia ser um mordedor qualquer... E em Natal procure um afinador. Sem falta.

Velhota encruada... Falta de respeito, grosseirão... Menina não era, com certeza, mas tampouco era velha, confessara-lhe trinta e sete anos, alguns menos do que lhe dava o comandante. Calculara por volta dos quarenta e cinco, uma diferença de quinze anos entre os dois, pois ele já festejara os sessenta, não era tão grande diferença assim. Quando ela, numa conversa, falou de passagem em suas trinta e sete primaveras, ele foi obrigado a rejuvenescer-se, baixando à casa dos cinqüenta e cinco. Mas eram detalhes sem importância, cinco ou sete anos a mais ou a menos, nada significavam. Importante, pensava, era o encontro de duas solidões, de duas ânsias de compreensão e carinho, de duas almas gêmeas dispostas a darem-se as mãos e marcharem juntas, cicatrizadas as feridas do passado, numa permanente festa de amor. O comandante estava apaixonado e sua condição de namorado tornava-o forte e disposto, não ia admitir relaxamento na execução de suas ordens.

A viagem transcorrida sem incidentes, a não ser uma violenta discussão sobre política, na véspera da chegada a Natal, envolvendo passageiros e oficiais de bordo. Iniciara-se durante o jantar, na mesa presidida pelo segundo-piloto. Adeptos da Aliança Liberal de um lado, governistas do outro, a exaltarem as qualidades e vantagens de Getúlio Vargas e Júlio Prestes, suas possibilidades nas eleições e nas armas. O segundo-piloto revelava-se um getulista de quatro costados, era gaúcho, jurava por Flores da Cunha, falava em tropas rio-grandenses-do-sul entrando no Rio de Janeiro a cavalo, espada na mão — pois a espada é a arma clássica do homem dos pampas —, a decepar cabeças desses políticos ladravazes e podres.

À mesa do comandante, onde Clotilde ocupara o lugar vago com o desembarque do deputado Othon em Recife, chegavam os ecos do debate. O senador movia-se inquieto como se as espadas gaúchas, comandadas pelo general João Francisco, como anunciava o segundo-piloto, já lhe ameaçassem o pescoço. A discussão começou a estender-se às outras mesas. Dona Domingas, mãe de ministro e de deputado federal, replicou da mesa do comandante, opondo às lanças e espadas da cavalaria do Rio Grande do Sul, os clavinotes e as repetições da jagunçada nordestina:

— Com dois ou três bandos de cangaceiros a gente termina com essa farofa toda. Para seu general João Francisco basta Lampião... Não precisa nem oficial do Exército, com farda e galão. Aliás, esses alemães e italianos do sul, essa gringalhada, está mesmo precisando de uma lição... — sua voz clara e enérgica dominava e reduzia a silêncio os contendores, acostumada a ordenar. Mesmo o filho ministro curvava-se à sua vontade, quando ela, saindo de sua calma habitual, elevava o tom da voz e decidia.

— Somos tão brasileiros como os melhores... — replicou o segundo-piloto.

Os estudantes, em geral, eram pela Aliança, repetiam tropos de discursos dos oradores getulistas, falavam em renovação do país, mudança de mentalidade, em necessárias reformas.

O senador, pouco desejoso de envolver-se na polêmica, sorria superior e pálido. Curvou-se para o comandante que se conservava neutro, preocupado em servir Clotilde, e perguntou-lhe em voz baixa:

— Desde quando a Costeira, empresa subvencionada pelo governo, emprega agitadores?...

— Não sei, senador. Como já tive a honra de lhe informar, não pertenço aos quadros da Costeira. Estou apenas a lhes fazer um favor, levando o navio até Belém...

— É verdade, tinha me esquecido... De qualquer maneira, não me parece bem um oficial de bordo ficar na mesa a fazer comício, incitando os passageiros, ameaçando a ordem pública. Afinal sou senador da República, pertenço ao governo, e aquele jovem está pregando a revolução, o fechamento do Senado e da Câmara, o assassinato das autoridades...

— O senhor não deixa de ter razão, senador...

A discussão prosseguiu após o jantar no salão onde os jovens pretendiam dançar, despedindo-se daqueles que ficariam em Natal na manhã seguinte. Em cadeiras, num canto, um grupo clamava contra o presidente da República, a situação do país, o custo da vida, as eleições sempre fraudadas, a necessidade de uma renovação. Indignado, o senador retirara-se.

O segundo-piloto era o mais exaltado de todos. "Aqueles sem-vergonhas iriam ver. Roubassem nas próximas eleições, impedissem a bico de pena a vitória do candidato da Aliança Liberal, e os resultados não tardariam. O povo não estava mais disposto a aturar a tirania, a sustentar vagabundos no Parlamento. Os clarins de guerra soariam no Rio Grande conclamando os brasileiros. Lanças e espadas..."

Um camareiro interrompeu sua brilhante peroração:

— O comandante está chamando o senhor aí fora...

— Vou já...

Atravessou rapidamente Santa Catarina e Paraná, Isidoro e Miguel Costa já haviam levantado São Paulo, e entrou o segundo-piloto, ao lado de Flores da Cunha e João Francisco, no Rio de Janeiro. Foi atender de má vontade ao chamado do comandante, "que diabo quer esse bestalhão?". Logo agora, quando a mameluca não tirava os olhos dele...

— Meu jovem amigo, não tenho nada contra suas idéias... Cada um pensa como quer. Eu, lhe confesso, não me meto em política. Já me meti, aqui e até no estrangeiro. Aqui, quando governava a Bahia o saudoso José Marcelino, de quem tive a honra de ser amigo. Em Portugal, por ocasião do assassinato do rei dom Carlos, quando, revoltado com o crime, me coloquei à disposição da realeza. Mas, depois disso, nunca mais quis saber da política. O senhor tem suas razões, não sou eu quem vá negá-las...

— Esse governo está levando o país ao abismo...

— Não discuto... Pode ser... Não me leve a mal, porém, se lhe digo que não me parece bem um oficial de bordo a exaltar os ânimos dos passageiros. Não estou lhe repreendendo, longe de mim tal idéia. Mas, veja: o senador veio fazer uma reclamação. Queria até dirigir um ofício à Companhia... Creio que o meu jovem amigo devia evitar essas conversas.

— Esse senador é dos piores. Conheço uns casos dele, escandalosos. O do porto de Natal bastaria para botá-lo na cadeia a vida toda. E a rapariga que ele empregou no Senado? Até o Mário Rodrigues fez um artigo sobre o caso, há uns dois anos. O senhor não leu?

— É um passageiro, está no navio, é só o que nos importa. Peço-lhe que não volte a participar dessas conversas.

— Sou um cidadão brasileiro, exerço meus direitos... Converso o que quiser e onde quiser.

Vasco Moscoso de Aragão olhou o mar em sua frente, plantou-se no convés de seu navio:

— E eu sou o comandante. Estou lhe dando uma ordem. Boa noite.

Largou ali o estupefato segundo-piloto, "o homenzinho tem topete", sem saber o que fazer. Primeiro pensou em voltar ao salão, mas a irritação do senador, a ameaça de uma carta à Companhia, fê-lo refletir. Dirigiu-se à ponte de comando, foi desabafar.

Vasco entrou no salão, onde Clotilde o buscava apreensiva. Aproximou-se, disse-lhe:

— Espera-me um momento, volto já...

Não vira o senador, dirigiu-se à sala de jogo. O parlamentar, sorumbático, lia uma revista.

— Senador, venha fazer-nos companhia no salão. Sua ausência está sendo notada.

— Não estou disposto a ouvir insultos e ameaças. Sou um senador da República.

— Pode vir tranqüilo. Já tomei as providências necessárias.

— Ainda bem. Porque o senhor não me conhece, sou estourado. Se continuasse a ouvir as barbaridades daquele rapaz, era muito homem de perder a cabeça e meter-lhe a mão na cara...

— Não pense mais nisso. Em navio sob meu comando, a tripulação é disciplinada. Na Índia tratavam-me de Mão de Ferro...

Dançou, até a meia-noite, com Clotilde. Contou-lhe o incidente com minúcias, depois — uma coisa puxa a outra — sua participação nas lutas dos monarquistas e republicanos em Portugal, levado por nobres sentimentos de gratidão ao rei d. Carlos I. Navegou de Portugal para as Índias, onde os marujos o haviam apelidado de Mão de Ferro e Coração de Ouro, pois, brando como a brisa, amigo de seus tripulantes, podia ser, se desobedecido, violento como o furacão, implacável mão de ferro.

DE NOIVADO E JURAS DE AMOR ETERNO OU DE COMO O COMANDANTE LANÇOU ÂNCORA, AO LUAR, NO CORAÇÃO DA GRANDE BAQUEANA

A PRIMEIRA PALAVRA SOBRE NOIVADO e casamento foi pronunciada em Natal, a medo, pelo comandante. Iam os dois, ele e Clotilde, pela praia de Areia Preta, e era tanta a beleza do cenário e a graça da cidade que não podiam deixar de senti-las e comentá-las com adjetivos e exclamações. Demorava-se o ita pouco tempo no porto, rumaria cedo para Fortaleza. Desejavam tudo ver numa pressa juvenil, a grande baqueana a soltar gritinhos ante as curvas da praia, o casario branco, a Fortaleza dos Três Reis Magos, o rio de prata sob o sol.

— O senhor viu tanta coisa, tanto lugar bonito no mundo que já deve estar até cansado, nem liga mais, não é? — falou Clotilde quando pararam a admirar a paisagem de coqueiros e areia.

— Vi muita coisa, sim, o mundo todo. Mas pouco se enxerga quando estamos sozinhos. Nem dá gosto ver...

— Ah! — suspirou a grande baqueana. — É verdade... Nem dá gosto.

— Pobre de quem é sozinho.

— Ah!

— Me diga uma coisa: não pensa, se um dia...

— O quê?

— Se encontrasse um homem experiente da vida e sozinho... Um coração amante... Não aceitaria ligar sua vida à dele, ter uma casa sua, ser feliz?

— Tenho medo. Penso que nunca serei feliz...

Baixava a cabeça, perdia-se em suas recordações. O comandante buscava as palavras, era difícil. Nunca propusera casamento a mulher nenhuma, sua única experiência no assunto fora a valsa dançada com Madalena Pontes Mendes, nem chegara a falar. Como fazê-lo agora?

— Eu, se encontrasse moça a meu gosto, capaz de entender um velho...

— O senhor, um velho? Não diga isso...

— Pois era capaz de...

— Comandante! Comandante!

Vinha o senador, com dois outros, em direção a eles.

— Antipático! — comentou Clotilde.

— Hein?

— Esse senador... Não já desembarcou, o que é que ainda quer?

O senador desejava apenas ser amável com o comandante, cuja autoridade e conhecimentos náuticos o haviam impressionado. Apresentou os amigos, um deputado estadual e um coronel do interior, dois prestigiosos chefes políticos da terra, seus correligionários.

— Este aqui é o comandante Vasco Moscoso de Aragão, homem de muitas viagens e aventuras. Andou por esse mundo afora... Um herói.

Os dois políticos concordavam, sorriam, admiravam o herói apresentado por Sua Excelência, o senador.

— Venham comigo, quero que vejam uma coisa notável de Natal. Uma coisa que só existe aqui, única no Brasil, obra extra-ordinária. O senhor precisa conhecer, comandante. Garanto que, em todas as suas andanças, nunca viu nada igual.

Arrastou-os a visitar uma escola doméstica, instituição bem instalada, cujo objetivo era preparar as moças ricas do estado para o casamento, ornamentando-as com todas as prendas necessárias. Foram de má vontade, o comandante amaldiçoando a simpatia do senador, a interromper a conversa com Clotilde logo que ele começara a entrar no assunto, a encontrar as palavras decisivas. Clotilde, os olhos muito românticos, um ar absorto e ausente, seguia como a vogar nas nuvens.

Voltaram às pressas para o navio, haviam demorado na escola doméstica mais do que esperavam. A diretora não perdoava o menor detalhe: mostrava tudo, tudo explicava, orgulhosa do estabelecimento, das alunas, das prendas, do ensino.

— Agora, diga-me, comandante: em alguma parte por onde o senhor passou, já viu coisa semelhante? Melhor ou que se comparasse? — não esperava a resposta, acrescentava: — Não existe no mundo inteiro nada igual. Aliás, até os suíços — os suíços, sim, senhor! — reconhecem isso. Da Suíça já chegaram cartas pedindo informações sobre a escola. Da Suíça, sim, senhor!

— Obra notável, notabilíssima! — concordou o comandante, desanimado, perdida aquela grande oportunidade, quando Clotilde estava comovida ante a beleza da praia, o momento propício.

Mas, à noite, após o jantar e rápida passagem pelo salão onde ela experimentou o piano afinado por um competente artesão de Natal, Clotilde perguntou-lhe se o comandante não desejava dar uma volta.

— É noite de lua cheia... — e riu seu riso brusco.

Descompassou-se o coração de Vasco, era a ansiada oportunidade. Subiram para a coberta superior, deserta.

De sangue e ouro era feita a grande lua cheia, a crescer no mar.

— Espie... — disse ela andando para a amurada.

Saía a lua do meio das águas, onde dormira e descansara, ia começar sua revista dos namorados e amantes, nas praias e ruas, no cais da Bahia, em perdidos portos e nas cobertas dos navios.

O óleo denso do luar derramava-se sobre as verdes águas nordestinas e os ventos do nordeste, o terral de Pernambuco, o aracati do Ceará, chegaram do sul e do norte para saudar a lua em mansas revoadas de brisa. Dentro do luar navegava o ita, naquela noite mágica, quando o comandante, colocado atrás de Clotilde, tomou-lhe das mãos e falou com voz de amor e medo:

— Clotilde! Ah!, Clotilde malvada...

— Malvada, eu? — estremeceu, e sua voz era apenas murmurada. — Por que diz isso, comandante?

— Então não vê, não compreende, não sente?

— Não creio nos homens...

— Eu também não acreditava nas mulheres... Mas agora creio em si, estou morrendo de amor...

— Não creio e tenho medo...

Mas não retirava suas mãos das mãos de Vasco, nele estava encostada e sentia seu hálito. Sem que ninguém saiba como sucedeu, mistério do mar em noite de lua cheia, repousou sua cabeça de bandós no largo ombro do comandante, ornado de dragona e âncora. Ele passou-lhe o braço pela cintura, ela estremeceu e suspirou. Voltou-a então contra si, as bocas se encontraram e foi prolongado beijo de lábios com longa sede a matar, de adolescentes corações com antiga fome a saciar.

— Oh! — suspirou ela, quando, ainda nos seus braços, pôde respirar. — O que é que eu fiz, meu Deus? Que vergonha... E agora, que vai acontecer?

— Vamos casar, se você me aceita...

Ela lhe contou então sua desolada experiência, o porquê de seu melancólico celibato. Um dia amara um homem, dera-lhe seu coração virginal, inocente depositara nele sua confiança plena. Era um médico, muito rico, muito famoso, chegado do Rio para Belém. Clientela enorme, não dava conta do serviço. O melhor partido de Belém e louco por ela. Grande conhecedor de música, até tocava um pouco de piano, executavam partituras a quatro mãos, as almas na música irmanadas. Clotilde entremeava o relato com suspiros. Ficaram noivos, juraram-se amor eterno, assentaram a data do casamento. Ela tinha então dezessete anos, tímida e ingênua menina da província. Entregara seu coração ao médico, confiante em sua dignidade e em seu amor…

Que lhe teria acontecido? — perguntava-se, alarmado, Vasco. Certamente, numa daquelas noites de piano a quatro mãos, quando a família por acaso não se encontrava presente, ele abusara de sua ingenuidade de menina, fizera-lhe mal e fugira depois… Deixando-a com sua decepção e sua vergonha. Mas nada tinha a recear. Ele não iria respeitá-la menos, ao contrário. Cresceria seu ardente amor, se reforçaria a decisão de lhe oferecer sua mão de esposo…

Confiante em sua dignidade e em seu amor… Mas os homens são falsos, pelo menos quase todos… E, imagine ele o que acontecera!, nas vésperas do casamento… Não gostava de falar naquilo, era reabrir chaga mal cicatrizada, ainda sentia o coração magoado: descobriu que ele desencaminhara, no Rio, uma jovem, moça pobre, costureirinha. A infeliz tivera um filho e ele mandava-lhe dinheiro todo mês. Ao saber do noivado e do próximo casamento, a desgraçada lhe escrevera uma carta, a ela, Clotilde, contando-lhe tudo e colocando-lhe nas mãos o seu destino e o do filho. Que podia fazer? Despedaçando seu coração, rompeu com o médico, exigiu que ele voltasse ao Rio e casasse com a mãe de seu filho. Ele o fizera, hoje é médico célebre no Rio, rico e importante, todas as tardes está no Jockey Club. A costureirinha transformou-se em grande dama… Quanto a ela, jurara não casar nunca, não voltar a abrir seu coração para homem nenhum… Jamais voltara a olhar face masculina. Mas, nesta viagem…

Comovia-se o comandante com tamanha nobreza de alma, tanto desprendimento. Não era digno dela, sequer de beijar a fímbria de seu vestido. Mas, como o amor eleva o ser humano, ele elevava-se até seus olhos, sua face, sua boca insaciável, os beijos sob o luar.

E contou-lhe ele também as razões desse seu solitário viver, de não ter casado nunca. Ela chamava-se Dorothy, o comandante trazia o seu nome e um coração tatuados no braço.

— Tatuados? Quer dizer que não desaparece?

— Jamais. Foi tatuagem feita por um chinês, mestre no ofício, em Cingapura.

— Quer dizer que não a esqueceu, certamente ainda anda atrás dela...

— Ela morreu... — no minuto de trágico silêncio, Dorothy desenhou-se ao luar, seu esguio corpo, sua febre de amor.

Morrera antes do casamento, nas vésperas. Tinha acabado de obter o divórcio, o marido finalmente aceitara libertá-la...

— Ah! Era casada...

Sim, era casada quando ele a conhecera e amara a bordo do *Benedict*, um grande navio a fazer a rota entre a Europa e a Austrália. Fora paixão assim quase tão fulminante e profunda quanto a que agora sentia, a bordo do ita, por Clotilde. Ela ia com o marido, mas de que valem as convenções e as leis, diante do amor? Ele largara o navio, ela o marido, tinham desembarcado em escondido porto asiático, à espera da decisão do marido...

— Desavergonhada... Casada...

Não, não fosse Clotilde injusta, não a julgasse mal. Porque não houvera nada entre eles, nada chegara a acontecer. Dorothy contara tudo ao marido e só fugira porque aquele egoísta não quisera dar-lhe o divórcio. Não haviam ido além de castos beijos. Ela ficara em casa de uma santa missionária, irmã Carol, a esperar. Só após o divórcio e o novo casamento seriam um do outro. A própria Dorothy assim tinha exigido. Obtivera finalmente o divórcio, os papéis para o casamento estavam sendo preparados, quando a febre, aquela febre terrível da Ásia, à qual ele era imune, acabou com ela em três dias. Com ela e com sua carreira. Ficara como um louco, jurara não mais entrar num navio, e, se estava agora no comando do ita até Belém, era porque a lei a isso o obrigava, não podia faltar ao dever solenemente prometido, quando recebera, após seu brilhante concurso, o diploma de comandante. Eis por que não se casara nunca, trancara seu coração para sempre. Mas, nesta viagem...

Ela pediu para pensar. Antes de chegar a Belém responderia, ainda estava confusa e amedrontada. Além do mais, devia obter o consentimento do irmão no Pará. E o de Jasmim, acrescentou sorrindo...

Na noite de luar vogava o navio, céu e mar banhados de prata e ouro. Na coberta, juntos à amurada, o comandante e Clotilde trocavam juras de amor. Riam sem motivo, suspiravam, diziam palavras inconseqüentes, roubavam-se beijos, apertavam-se as mãos. Até ouvirem ruído na escada e buscarem abrigo na sombra do barco de salvamento. Na coberta apareceu outro casal. Primeiro viram o vulto do dr. Firmino Morais, o advogado paraense. Espiou em redor, terminou de subir, fez um sinal, chamando. Surgiu então, de mãos estendidas para ele, Moema, a mameluca, e ali mesmo se abraçaram e beijaram numa fúria e pressa de danados.

— Descarada... — murmurou Clotilde. — Ele é casado...

— O amor — respondeu-lhe o comandante — não respeita convenções, o amor é como a tempestade.

Tomou-lhe da mão, saíram pelo outro lado, foram-se juntar com os passageiros no salão. Clotilde pedira-lhe segredo sobre o compromisso jurado ao luar. Queria casar-se sem convidados, sem notícias, sem festa, apenas ela, Vasco, seu irmão, sua cunhada. E, se tivesse de ser, deveriam fazê-lo em tempo breve, não aceitava noivado a demorar-se...

— O tempo de tratar os papéis...

Com ela queria voltar para Periperi, com a esposa encontrada no mar, aquela por quem esperara tanto tempo, nas pontes dos navios, iluminados paquetes, negros cargueiros, nas distantes rotas solitárias. Numa réstia de luar ela viera, rompida para sempre a solidão, terminada a longa espera.

CAPÍTULO UM POUCO TOLO E MUITO FELIZ, COM DIREITO A VISITAR AS MÁQUINAS E O PORÃO E A LANÇAR UM S.O.S.

FELIZ, O COMANDANTE. FELIZ, A GRANDE baqueana. Rindo os dois pelos cantos do navio, trocando olhares ternos e sorrisos tímidos, apertando-se as mãos às escondidas, murmurando-se doçuras, renascendo um e outro em roubados beijos e projetos.

Ela era romântica e muito sofrera. O sofrimento fizera-a exigente e desconfiada, sua natureza romântica adorava o mistério. Por tudo isso, nem sequer o nome completo dissera ao comandante, era Clotilde apenas. Nem detalhes sobre família, além da vaga notícia de um irmão casado e com dois filhos, em Belém, a irmã com cinco filhos e o marido engenheiro, no Rio. Proibira-o, ao demais, de interrogar os passageiros paraenses sobre ela, queria colocar o seu amor à prova.

— Vou lhe apresentar a meu irmão no cais, em Belém. Ele vai me esperar.

— Mas, Clô...

Conhecera uma Clô há mais de vinte anos, loira de corpo de leite, quase pelada, não se lembrava mais se na Islândia, entre icebergs e fiordes, ou se num castelo da Bahia, na pensão de Carol ou de Sabina. Havia alguma coisa de comum entre aquela Clô de gelo e de gêiser e a virginal Clotilde; talvez os seios volumosos, talvez um jeito infantil no falar e nos modos. Quando dizia Clô para Clotilde não podia evitar a lembrança daquelas noites do passado, das alvas carnes inesquecíveis.

— ...lembre-se que eu não posso sair junto com você, meu bem. Tenho de demorar, assinando papéis. É o último porto, termina a viagem, estarei preso a bordo...

Ela adorava o mistério:

— Na hora de desembarcar lhe entrego um papel com meu nome completo e meu endereço. Até já escrevi, está aqui... — apontava para o decote do vestido, ao calor do seio guardara o papel que era a chave a abrir a porta de sua família, do novo lar do comandante. — Fico lhe esperando em casa, pode vir jantar com meu irmão e minha cunhada. Vou mandar fazer casquinho de caranguejo. É até bom assim, tenho tempo de falar com meu irmão...

— Mas, por que esse mistério todo, esse segredo?

— Quero ter a prova de seus sentimentos. Saber se gosta de mim mesmo e não por minha família...

— Mas então, não sabe ainda?

— Estou tirando a prova...

Paciência, ela queria assim, que fosse. Em realidade não tinha importância, não era com o sobrenome dela, com os parentes que ia casar-se. Ela tinha razão. Não podia, porém, deixar de fazer cogitações em torno daquele segredo. Pertenceria Clô, com certeza, a família ilustre e previdente, da alta roda, da elite paraense, riquíssima, com foros de nobreza como Madalena Pontes Mendes. Aliás, no começo da viagem, quando apenas reparara nela, ouvira um passageiro a tecer comentários em torno da excelente situação financeira do irmão de Clô. Deviam ser milionários, cogitava o comandante: donos de extensões de terras vastas como países, com florestas inteiras de seringais, ilhas no Amazonas, índios, onças e serpentes de vinte metros. Quem sabe, e todo aquele mistério era o receio que tinha de que o irmão se opusesse ao casamento de tão rica herdeira com um simples comandante de navio, aposentado capitão-de-longo-curso? Podiam imaginá-lo um aventureiro, sabido vigarista, querendo meter a mão na fortuna da noiva.

Mas, se era tão rica, por que dava aulas de piano? Por desfastio certamente, para matar o tempo e por amor à música. Na primeira oportunidade, fez-lhe saber não se reduzirem suas posses e haveres à aposentadoria. Tinha casa própria e excelente, em Periperi, uma das praias mais elegantes de Salvador, apólices do governo em quantidade, renda mais que necessária para garantir-lhe — e a ela — vida larga e confortável. Clô estendeu-lhe as mãos:

— Mesmo que você fosse pobre como Jó.

Em Fortaleza, naquele tempo, os navios não atracavam, não existia cais do porto. Era um espetáculo o desembarque dos passageiros, saltando da escada descida sobre as águas para os pequenos barcos veleiros. Gritinhos de senhoras, risadas, indecisões e os remeiros de musculoso peito e pele de bronze a sustentar as embarcações junto da escada. O advogado paraense, na proa de um barco, equilibrado nas pernas semi-abertas, fez uma demonstração de força: tomou de Moema, a mameluca, parada no último degrau da escada, segurando-a pela cintura, elevando-a no ar e pousando o corpo trêmulo ao seu lado. Durante um minuto estiveram os dois de pé, firmes na proa que as ondas elevavam e baixavam, belos e fortes, batidos pelo vento. Tanto não podia fazer o comandante, não que lhe faltassem forças e disposição, mas não só era a risonha baqueana demasiado robusta para tais riscos, como não ficava bem.

Antes, quando se encontrava na ponte de comando, viera dona Domingas despedir-se, agradecer-lhe as atenções:

— O senhor foi um comandante perfeito, dá gosto viajar com o senhor. — Estendia-lhe a mão formosa onde cintilava o anel. Cumprimentava o imediato, os pilotos, acrescentando: — Os senhores têm a sorte de possuir um capitão com a capacidade do comandante Vasco.

— Um dia lhe farão justiça… — respondeu o imediato, frase um pouco esdrúxula, devida, com certeza, à atrapalhação das manobras.

Veio despedir-se também o atlético bancário. Passara todo o resto da viagem a escrever cartas para a moça pernambucana, em Natal enchera a caixa do correio.

— Senhorita muito distinta... — elogiava o comandante, ao abraçar o rapaz apaixonado.

Do navio para a terra, riram muito. Os remos salpicavam água nos passageiros, e a grande baqueana, para evitar os pingos, apertava-se contra o comandante. Foram ver a cidade, depois a praia de Iracema. Ali, Clotilde comprara rendas para "umas camisas novas de dormir", como explicou, escondendo, envergonhada, o rosto com o xale. Fazendo com que Vasco, numa súbita explosão de desejo — via a outra Clô, os seios saltando da rendada camisa —, a beijasse desatinado diante dos pescadores e rendeiras. Ao voltar ao centro, ela quis rezar numa igreja. A contrita cabeça debruçada, orava a grande baqueana. Aproveitou-se o comandante para desaparecer. Quando, terminada a prece, o procurou e não encontrou sequer seu rastro, sentiu o coração parar. Lágrimas vieram-lhe aos olhos, enquanto, em crescente inquietação, buscava-o pelas redondezas. Finalmente avistou-o, vinha apressado. Sua voz saiu ríspida:

— Onde foi? Me largou aqui...

Mas ele segurou-lhe o braço, fê-la voltar à nave deserta, andou até a claridade de um vitral, tirou do bolso a caixinha com as duas alianças recém-compradas. Selaram assim o seu noivado naquela hora no silêncio da igreja. Mas só a beijou lá fora, no templo ela não consentira, acusando-o de ateu e herege. Ele era apenas feliz, o comandante.

No penúltimo dia de viagem — a chegada a Belém estava marcada para o dia seguinte, às três horas da tarde, e lá o ita dormiria, iniciando a travessia de volta somente no fim da tarde do outro dia —, um capricho da grande baqueana causou rebuliço e confusão a bordo. Clotilde anunciou seu desejo de ver o navio por dentro, descer à casa de máquinas, aos porões, conhecer-lhe as entranhas. Não haviam sido os navios o lar de Vasco durante quarenta anos? Era romântico e compreensível anseio, natural numa noiva, desejosa de apossar-se ao máximo de tudo quanto dizia respeito ao futuro marido. Assim lhe confessou e, num beijo, ele prometeu.

Era evidente: estava o comandante perturbado pela paixão, a ponto de esquecer-se das dificuldades da empresa. Não devido aos cartazes em escondidas portas, notificando, "ser proibida a entrada". Isso não se referia, é claro, ao comandante e a convidado seu. Mas, como não pensara ele, velho marinheiro, nas escadas perigosas, na sumária tanga dos foguistas? Assim, vinte e quatro horas antes da escala final, tomou da bem-amada pela mão, e dirigiu-se para o ventre do navio. Abriu pequena porta proibida, era o abismo ao fundo, e aquela escada de ferro, estreita e vertical, a pique sobre o abismo. Clô soltou um gritinho: ai!, mas ele iniciara a descida, estendia-lhe a mão. Como não se despenharam os dois, eis um mistério a provar mais uma vez a existência de um deus dos amorosos.

O chefe das máquinas escancarou a boca, deu breves explicações. Houve um rebuliço na fornalha: carvoeiros e foguistas, praticamente nus, afobaram-se ao ver aquela dama de súbito diante deles. O segundo-maquinista botou as mãos na cabeça. Clotilde, no cúmulo da excitação, quis atirar uma pá de carvão na fornalha rubra. Estava afogueada pelo calor. O comandante ajudou-a, dizendo-lhe recordar assim seus tempos de grumete, quando vinha, por vezes, trabalhar com os foguistas.

Foram aos porões carregados de mercadorias. O comissário, chamado às pressas, descera de cara amarrada. Imaginem se passasse pela cabeça delirante daquele louco capitão-de-longo-curso programar uma excursão dos passageiros pelo interior do navio... Com ele, tudo era possível... Mas o comandante apenas o cumprimentou, não lhe deu a mais mínima atenção. O comissário dirigiu-se à ponte de comando, disse ao imediato:

— Teu comandante está levando a velhota pelo navio afora. Já esteve na casa de máquinas e na fornalha. Não me responsabilizo...

— Desde quando não tem o comandante o direito de mostrar o navio a um passageiro? Sobretudo à namorada? Deixá-lo fazer...

— Vão cair de uma escada, se matar...

— Será o segundo comandante que enterraremos nesta viagem. Um recorde...

Mal terminara o diálogo e apareciam Vasco e Clotilde na ponte, o imediato e o comissário não puderam conter o riso. Ela suja de carvão, o rosto e os braços, ele com a farda branca em petição de miséria.

— Estou conduzindo a senhorita Clotilde numa visita ao navio. Vou levá-la à sala de rádio.

— Não quer mostrar-lhe os instrumentos de comando?

— Depois, talvez.

O comissário descia as escadas, abanando as mãos. Vasco dirigiu-se à saleta do radiotelegrafista. Este, que se encontrava estirado, descansando, pôs-se de pé ao ver o comandante.

— É daqui que se pede S.O.S., quando o navio está em perigo?

— Daqui mesmo, minha senhora.

E se ela lhe pedisse o lançamento de dramáticos S.O.S.?, pensou Vasco. Mas a idéia lhe pareceu alegre, não o assustou, seria divertida farsa.

De passagem, mostrou-lhe sua cabina, o lar do comandante. Ela espiou, enfiando a cabeça pela porta, mas sem entrar. Em cima da mesa, uma foto: bela senhora de cabelos prateados, um sorriso nos lábios, dois rapazes ao seu lado, um de seus quinze anos, outro mais velho.

— Quem é aquela? — quis saber Clotilde, desconfiada.

— Mulher e filhos do comandante que morreu...

Quando desciam as escadas, ela lhe disse:

— Do que eu gostaria mesmo era de casar com um comandante...

— E eu, o que sou?

— Sim, já sei... Mas de casar com ele e viver a bordo. Ir com ele em seu navio para toda parte, correr o mundo, de cidade em cidade.

— É proibido levar mulher a bordo. Já pensou no perigo? Dias e dias no mar, num cargueiro, uma tripulação de homens rudes — não viu os foguistas? —, e a mulher do comandante a bordo? Já pensou?

— Teve um filme com uma história assim, do comandante que levava a mulher. Muito bom mas eu perdi...

O comandante sorriu. Um dia, quando estivessem vivendo na casa de janelas verdes sobre o mar, em Periperi, nas noites de lar tranqüilo, ela fazendo tricô, ele cachimbando, contar-lhe-ia o que lhe sucedera quando, nas costas da Turquia, uma apaixonada e insensata maometana se escondera em seu beliche e ele a descobrira quando já ia o barco em alto-mar. Muitas histórias lhe contaria, aflições de S.O.S., perigos em portos de ópio e contrabando, tinha uma vida excitante a entregar-lhe, a depositar em seu seio, a dividir com ela. No dia seguinte seria apresentado à sua família, jantaria em sua casa, faria o pedido oficial.

DO COMPLETO E DIVINATÓRIO CONHECIMENTO DA CIÊNCIA DA MARINHEIRARIA

NA MANHÃ DAQUELE DIA DA ETAPA FINAL, quando as barrentas águas do rio Amazonas já penetravam pelo mar e na distância ouvia-se o rumor da pororoca, o comandante Vasco Moscoso de Aragão pela primeira vez, em sua longa e movimentada vida, cometeu um furto; para logo depois, aliás, agir com a maior correção, calcando aos pés a intensa curiosidade, mantendo íntegra sua promessa de discrição.

Aconteceu o roubo no salão, ainda deserto na hora matinal quando o comandante iniciou sua última inspeção do navio. Tomara amizade àquele ita. Não acumulara a viagem incidentes dignos de nota, não houvera ameaça de naufrágio, nem motim da tripulação, nem graves problemas de navegação a resolver, enlouquecida a bússola, desvairado o sextante; não descobrira sequer revolucionários a bordo, como ameaçara o deputado paraibano. Mas mantivera a disciplina, conduzira o navio, e ali encontrara a mulher de sua vida. Voltaria com ela para Periperi, para a convivência dos amigos, sua crista levantada como jamais, pois quem poderia agora duvidar de seu título e de seus feitos? Foi nesse momento que a idéia de roubo atravessou-lhe o espírito. Amava aquele ita, queria ter, em meio aos instrumentos náuticos na grande mesa da sala em sua casa, uma recordação daquela sua última viagem a comandar. Quando regressasse, seria na condição de passageiro, de passageiro de honra, é certo, tratado com a consideração devida a um capitão-de-longo-curso, credor de tão grande obséquio à Companhia, mas já não lhe estariam entregues o destino do navio, da tripulação, dos passageiros. Uma recordação simples, uma tolice qualquer, algo a lembrar-lhe os dias felizes de bordo. Um daqueles cinzeiros, por exemplo, com o escudo da Costeira e a fotografia do ita gravados na cerâmica. Fora um deles destinado a prêmio na víspora, outros se encontravam sobre as mesas servindo aos fumantes. Vasco relanceou o olhar pelas circunvizinhanças, não viu ninguém. O cinzeiro desapareceu no bolso direito da túnica. E, como para habituar-se basta começar, outro cinzeiro foi parar no bolso esquerdo. Não fora súbito ataque de cleptomania e sim a lembrança daquele bom e leal Zequinha Curvelo. Que melhor presente poderia levar-lhe, que melhor prova de amizade?

Efetuado o roubo, com tanta presteza e eficiência, não sentiu remorsos o comandante. Era rica a Companhia Nacional de Navegação Costeira, nada significariam em seu orçamento dois cinzeiros a mais ou a menos. Não os teria afanado, no entanto, se outros iguais a eles existissem à venda, no navio. Informara-se do próprio comissário e soubera ter sido destinado ao prêmio o último exemplar da remessa recebida. Remorso causara-lhe a peça de *biscuit*, oferta um tanto forçada do falso dr. Stênio. Não se tratara de roubo, no entanto. E dera tamanha satisfação a Clotilde, ela lhe dissera, ainda na véspera à noite, quando foram olhar a lua e o mar em despedida, ter percebido o seu amor no momento exato em que ele lhe trouxera o sofá de porcelana com o romântico casal de namorados.

Ia nesses pensamentos pelo tombadilho, quando encontrou o advogado paraense, dr. Firmino Morais. Estava o causídico debruçado à amurada, o olhar perdido em meditação profunda. Voltou-se ao rumor dos passos do comandante, saudaram-se, ficaram a conversar. Parecia preocupado e inquieto o amável passageiro. Agarrava-se ao comandante como se necessitasse de uma presença a impedi-lo de pensar, de ficar só com problemas e angústias. Acompanhou-o em seu passeio:

— Então, meu comandante, hoje estaremos em Belém do Grão-Pará...

— Às três da tarde, doutor Morais — consultou o relógio, eram sete da manhã: — Daqui a oito horas...

— Foi uma boa viagem, agradável.

— Pacífica, a mais pacífica de quantas comandei.

— Pacífica? — interrogou-se o advogado. — Teria sido?

— Ora, e por quê? Não caíram temporais, nem furacão.

— Talvez tenham acontecido outros temporais... Nas almas dos passageiros, comandante.

Seria uma indireta aos seus amores com Clotilde? Talvez maliciosa, querendo insinuar possíveis intimidades sexuais, bandalheiras no convés, como as dele, dr. Firmino, com a moça mameluca?

— Quanto a mim, doutor, portei-me sempre com extrema correção. E se algum sentimento me assaltou foi decente e puro, com a mais honrada das intenções.

Seria uma insinuação do comandante aos seus bordejos com Moema, os passeios na coberta à luz da lua, as conversas a sós no tombadilho, o abandono dos demais passageiros nas ruas de Fortaleza? Não podia o advogado esperar passassem despercebidas, sem malévolos comentários, sua intimidade com a moça, aquele proibido idílio. Que iria ocorrer agora, quando chegassem a Belém? Deixar de vê-la, sabia ser-lhe impossível, ela penetrara fundo no seu sangue, aquela virgem louca e impudica, não tinha cabeça para outro pensamento, olhos de ver outra paisagem além do seu rosto, nada mais desejava no mundo senão tê-la como mulher, ao menos uma vez. Mesmo se tivesse de matar-se e matá-la depois, para não suportar a vergonha e o remorso, o choro da esposa, o espanto da filha já mocinha. Por que esse comandante não tomava do leme de seu navio e não mudava a rota, singrando para o mar-oceano, partindo sem rumo numa viagem de nunca terminar?

Deu-lhe, tão desesperado estava, a necessidade de ser mau, como a vingar-se de seu aflito dilema. Certamente Tilde Chilique, a Grande Baqueana de Coração Ferido (fora ao desdobrar sua teoria predileta que tudo começara com Moema), nada dissera ao enamorado comandante daquele ridículo assunto de seu casamento. Contar-lhe-ia, assim talvez ficasse mais leve seu angustiado coração.

— E que sentimentos senão de honra pode abrigar seu peito, comandante? Vai casar-se, imagino. E vai casar-se muito bem, em família digna da melhor consideração. Sou amigo do irmão de Clotilde, ele é...

Interrompeu-o bruscamente o comandante:

— Por favor, não continue. — Bem gostaria de saber aqueles detalhes guardados tão avaramente por Clô. Mas prometera, e sua promessa era sagrada. — Não desejo ouvir nem uma só palavra sobre a família de Clô, de Clotilde. Nem sobre ela...

— Mas, por quê? Ia lhe contar coisas que só a enaltecem.

— Agradeço-lhe. Mas fiz um juramento e não desejo rompê-lo.

E, para evitar qualquer outra indiscrição do advogado, pretextou ocupações, deixou-o só na porta de seu desgraçado desespero.

Começava a animar-se o tombadilho, Clotilde apareceu conduzindo Jasmim, o calor equatorial resistia à brisa do mar. O comandante aproximou-se da baqueana com a consciência de quem se comportara à altura de seu glorioso passado.

Aquele foi um dia nervoso. Nervosos os passageiros, a arrumar as malas, a consultar os relógios na ânsia da chegada. Aquelas últimas horas eram as mais lentas de passar. Nervosa Clotilde, pensando em como dizer de seu noivado ao irmão, como explicar a aliança agora em seu dedo. Nervoso o comandante, sem saber como enfrentar aquela importante família paraense, aqueles nobres, "dignos da maior consideração", como chegara a ouvir do advogado. As horas se arrastavam, crescia o calor.

Na mesa, ao almoço, a pedido dos outros passageiros, o dr. Firmino Morais brindou brevemente ao comandante pelo sucesso da viagem e as atenções a todos dispensadas. Vasco comoveu-se e agradeceu, desejando aos passageiros, moças e rapazes, senhoras e senhores, muitas felicidades. Tocou sua taça na de Clotilde.

Saiu então de sua mesa a bela mameluca, aproximou-se do comandante, deu-lhe um beijo na face.

Agora a terra estava próxima e chegou o momento em que enxergavam na distância o casario de Belém. Vasco apertou a mão de Clô, subiu para a ponte de comando.

Com a luneta ao olho examinou a cidade, as casas de azulejos portugueses, a pitoresca agitação do mercado do Ver-o-Peso, o ancoradouro da Port-of-Pará onde ia encostar o ita. Os oficiais de bordo estavam todos na ponte, mesmo o comissário. O imediato ditava ordens. O navio aproximava-se. Vasco detinha-se nas bandeiras dos cargueiros e paquetes ancorados: ia o ita, segundo tudo indicava, ficar ao lado de um cargueiro inglês, mais adiante estava um pequeno navio do Lloyd Brasileiro, um iate vindo da Guiana Francesa, além dos gaiolas numerosos. Do barco inglês, marujos loiros saudavam com a mão. O comandante pensou que sua missão estava finda, pois as máquinas reduziam o ritmo, quase deixavam de trabalhar. O navio chegava a seu destino. Era só assinar documentos e poderia descer as escadas, alcançar Clotilde, receber de suas mãos aquele papel com seu nome completo e o endereço, perfumado ao contato do seio virginal e apaixonado. Documentos que o representante da Companhia, parado no cais, segurava na mão. Entre tanta gente a esperar os passageiros, quem seria o irmão de Clotilde? Vasco buscava adivinhá-lo na multidão a gritar para bordo, a acenar, impaciente. Carregadores ofereciam seus serviços, mostravam os números ao peito. Tudo correra bem, pensou o comandante. Foi nesse momento, quando um sorriso de perfeita satisfação abriu-se em seus lábios, que ressoou aos seus ouvidos a voz do imediato, cercado por todos os oficiais de bordo, o comissário inclusive:

— Comandante!

— O quê?

— Agora, comandante, chegamos ao fim de nossa viagem.

— Felizmente tudo correu bem.

— Felizmente. Agora só resta o senhor dar as ordens finais — postou-se solene diante dele, levantou a voz: — Com quantas amarras, comandante, vamos amarrar o navio ao cais?

— Como?

— Com quantas amarras, comandante, vamos amarrar o navio ao cais de Belém? — repetiu ainda mais solene e grave.

— Mas eu já lhe disse, meu amigo, que não desejo envolver-me em nada, nenhuma ordem desejo dar. Vim aqui para atender a uma necessidade, mas o navio está em boas mãos.

— Desculpe, comandante, mas o senhor, velho marinheiro que tão bem conhece as leis da marinheiraria, certamente não está se lembrando de que este é o último porto da viagem e que, no último porto, compete ao comandante e só ao comandante, a ninguém mais, ordenar o número de amarras com que deve ser o navio amarrado ao cais.

— O último porto! Tem razão, não me lembrava... As amarras...

Em Salvador, antes do navio partir, parecera-lhe perceber uma troca de olhares entre o imediato e aquele Américo Antunes, representante da Costeira na Bahia que, no entanto, lhe jurara e prometera...

— Comandante, estamos esperando. Nós e os passageiros. As máquinas já estão quase paradas, com quantas amarras vamos amarrar o navio?

Fitou-o Vasco com seus olhos puros:

— Com quantas amarras? — e o divinatório dom dos poetas iluminou-lhe a fronte, não havia erro possível. — Com quantas?

Fez uma pausa, pronunciou com sua voz de comandante, acostumado a comandar:

— Com todas!

Entreolharam-se, surpresos, os oficiais de bordo, por um momento estupefatos. Não era aquela a resposta que esperavam. Para falar a verdade, não esperavam resposta e, sim, a atrapalhação, a confusão, o desmascaramento. Mas, após o breve instante de perplexidade, o imediato sorriu — agora a pilhéria seria completa —, levou o alto-falante à boca e transmitiu à tripulação a ordem espantosa:

— Ordem do comandante: amarrar o navio com todas as amarras.

Compreenderam os oficiais, contendo os sorrisos. O comissário desceu correndo as escadas: era preciso evitar a impaciência dos passageiros, explicar-lhes.

Começou o corre-corre da tripulação, iniciou-se o espetáculo que iria reunir tanta gente no cais, trazendo para diante do ita os oficiais e marujos de todos os demais navios, inclusive dos gaiolas.

Diante do comandante, o imediato voltou a perguntar:

— Quantos ferros, comandante?

— Todos!

A voz do imediato, no amplificador:

— Ordem do comandante: todos os ferros!

— Quantas manilhas, comandante?

— Todas!

— Ordem do comandante: todas as manilhas! — transmitia o imediato.

Era a completa alucinação do navio, âncoras a descer, num ruído infernal. O comissário, na primeira classe, ia de passageiro em passageiro, explicando.

— Quantas espias, comandante?

— Todas!

— Ordem do comandante: todas as espias!

Os marinheiros arrastavam as espias, atiravam-nas a carregadores no cais que as prendiam aos grandes pés de ferro. Todos os lançantes, sem faltar um só, os cabos de fibra balançando no ar.

— Quantos *strings*, comandante?

— Todos!

— Ordem do comandante: todos os *strings*!

Foram estendidos os cabos de aço, os traveses, enleando o navio definitivamente ao cais. Como se já não estivesse ele de tal modo preso ali com raízes tão profundas, como se as âncoras, as manilhas, os lançantes já não o garantissem de sobejo contra as piores tempestades e os tufões mais brutais. Tempestades e tufões que nenhum serviço meteorológico previa, nem o olho mais experiente do mais temperado e velho marinheiro. A previsão era de tempo belo e calmo, de fresca viração.

Um riso homérico elevava-se do cais, vinha também da primeira classe do navio. O imediato prosseguiu:

— O ancorete também, comandante?

— Também — ouvia o riso a crescer, compreendeu o logro em que caíra, mas estava possuído, não podia parar.

Chegava até a ponte aquele som de riso, um riso universal.

— Ligado por amarra ou cabo de aço?

— Pelos dois.

— Ordem do comandante: arriar o ancorete e ligá-lo com amarra e cabo de aço!

Inclinava-se ante ele o imediato:

— Obrigado, comandante, está concluída a amarração.

Baixou a cabeça Vasco Moscoso de Aragão, sua caída crista. Era a zombaria de todos, o riso que se alastrava pelo cais afora, atingia a cidade, fazia com que viesse gente correndo para ver o espetáculo do ita amarrado ao cais de Belém como se fosse chegado o dia do juízo final, e fosse o mundo terminar em tufão e tempestade.

Sua crista caída, saiu de entre os oficiais de bordo, que não podiam de tanto e tanto rir, andou para sua cabine, onde já arrumara a bagagem na pressa de alcançar Clotilde. Tomou das malas. A quem poderia na Bahia passar um telegrama, pedindo que vendesse a casa de Periperi e comprasse a de Itaparica? Não tinha amigos na capital, fora-se o tempo da turma inesquecível, e a Zequinha Curvelo não podia pedir tal coisa. Nem jamais lhe aparecer, fitar sua face. As gargalhadas, a formarem uma só gargalhada descomunal, entravam pela cabina adentro.

Desceu para o tombadilho de primeira, a crista murcha, a escada vinha de ser posta. Chegou a tempo de ouvir o comissário explicar a Clotilde, rindo-se a não mais poder:

— ...pois é como lhe digo, minha senhora...

Ela trazia na mão um pedaço de papel. Seus olhos se encontraram, ela o fitou com desprezo, picou em pedacinhos o nome e o endereço, o papel ainda quente de seu seio. Os passageiros apontavam para Vasco, riam, olhando-o de esguelha. Clotilde voltou-lhe o rosto, andou para a escada a caminho dos parentes. Mas ao pisar no primeiro degrau, parou, lançou-lhe outro olhar de desdém, tirou do dedo a aliança, atirou para onde ele estava. Rolou o anel no tombadilho, caiu num ruído sobre ferros. Turvou-se a vista de Vasco, segurou-se à amurada. Vacilante, foi andando para a escada, quando um braço tomou do seu, a ajudá-lo:

— Está sentindo alguma coisa, comandante?

Era Moema, a mameluca, e entre toda a multidão no navio e no cais, só ela não ria, e lhe dizia:

— Se importe não...

Nem agradeceu, a voz perdida, perdida a alegria de viver, a crista caída. Aproximava-se da escada, quando novamente o interromperam, era o representante da Costeira com os papéis a assinar. Rabiscou seu nome, prevalecia seu senso de dever.

— Tem quarto reservado para o senhor no Grande Hotel. O navio sairá amanhã às dezessete horas, tem uma cabina de primeira separada para o senhor — esforçava-se por conter o riso.

Não respondeu, começou a descer a escada junto com os últimos passageiros. Na terra desconhecida, marinheiros, oficiais dos navios atracados, gente da alfândega, dos armazéns do porto, e muitos e muitos vindos da cidade admiravam o ita amarrado ao cais com todas as amarras. Ficaria assim até o dia seguinte, na hora da partida. Toda a cidade teria tempo de vir ao porto apreciar o inédito espetáculo.

Apontado por uns e outros, acompanhado pelo riso infindável, Vasco aproximou-se de um carregador:

— Pode me dizer onde encontro uma pensão barata?

— Só se for a de dona Amparo, mas fica um bocado longe...

— Pode me indicar o caminho?

— Se quiser levo sua mala, e lhe ensino... O senhor dá o que quiser.

Do alto da ponte de comando, o imediato e os pilotos viram desaparecer na esquina de uma rua o comandante, as costas curvadas, o passo trôpego, como um náufrago perdido, de repente um ancião. Prosseguia o riso pelo cais.

ONDE A VERDADE É ARRANCADA DO FUNDO DO POÇO PELOS FURIOSOS VENTOS DESATADOS

POR VOLTA DAS CINCO HORAS DA TARDE, chegou Vasco à pensão de dona Amparo, cordial cabocla desdentada. Obteve um quarto com uma rede e a simpatia de dona Amparo, a quem o jeito de Vasco recordava prestimoso conhecido do Acre. Perguntou-lhe se estava enfermo. O calor era asfixiante, Vasco sentou-se na rede, ficou a pensar. Enfermo? Não, estava vazio, isso sim, não conseguia sequer colocar ordem em suas idéias, nos problemas a resolver, referentes à sua volta à Bahia, a venda da casa de Periperi, a compra da outra na ilha de Itaparica. Ia um silêncio pela rua pesada de mormaço, mas ele continuava a ouvir aqueles sons de gargalhada, nunca mais deixaria de ouvi-los, ressoavam em seu peito. E uma dor aguda, aguda e eterna. Daquela vez não tinha jeito, comandante Georges Dias Nadreau: rompera-se por dentro o velho marinheiro, jamais voltaria a erguer-se sua crista. Dobrado à tristeza, era o riso da cidade.

Quando dona Amparo veio chamá-lo para o jantar, encontrou-o na mesma posição, largado na rede. Nem a túnica retirara.

Não, não queria comer. Dona Amparo era mulher de larga experiência da vida, proclamada por hóspedes e vizinhos. Não lhe parecia doença do corpo o que ele tinha, diagnosticou com acerto e segurança. Aquilo era desgosto, e dos grandes. Morte de filho único, talvez. Mais provável, porém, abandono do lar pela mulher. Casado com moça nova, certamente, chegara em casa e só encontrara a notícia: ela arribara, levando os móveis e a alegria do pobre homem. Dona Amparo conhecia vários casos desses.

Não queria tomar um trago, pelo menos, para levantar as forças e combater o calor? Para calor e mulher fujona nada igual a uma cachacinha. Um trago? Aceitou num gesto de cabeça. Ela trouxe logo a garrafa, um trago não bastava para sua necessidade.

Fora Vasco bebedor de fama nos seus tempos. Ultimamente, porém, reduzira-se ao grogue quente, com tanto requinte preparado em sua casa de Periperi. Emborcou a garrafa como o fazia em moço, bebeu sem medida e sem vacilação. Conservava ainda um resto daquela resistência antiga, pôde manter-se nas pernas e ir à sala de jantar em busca de mais cachaça. Os hóspedes, seringueiros do interior, olharam-no curiosos. Dona Amparo explicou, quando, empunhando a nova garrafa, ele saiu pelo corredor:

— Coitado! Um caso de dar pena. Um homem desses, idoso, fardado e tudo, e a mulher, uma vagabunda, fugiu com um cabo, sujeitinho sem serventia nenhuma. O pobre ficou assim... Esse mundo é enganador e triste.

Vasco adormeceu, de sono profundo e sem sonhos, com o calor e a cachaça. Mal pôde arrancar os sapatos e a túnica. Não chegou a retirar as calças e a camisa. O último gole, ele o tomou já meio dormido.

Foi ele, assim, o único dos habitantes da cidade de Belém do Grão-Pará a não sentir no coração, naquela noite, o terror supremo, o frio da morte, a sensação do fim inapelável. Porque, quando dona Amparo e os demais hóspedes saíram porta afora, estremunhados e clamando a Deus, não se lembraram sequer de sua existência. Raros foram os que, na hora fatal, recordaram-se de pai e mãe, de esposa e filhos.

Porque, naquela noite, inesperado e fulminante, sem previsão alguma, derrotando os sábios do Serviço Meteorológico, contrariando as previsões do tempo, assombrando os rudes e velhos marinheiros, desencadeou-se sobre o porto e a cidade de Belém temporal nunca visto, furacão sem exemplo, a maior tempestade de todos os tempos na história daqueles mares do equador.

Vieram os ventos furiosos, desatados. Vinham com raiva, zunindo de ódio, apressados e inclementes. Dos quadrantes do mundo vinham num tufão de vingança, dispostos a tudo destruir para salvar o sonho.

Veio o ardente simum com o fogo do deserto, levantando as areias como espantosa muralha. As monções chegaram do oceano Índico, por onde tanto navegara o comandante, vinham em cerrado grupo e arrancavam as casas de seus alicerces, revolteando-as no ar como folhas mortas de árvores. Negro, a assoviar uma canção de morte, harmatã chegou da África, em rodopios, e desamarrou paquetes, atirando-os contra o cais, rompendo-lhes os mastros e os bueiros. Os ventos alísios naufragaram barcos, veleiros e jangadas. O mistral tomou do iate vindo da Guiana Francesa e, numa brincadeira macabra, colocou-o de volta a navegar, rasgou-lhe as velas, arrancou-lhe o leme, arremessando-o para os lados de Marajó, onde as espantadas tartarugas invadiam aldeias. O frio da morte a pairar sobre a cidade veio das estepes da Sibéria nas asas brancas dos ventos do inverno glacial. Vinham de longe, traziam meia hora de atraso, mas quando chegaram foi o fim do mundo. Os ventos do nordeste, o terral e o aracati, ocuparam-se do barco inglês e do navio do Lloyd, desamarrando-os de suas insuficientes amarras, batendo um contra o outro num rumor de cascos rotos. O vento aracati jogou o navio do Lloyd mar afora, sem mastros, cobertas, tombadilho. O terral, nacionalista apaixonado, demorou-se a maltratar o cargueiro inglês, passando sua língua de faca afiada pela garganta dos loiros marinheiros, sua língua de morte nordestina. Terral naufragou o cargueiro perto do cais, num torvelinho, para que ali ficasse plantado como lembrança e advertência.

Com os ventos, chegaram as chuvas vindas dali mesmo, de perto, da linha do equador onde dormiam nas florestas úmidas, trazendo todas as águas estagnadas da maleita, do tifo, da bexiga negra. Vieram e transformaram a cidade em milhares de rios, riachos, ribeirões e córregos. O rio Amazonas começou a inchar, a comer terra com seus dentes ávidos de água, a fabricar ilhas e cadáveres. A pororoca tanto ampliou seu grito que ele mediu quilômetros de pavoroso som e foi ouvido nas costas da África, na cidade de Dakar e em perdidos povoados onde trêmulos selvagens reconheceram o grito de guerra de Xangô.

O povo abandonava as casas, o trovão rugia, a luz elétrica fora substituída pelos raios, e eram tantos os relâmpagos, sucedendo-se um após o outro, que tudo foi possível ver-se, o ruir das casas, carroças e automóveis levados pelas águas, gaiolas partindo rio adentro sem comando, indo encalhar nas repentinas ilhas recém-descobertas na terra arrancada das barrancas. Ia o povo pela rua em desespero, soltaram-se os ladrões e os assassinos, ajoelhavam-se homens e mulheres a rezar inventadas orações, um padre tentou organizar às pressas uma procissão, encheram-se as igrejas, era o tumulto do juízo final.

E os navios antes atracados ao cais, suspendidos nas mãos dos ventos de todos os quadrantes, arrancados de suas amarras, ficaram ao deus-dará da tempestade. E as chuvas a caírem, os pobres a chorar, os ricos a ranger os dentes.

Durou tudo apenas duas horas, e, se uma hora mais durasse, teria desaparecido do mapa a cidade de Belém com seus azulejos portugueses e sua graça antiga.

Desapareceria a cidade de Belém, engolida pelo dilúvio, levada pelo tufão, mas continuaria o ita a seus cais amarrado, com todas aquelas amarras ordenadas pelo comandante Vasco Moscoso de Aragão, capitão-de-longo-curso, único entre todos os velhos marinheiros capaz de prever a tempestade e de contra ela precaver o seu navio. Ali, firme no cais, imóvel e inamovível, com as suas amarras todas amarrado.

Tão inesperada e brusca como chegou, assim, de repente, se foi a tempestade. O ar ficou puro e leve, e a verdade então pairou no firmamento.

Passado o medo, os homens pobres começaram a contar os mortos e os desaparecidos, os homens ricos a contar os prejuízos. Os mortos eram poucos, os desaparecidos vários, montavam os prejuízos a milhões e milhões. Havia o perigo das febres na cidade agora sem esgotos. O cais da Port-of-Pará era um monte de destroços. Impávido, em meio à destruição, o ita de proa altaneira, salvo por seu comandante.

Quando, já alta a manhã, finalmente chegaram o representante da Costeira, os oficiais de bordo e o povo, à pensão de dona Amparo, cuja descoberta tanto lhes custara, Vasco ainda dormia, inocente de tudo. O povo, que na véspera rira e chorara, gritava vivas na manhã de sol. Dona Amparo chamou à porta do quarto de Vasco, já refeita do terror da noite. Ele acordou, mas como escutasse os ecos do vozerio, pensou ser tão malvada aquela gente que ali vinha descobri-lo e insultá-lo.

Tanto bateram à porta, tanto chamaram por seu nome, que terminou por abrir e enfrentá-los: a barba por fazer, os pés vestidos de meias, as calças amassadas, a língua pastosa da cachaça. Viu o imediato em sua frente, comprimia-se o povo pelo corredor.

Naquela hora já o telégrafo nacional e o cabo submarino transmitiam, para o país inteiro e para os cinco continentes, a notícia do imenso cataclismo e do gênio do comandante Vasco Moscoso de Aragão, único a prever a tempestade e a salvar o seu navio. Telegramas publicados em manchetes nos jornais da Bahia, durante dias seguidos, avidamente lidos em Periperi, decorados por Zequinha Curvelo. Inclusive os que contavam a homenagem prestada ao invencível capitão-de-longo-curso, pela Companhia Costeira: emocionante festa a bordo do ita por ele salvo e no qual regressava a Salvador. Foi-lhe entregue um diploma recordando o feito e comemorativa medalha de ouro de lei. Da ponte de comando ele fitava o mar: de crista levantada, modesto, ele sorria.

DA MORAL DA HISTÓRIA E DA MORAL CORRENTE

E AQUI APORTO AO FIM DO MEU TRABALHO, desta pesquisa em tão controvertida história. Que posso acrescentar? Notícias da chegada do comandante ao cais da Bahia, com banda de música a esperá-lo, representante do governador, o capitão dos portos e Américo Antunes em delirante euforia? Contar dos seus retratos nos jornais, do discurso que foi obrigado a pronunciar no rádio, ainda a bordo? De seu triunfal desembarque em Periperi, no trem das duas, sob foguetório e vivas, levado nos ombros dos amigos até a casa de janelas verdes sobre o mar? Os adversários da véspera eram agora seus mais entusiastas admiradores, menos Chico Pacheco, que preferira mudar-se; não cabiam ali, ao mesmo tempo, ele com seu processo e o comandante com sua glória. Dizer da emoção de Zequinha Curvelo ao receber o cinzeiro com a foto do ita gravada na cerâmica? Das perguntas que lhe fizeram, atropeladas? Das exigências para que contasse tudo, detalhe por detalhe, sem esquecer nenhum? A conversa, à noite, na grande sala do telescópio, quando recordou Clotilde? Foi um momento de lirismo:

— Tão bonita... E com tanto rapaz a bordo, foi olhar para mim, tomada de paixão... Não tinha mais de vinte anos, eu dizia-lhe Clô ao luar, no tombadilho, tinha os cabelos escorridos e a pele cobreada, mameluca do Amazonas... Veio me tirar para dançar com ela, imaginem. Apareceu no cais para me dizer adeus na hora da partida.

Como vêem, já novamente torna-se difícil distinguir a verdade, despi-la dos véus da fantasia. Afinal, a quem amara o comandante, a quem se declarara na noite da grande lua, na coberta? A Clotilde, a Grande Baqueana, madura e com chiliques, ou à agreste e impudica Moema, cuja mão amparara seu braço na hora difícil, a mameluca com urgência de chegar a seu dramático destino? Quanto a mim, não sei e desisto de saber.

Uma coisa parece-me certa, no entanto, e digna de registro: se o destino ficou ao lado do comandante e o favoreceu, não deve ser esquecida nessa ajuda a ruptura de seu noivado com Clotilde. Já imaginaram a Grande Baqueana em Periperi, a infernar a vida do subúrbio, a tocar ao piano árias de óperas e sonatas, a fazer da gloriosa velhice do capitão-de-longo-curso um mísero dia-a-dia de pequenas brigas, limitações, chiliques, calundus? Não teria vivido ele, honrado e feliz, os oitenta e dois anos que viveu, se concretizasse noivado e casamento, a desgraçada idéia de trazê-la a reboque.

Assim, nada mais tenho a contar, minha tarefa está finda. Vou enviar este trabalho — custou-me esforço e sofrimento — ao júri nomeado pelo diretor do Arquivo Público. Se obtiver o prêmio, comprarei um vestido para Dondoca e um vaso onde colocar flores; está fazendo falta um troço desses na saleta clara da casinha do beco das Três Borboletas.

Não se espantem e permitam que lhes relate os últimos acontecimentos nessa frente da minha batalha pela vida. O meritíssimo veio às boas, vivemos os três agora em perfeito entendimento e em paz. Aconteceu ter dona Ernestina, digna e gorda esposa do ilustre luminar, descoberto (carta anônima, com certeza) aquela noturna ida do dr. Siqueira à casa de Dondoca. Não lhe salvaram os óculos negros e o chapéu desabado. O Zepelim entrou em fúria, parecia a tempestade de Belém. Não restou ao juiz aposentado outra solução senão mentir. Fora àquela casa de moral suspeita, é verdade. Mas o fizera para cumprir um dever e ajudar um amigo. O dever de evitar um escândalo em Periperi; o amigo a ajudar era este modesto historiador provinciano. Não sabia ela, Ernestina, que o pai dessa lastimável rapariga, Pedro Torresmo, jurara invadir a casa onde a filha e o amante coabitam? Ao ter notícia dessas ameaças, e inquieto pela vida e reputação do rapaz, ali fora, forçando sua natureza e seus princípios, para avisá-lo. Nobre atitude, dela não se envergonhava.

Mas o Zepelim exigiu provas e foi obrigado o meritíssimo a rastejar a meus pés, pedir-me desculpas, suplicar-me que voltasse a dividir com ele o leito e os dengues de Dondoca, assumindo eu, no entanto, perante a agitada matrona sua esposa, a responsabilidade inteira da mulata. Aceitei, para servi-lo, como lhe fiz ver, sem deixar transparecer minha alegria, a festa a irromper pelo meu peito. Pois já me encontrava quase disposto a cair nos braços da Sensitiva Baqueana, aquela maduríssima viúva e veranista de quem tracei o perfil em páginas anteriores. Tão necessitado andava. Mas foi nos braços de Dondoca que pude minha fome saciar.

Desde então corre tudo no melhor dos mundos, somos três almas irmãs, o meritíssimo, Dondoca e eu, a conversar e a rir, a levar essa vida para a frente, enquanto nos permitem os estadistas, a se ameaçarem com foguetes e bombas de hidrogênio. Um dia, por descuido, uma bomba explode e nós pagaremos as custas do processo.

Voltando, porém, ao comandante e às suas aventuras, objeto único, repito, destas pálidas letras, confesso chegar ao fim de sua história imerso em confusão e dúvida.

Afinal, digam-me os senhores com suas luzes e sua experiência, onde está a verdade, a completa verdade? Qual a moral a extrair desta história por vezes salafrária e chula? Está a verdade naquilo que sucede todos os dias, nos cotidianos acontecimentos, na mesquinhez e chatice da vida da imensa maioria dos homens ou reside a verdade no sonho que nos é dado sonhar para fugir de nossa triste condição? Como se elevou o homem em sua caminhada pelo mundo: através do dia-a-dia de misérias e futricas, ou pelo livre sonho, sem fronteiras nem limitações? Quem levou Vasco da Gama e Colombo ao convés das caravelas? Quem dirige as mãos dos sábios a mover as alavancas na partida dos esputiniques, criando novas estrelas e uma lua nova no céu desse subúrbio do universo? Onde está a verdade, respondam-me por favor: na pequena realidade de cada um ou no imenso sonho humano? Quem a conduz pelo mundo afora, iluminando o caminho do homem? O meritíssimo juiz ou o paupérrimo poeta? Chico Pacheco, com sua integridade, ou o comandante Vasco Moscoso de Aragão, capitão-de-longo-curso?

Rio, janeiro de 1961

Os poderes da imaginação

Fábio Lucas

Como inserir *Os velhos marinheiros* no conjunto da obra de Jorge Amado? Trata-se de um dos romances mais empolgantes do autor, contém quase todos os ingredientes de sua imaginação criadora. Compreende um núcleo central e inúmeras ramificações que levam o leitor a uma viagem prazerosa, na companhia das mais surpreendentes personagens e circunstâncias. O critério de verossimilhança faz que o autor mencione ruas, bairros, cidades e acidentes geográficos da vida real e, até, agregue à fantasia escritores conhecidos como Luiz Henrique Dias Tavares e Sérgio Buarque de Holanda, na qualidade de fiadores do pacto de autenticidade do enredo. Nada se perde, entretanto. O controle que o romancista exerce sobre o todo e os mais modestos pormenores faz que estes renasçam funcionalmente no momento e na situação adequada da narrativa. O romance afasta-se, discreto, do engajamento da primeira fase do escritor.

Jorge Amado utiliza a ironia e o humor na construção de *Os velhos marinheiros*, alimentando o romance da estratégia narrativa da tradição ibérica: explorar o descompromisso do protagonista com o meio físico e social, sempre disposto que o actante se mostra a estar a caminho, na estrada, e a se deslocar de cada ambiente, enquanto usa do poder de persuadir e simular para conseguir ascensão na sociedade rigidamente estratificada. Por detrás do modelo narrativo desponta a novela picaresca.

Jorge Amado intitula cada capítulo e subcapítulo da obra com largos dizeres e insinuações, preparando o leitor para, na leitura, inteirar-se do clima de franca relativização de valores e conceitos. Cria, para o leitor, a expectativa-chave da boa narrativa: depois da arrojada aventura, mais aventuras...

A tudo isso se agrega o envolvimento do titular da narrativa, já que, em alguns dizeres que encimam cada capítulo ou subcapítulo, nomeia-se expressamente o narrador. Mais ainda: esse narrador, que em princípio permaneceria alheio ao destino da trama, não se basta com os comentários soltos ou motivos livres, mas insere-se soberanamente no curso dos acontecimentos e entra a interagir com algumas personagens.

Tal liberdade de articulação torna mais viva a ação narrativa e denuncia a estratégia do autor no sentido de desmistificar as regras de fixar o foco narrativo. Ao enfatizar a graça e as pilhérias que cercam as palavras, condutas e limites supostamente éticos do protagonista e de seus comparsas, Jorge Amado utiliza a força do acaso e o descompromisso das personagens como arquitetos de uma estória empolgante. Ficam de fora os determinismos religiosos ou políticos.

A simplicidade do repertório lexical e a fluência funcional dos diálogos e das decisões comportamentais ajudam a aproximar o texto escrito da retórica e espontaneidade da expressão oral, com seus coloquialismos designativos do estrato social a que pertence cada actante.

Quantas vezes o narrador vira personagem? Comecemos pelo passo inicial do romance, que se intitula rebuscadamente *A completa verdade sobre as discutidas aventuras do comandante Vasco Moscoso de Aragão*. Logo a seguir, o narrador comparece à primeira enunciação subtitular do primeiro episódio: "De como o narrador, com certa experiência anterior e agradável, dispõe-se a retirar a verdade do fundo do poço".

Desde então, aparentemente, o autor delega ao narrador, personagem, o encargo de relatar, em primeira pessoa, a verdade em torno do Comandante Vasco Moscoso de Aragão e "de suas extraordinárias aventuras".

Surge, assim, a digressão inaugural do romance, referente à verdade e ao fundo do poço. Dois tópicos que serão satirizados o tempo todo, quer no conteúdo da forma, quer na forma do conteúdo. O fim será proceder à erosão de conceitos e atitudes que relativizam a verdade e a sua mais profunda essência, buscada no fundo do poço. O leitor perceberá, à primeira vista, a mistura de graça e seriedade do romance, já aureolado de verdadeira farsa.

A atmosfera de destempero e de pleno relaxamento lógico se pronuncia no capítulo "Onde Dondoca põe chifres morais no narrador". Já se vê que o narrador vem a ser integrante da fantasia, tão idealizado quanto Dondoca. Só para selar essa observação, veremos que, adiante, no capítulo "Onde o narrador, atrapalhado e oportunista, recorre ao destino", o narrador, já transformado em personagem, conta a polarização das opiniões de Periperi, bairro periférico de Salvador, entre a versão do próprio Comandante, que se deu como Capitão-de-longo-curso, e a de Chico Pacheco, contestador do novo habitante do lugar, a seu ver um arrematado embusteiro, sem nenhuma experiência do mar, muito menos de comandante.

O enredo, de rápido e inevitável envolvimento, conduz o leitor a divertidos espantos. É que Jorge Amado leva a extremos sua capacidade de hipertrofiar condutas e de caricaturar os padrões de comportamento das personagens, desarmando com sutileza o que há de mecânico e interesseiro em cada jogada em direção ao bem-estar ocioso.

O principal conjunto de habitantes do arrabalde vem a ser o de aposentados e retirados de negócios, associados aos aventureiros e suas vítimas, que oscilam entre exibicionismos e ocultamentos.

A lenta urdidura dos eventos narrados legitima a filosofia inerente a um dos comentários livres do texto: "Mas tudo no mundo tem um fim, mesmo o segredo mais bem guardado. Tudo termina por conhecer-se, todo o mistério encontra um dia sua explicação".

Os atributos mais evidentes de Vasco Moscoso de Aragão acumularam fatores positivos ante os olhos da população, que lhe granjeava alta reputação: fortuna, a condição de solteiro, a sorte no jogo, o charme perante as mulheres e a inata simpatia. Enfim, um folgazão de risonha bonomia, contador de casos ardentes de conquistas e heroísmos.

Quanto ao status de Capitão-de-longo-curso e, depois, de comandante de navio mercante, deveu-se à ajuda astuciosa de amigos de farras, freqüentadores das altas esferas do poder e das casas de mulheres da vida. Por aí se infiltra igualmente a sátira, que Jorge Amado desenvolve, sobre as galas, as pompas e as falsidades do poder. Entre os protetores, o comandante Georges Dias Nadreau. E também Pedro de Alencar, coronel; Jerônimo, doutor; Lídio, tenente. E mais o tenente Mário e o tenente Garcia. Todos envolvidos na burla de conceder-lhe um título, mercê de falsa tese de concurso e de exames orais perante uma comissão julgadora, consistentes em meras respostas decoradas a perguntas previamente conhecidas. Na tese cumpria-lhe tão-só assinar a descrição de uma viagem de Porto Alegre ao Rio de Janeiro, passando por Paranaguá e Florianópolis. Tudo uma tremenda maquinação jocosa. E Vasco reagiu estupefato a tudo aquilo: "Sentia os olhos úmidos, mal podia enxergar as letras. Nada no mundo igual à amizade, os amigos são o sal da terra".

Ao longo das intrigas desenha-se cada vez mais nítida a sátira aos poderes políticos e às relações amorosas improvisadas. Um exemplo bastante cômico é introduzido na trajetória do romance, acerca do trio amoroso: tenente-coronel Ananias Miranda, sua esposa Ruth e Arlindo Paiva, jovem terceiranista de direito. As conclusões do narrador-personagem são totalmente cínicas: "Primeiro: mesmo as melhores e mais puras intenções podem ser mal interpretadas. Segundo: não se deve confiar nos horários, por mais rígidos, nem sequer nos horários militares".

O título conferido ao Comandante Vasco tirou-o do sentimento de inferioridade perante os amigos e a sociedade. Tornou-se de tal modo auto-suficiente que, em dado momento, junto do governador, passou a desfilar mentalmente os seus delírios de grandeza, vendo-se ora militar, ora médico, ora advogado, ora conde junto ao Vaticano, ora engenheiro.

Construiu-se, portanto, consoante a rubrica do subtítulo, um velho marinheiro, sem navio e sem navegação.

Habilmente o narrador combina a dissolução dos poderes públicos com a vida boêmia dos farsantes, regada a muita bebida, sexo e despudor. Incrível é a descrição do enxoval do novo Capitão-de-longo-curso, face mais explícita do poder a que chegara. Eis Vasco Moscoso de Aragão de posse de títulos e fardas. Para o seu museu, adquirira diplomas honoríficos, peças históricas de navegação. Juntara comendas e leiloara raridades. Até o grau de cavaleiro da Ordem de Cristo, outorgado por sua majestade d. Carlos I, rei de Portugal e Algarves, conseguiu possuir.

A vida do Comandante se resumia em jogar pôquer e enrabichar-se por novas mulheres. Rondava pelos quarenta anos, quando, de súbito, dadas as circunstâncias, fora convocado a comandar um navio. O romance atinge, nesse ponto, o seu ápice.

Àquela altura, o leitor atento terá percebido algo que ainda não sublinhamos. É que o vazio da vida da personagem Vasco Moscoso de Aragão estará sempre preenchido por uma faculdade que o distingue: a capacidade de sonhar e de persuadir por meio dos relatos. Assim, as grandes viagens do Capitão-de-longo-curso nasciam de sua imaginação e construíam o imenso repertório de sua reputação. Era, sem dúvida, um romancista, tão poderoso e astuto quanto o seu criador.

Apenas um exemplo ilustrativo: narra-se o Comandante Vasco num bar, em companhia de um fazendeiro do Pilão Arcado que desejava saber do Japão, da China e das mulheres. O Capitão nega a versão pilhérica das mulheres peladas: "Com o xibiu atravessado". Ante a pergunta "O senhor andou com muitas?", veio a voz do Comandante:

> — Uma vez em Shangai saí pela rua sem destino... Num beco esconso deparei com uma chinesa chorando. Chamava-se Liú...
>
> Acendiam-se os olhos do rude sertanejo, enquanto o Comandante Vasco Moscoso de Aragão perdia-se nos mistérios de Shangai, em vertigens de ópio, conduzido por Liú, uma chinezinha de laca e de marfim.
>
> Caía a tarde sobre o largo da Sé, o sangue do crepúsculo nas pedras negras da velha igreja. Vasco tomava a mão de Liú, iniciava sua viagem.

Os velhos marinheiros oferece ao leitor vários subtextos. O Comandante Vasco, por exemplo, em dado momento, surpreende um trapaceiro, dr. Stênio, a fraudar políticos e fazendeiros ricos no jogo de pôquer. Compromete-se a expulsá-lo do navio no primeiro porto e dá-lhe em particular uma lição de moral. E desapropria dele um sofá de porcelana com róseos namorados de mãos dadas, que ele havia ganhado honestamente num sorteio a bordo. O comandante guardou o objeto para si, com o fito de presentear com ele a passageira por quem se apaixonara. Queria galantear Clotilde, madura senhora ainda desejável, em viagem pelo litoral.

O narrador se avoluma nos títulos: "Onde o narrador interrompe a história sem nenhum pretexto mas na maior aflição". No final, a narrativa dá o salto mais ousado, cujo clima e circunstâncias privilegiam o destino e a sorte. Trata-se de uma trama de equívocos bem-sucedidos, que somente um grande narrador pode articular com êxito. O deus do acaso mais uma vez socorre involuntariamente o Comandante Vasco Moscoso de Aragão. Uma lição de fim feliz, no relato de um evento infausto. A vida do Comandante passa a assemelhar-se às estórias que ele desenvolveu ao longo do curso de seu destino, narrado pela verve do seu historiador.

O que temos, na verdade, é o estudo da capacidade persuasiva do discurso que, por sua vez, dá nascimento à imitação do mundo real. O ajustamento dos episódios descritos aos interesses da narrativa legitima o pacto de verossimilhança estabelecido entre o autor e o leitor. Passa a vigorar o real da ficção, brotado, entretanto, das conexões entre a paisagem física do Brasil e o molde lábil da psicologia do brasileiro (em particular do baiano) e as incríveis aventuras do Capitão-de-longo-curso, criação do autor em co-autoria com o narrador-personagem. Um belo momento da ficção brasileira.

Fábio Lucas é escritor, crítico literário, membro das Academias Paulista e Mineira de Letras e presidente do conselho da União Brasileira de Escritores.

cronologia

Os velhos marinheiros começa em 1929, momento em que Vasco Moscoso de Aragão chega a Periperi, subúrbio de Salvador, mas a trajetória do herói conduz a história ao final do século XIX, quando o título de capitão-de-longo-curso lhe foi concedido por d. Carlos I (aclamado rei de Portugal em 1889 e morto em 1908). Rico em referências históricas e culturais, o romance também cita a Guerra do Paraguai (1864-70); a obra *História da Bahia*, publicada em 1959 pelo historiador baiano Luiz Henrique Dias Tavares, amigo e companheiro político de Jorge Amado; e a canção "Peguei um ita no norte", gravada por Dorival Caymmi em 1945.

1912-1919

Jorge Amado nasce em 10 de agosto de 1912, em Itabuna, Bahia. Em 1914, seus pais transferem-se para Ilhéus, onde ele estuda as primeiras letras. Entre 1914 e 1918, trava-se na Europa a Primeira Guerra Mundial. Em 1917, eclode na Rússia a revolução que levaria os comunistas, liderados por Lênin, ao poder.

1920-1925

A Semana de Arte Moderna, em 1922, reúne em São Paulo artistas como Heitor Villa-Lobos, Tarsila do Amaral, Mário e Oswald de Andrade. No mesmo ano, Benito Mussolini é chamado a formar governo na Itália. Na Bahia, em 1923, Jorge Amado escreve uma redação escolar intitulada "O mar"; impressionado, seu professor, o padre Luiz Gonzaga Cabral, passa a lhe emprestar livros de autores portugueses e também de Jonathan Swift, Charles Dickens e Walter Scott. Em 1925, Jorge Amado foge do colégio interno Antônio Vieira, em Salvador, e percorre o sertão baiano rumo à casa do avô paterno, em Sergipe, onde passa "dois meses de maravilhosa vagabundagem".

1926-1930

Em 1926, o Congresso Regionalista, encabeçado por Gilberto Freyre, condena o modernismo paulista por "imitar inovações estrangeiras". Em 1927, ainda aluno do Ginásio Ipiranga, em Salvador, Jorge Amado começa a trabalhar como repórter policial para o *Diário da Bahia* e *O Imparcial* e publica em *A Luva*, revista de Salvador, o texto "Poema ou prosa". Em 1928, José Américo de Almeida lança *A bagaceira*, marco da ficção regionalista do nordeste, um livro no qual, segundo Jorge Amado, se "falava da realidade rural como ninguém fizera antes". Jorge Amado integra a Academia dos Rebeldes, grupo a favor de "uma arte moderna sem ser modernista". A quebra da bolsa de valores de Nova York, em 1929, catalisa o declínio do ciclo do café no Brasil. Ainda em 1929, Jorge Amado, sob o pseudônimo Y. Karl, publica em *O Jornal* a novela *Lenita*, escrita em parceria com Edson Carneiro e Dias da Costa. O Brasil vê chegar ao fim a política do café-com-leite, que alternava na presidência da República políticos de São Paulo e Minas Gerais: a Revolução de 1930 destitui Washington Luís e nomeia Getúlio Vargas presidente.

1931-1935

Em 1932, desata-se em São Paulo a Revolução Constitucionalista. Em 1933, Adolf Hitler assume o poder na Alemanha, e Franklin Delano Roosevelt torna-se presidente dos Estados Unidos da América, cargo para o qual seria reeleito em 1936, 1940 e 1944. Ainda em 1933, Jorge Amado se casa com Matilde Garcia Rosa. Em 1934, Getúlio Vargas é eleito por voto indireto presidente da República. De 1931 a 1935, Jorge Amado freqüenta a Faculdade Nacional de Direito, no Rio de Janeiro; formado, nunca exercerá a advocacia. Amado identifica-se com o Movimento de 30, do qual faziam parte José Américo de Almeida, Rachel de Queiroz e Graciliano Ramos, entre outros escritores preocupados com questões sociais e com a valorização de particularidades regionais. Em 1933, Gilberto Freyre publica *Casa-grande & senzala*, que marca profundamente a visão de mundo de Jorge Amado. O romancista baiano publica seus primeiros livros: *O país do Carnaval* (1931), *Cacau* (1933) e *Suor* (1934). Em 1935 nasce sua filha Eulália Dalila.

1936-1940

Em 1936, militares rebelam-se contra o governo republicano espanhol e dão início, sob o comando de Francisco Franco, a uma guerra civil que se alongará até 1939. Jorge Amado enfrenta problemas por sua filiação ao Partido Comunista Brasileiro. São dessa época seus livros *Jubiabá* (1935), *Mar morto* (1936) e *Capitães da Areia* (1937). É preso em 1936, acusado de ter participado, um ano antes, da Intentona Comunista, e novamente em 1937, após a instalação do Estado Novo. Em Salvador, seus livros são queimados em praça pública. Em setembro de 1939, as tropas alemãs invadem a Polônia e tem início a Segunda Guerra Mundial. Em 1940, Paris é ocupada pelo exército alemão. No mesmo ano, Winston Churchill torna-se primeiro-ministro da Grã-Bretanha.

1941-1945

Em 1941, em pleno Estado Novo, Jorge Amado viaja à Argentina e ao Uruguai, onde pesquisa a vida de Luís Carlos Prestes, para escrever a biografia publicada em Buenos Aires, em 1942, sob o título *A vida de Luís Carlos Prestes*, rebatizada mais tarde *O cavaleiro da esperança*. De volta ao Brasil, é preso pela terceira vez e enviado a Salvador, sob vigilância. Em junho de 1941, os alemães invadem a União Soviética. Em dezembro, os japoneses bombardeiam a base norte-americana de Pearl Harbor, e os Estados Unidos declaram guerra aos países do Eixo. Em 1942, o Brasil entra na Segunda Guerra Mundial, ao lado dos aliados. Jorge Amado colabora na *Folha da Manhã*, de São Paulo, torna-se chefe de redação do diário *Hoje*, do PCB, e secretário do Instituto Cultural Brasil-União Soviética. No final desse mesmo ano, volta a colaborar em *O Imparcial*, assinando a coluna "Hora da Guerra", e em 1943 publica, após seis anos de proibição de suas obras, *Terras do sem-fim*. Em 1944, Jorge Amado lança *São Jorge dos Ilhéus*. Separa-se de Matilde Garcia Rosa. Chegam ao fim, em 1945, a Segunda Guerra Mundial e o Estado Novo, com a deposição de Getúlio Vargas. Nesse mesmo ano, Jorge Amado casa-se com a paulistana Zélia Gattai, é eleito deputado federal pelo PCB e publica o guia *Bahia de Todos os Santos*. *Terras do sem-fim* é publicado pela editora de Alfred A. Knopf, em Nova York, selando o início de uma amizade com a família Knopf que projetaria sua obra no mundo todo.

1946-1950

Em 1946, Jorge Amado publica *Seara vermelha*. Como deputado, propõe leis que asseguram a liberdade de culto religioso e fortalecem os direitos autorais. Em 1947, seu mandato de deputado é cassado, pouco depois de o PCB ser posto fora da lei. No mesmo ano, nasce no Rio de Janeiro João Jorge, o primeiro filho com Zélia Gattai. Em 1948, devido à perseguição política, Jorge Amado exila-se, sozinho, voluntariamente em Paris. Sua casa no Rio de Janeiro é invadida pela polícia, que apreende livros, fotos e documentos. Zélia e João Jorge partem para a Europa, a fim de se juntar ao escritor. Em 1950, morre no Rio de Janeiro a filha mais velha de Jorge Amado, Eulália Dalila. No mesmo ano, Amado e sua família são expulsos da França por causa de sua militância política e passam a residir no castelo da União dos Escritores, na Tchecoslováquia. Viajam pela União Soviética e pela Europa Central, estreitando laços com os regimes socialistas.

1951-1955

Em 1951, Getúlio Vargas volta à presidência, desta vez por eleições diretas. No mesmo ano, Jorge Amado recebe o prêmio Stálin, em Moscou. Nasce sua filha Paloma, em Praga. Em 1952, Jorge Amado volta ao Brasil, fixando-se no Rio de Janeiro. O escritor e seus livros são proibidos de entrar nos Estados Unidos durante o período do macarthismo. Em 1954, Getúlio Vargas se suicida. No mesmo ano, Jorge Amado é eleito presidente da Associação Brasileira de Escritores e publica *Os subterrâneos da liberdade*. Afasta-se da militância comunista.

1956-1960

Em 1956, Juscelino Kubitschek assume a presidência da República. Em fevereiro, Nikita Khruchióv denuncia Stálin no 20º Congresso do Partido Comunista da União Soviética. Jorge Amado se desliga do PCB. Em 1957, a União Soviética lança ao espaço o primeiro satélite artificial, o *Sputnik*. Surge, na música popular, a Bossa Nova, com João Gilberto, Nara Leão, Antonio Carlos Jobim e Vinicius de Moraes. A publicação de *Gabriela, cravo e canela*, em 1958, rende vários prêmios ao escritor. O romance inaugura uma nova fase na obra de Jorge Amado, pautada pela discussão da mestiçagem e do sincretismo. Em 1959, começa a Guerra do Vietnã. Jorge Amado recebe o título de obá Arolu no Axé Opô Afonjá. Embora fosse um "materialista convicto", admirava o candomblé, que considerava uma religião "alegre e sem pecado". Em 1960, inaugura-se a nova capital federal, Brasília.

1961-1965

Em 1961, Jânio Quadros assume a presidência do Brasil, mas renuncia em agosto, sendo sucedido por João Goulart. Yuri Gagarin realiza na nave espacial *Vostok* o primeiro vôo orbital tripulado em torno da Terra. Jorge Amado vende os direitos de filmagem de *Gabriela, cravo e canela* para a Metro-Goldwyn-Mayer, o que lhe permite construir a casa do Rio Vermelho, em Salvador, onde residirá com a família de 1963 até sua morte. Ainda em 1961, é eleito para a cadeira 23 da Academia Brasileira de Letras. No mesmo ano, publica *Os velhos marinheiros*, composto pela novela *A morte e a morte de Quincas Berro Dágua* e pelo romance *O capitão-de-longo-curso*. Em 1963, o presidente dos Estados Unidos, John Kennedy, é assassinado. O Cinema Novo retrata a realidade nordestina em filmes como *Vidas secas* (1963), de Nelson Pereira dos Santos, e *Deus e o diabo na terra do sol* (1964), de Glauber Rocha. Em 1964, João Goulart é destituído por um golpe e Humberto Castelo Branco assume a presidência da República, dando início a uma ditadura militar que irá durar duas décadas. No mesmo ano, Jorge Amado publica *Os pastores da noite*.

1966-1970

Em 1968, o Ato Institucional nº 5 restringe as liberdades civis e a vida política. Em Paris, estudantes e jovens operários levantam-se nas ruas sob o lema "É proibido proibir!". Na Bahia, floresce, na música popular, o tropicalismo, encabeçado por Caetano Veloso, Gilberto Gil, Torquato Neto e Tom Zé. Em 1966, Jorge Amado publica *Dona Flor e seus dois maridos* e, em 1969, *Tenda dos Milagres*. Nesse último ano, o astronauta norte-americano Neil Armstrong torna-se o primeiro homem a pisar na Lua.

1971-1975

Em 1971, Jorge Amado é convidado a acompanhar um curso sobre sua obra na Universidade da Pensilvânia, nos Estados Unidos. Em 1972, publica *Tereza Batista cansada de guerra* e é homenageado pela Escola de Samba Lins Imperial, de São Paulo, que desfila com o tema "Bahia de Jorge Amado". Em 1973, a rápida subida do preço do petróleo abala a economia mundial. Em 1975, *Gabriela, cravo e canela* inspira novela da TV Globo, com Sônia Braga no papel principal, e estréia o filme *Os pastores da noite*, dirigido por Marcel Camus.

1976-1980

Em 1977, Jorge Amado recebe o título de sócio benemérito do Afoxé Filhos de Gandhy, em Salvador. Nesse mesmo ano, estréia o filme de Nelson Pereira dos Santos inspirado em *Tenda dos Milagres*. Em 1978, o presidente Ernesto Geisel anula o AI-5 e reinstaura o *habeas corpus*. Em 1979, o presidente João Baptista Figueiredo anistia os presos e exilados políticos e restabelece o pluripartidarismo. Ainda em 1979, estréia o longa-metragem *Dona Flor e seus dois maridos*, dirigido por Bruno Barreto. São dessa época os livros *Tieta do Agreste* (1977), *Farda, fardão, camisola de dormir* (1979) e *O gato malhado e a andorinha Sinhá* (1976), escrito em 1948, em Paris, como um presente para o filho.

1981-1985

A partir de 1983, Jorge Amado e Zélia Gattai passam a morar uma parte do ano em Paris e outra no Brasil — o outono parisiense é a estação do ano preferida por Jorge Amado, e, na Bahia, ele não consegue mais encontrar a tranqüilidade de que necessita para escrever. Cresce no Brasil o movimento das Diretas Já. Em 1984, Jorge Amado publica *Tocaia Grande*. Em 1985, Tancredo Neves é eleito presidente do Brasil, por votação indireta, mas morre antes de tomar posse. Assume a presidência José Sarney.

1986-1990

Em 1987, é inaugurada em Salvador a Fundação Casa de Jorge Amado, marcando o início de uma grande reforma do Pelourinho. Em 1988, a Escola de Samba Vai-Vai é campeã do Carnaval, em São Paulo, com o enredo "Amado Jorge: A história de uma raça brasileira". No mesmo ano, é promulgada nova Constituição brasileira. Jorge Amado publica *O sumiço da santa*. Em 1989, cai o Muro de Berlim.

1991-1995

Em 1992, Fernando Collor de Mello, o primeiro presidente eleito por voto direto depois de 1964, renuncia ao cargo durante um processo de *impeachment*. Itamar Franco assume a presidência. No mesmo ano, dissolve-se a União Soviética. Jorge

Amado preside o 14º Festival Cultural de Asylah, no Marrocos, intitulado "Mestiçagem, o exemplo do Brasil", e participa do Fórum Mundial das Artes, em Veneza. Em 1992, lança dois livros: *Navegação de cabotagem* e *A descoberta da América pelos turcos*. Em 1994, depois de vencer as Copas de 1958, 1962 e 1970, o Brasil é tetracampeão de futebol. Em 1995, Fernando Henrique Cardoso assume a presidência da República, para a qual seria reeleito em 1998. No mesmo ano, Jorge Amado recebe o prêmio Camões.

1996-2000

Em 1996, alguns anos depois de um enfarte e da perda da visão central, Jorge Amado sofre um edema pulmonar em Paris. Em 1998, é o convidado de honra do 18º Salão do Livro de Paris, cujo tema é o Brasil, e recebe o título de doutor *honoris causa* da Sorbonne Nouvelle e da Universidade Moderna de Lisboa. Em Salvador, termina a fase principal de restauração do Pelourinho, cujas praças e largos recebem nomes de personagens de Jorge Amado.

2001

Após sucessivas internações, Jorge Amado morre em 6 de agosto de 2001.

Jorge Amado por Carlos Scliar, Rio de Janeiro, 1961

ACERVO FUNDAÇÃO CASA DE JORGE AMADO

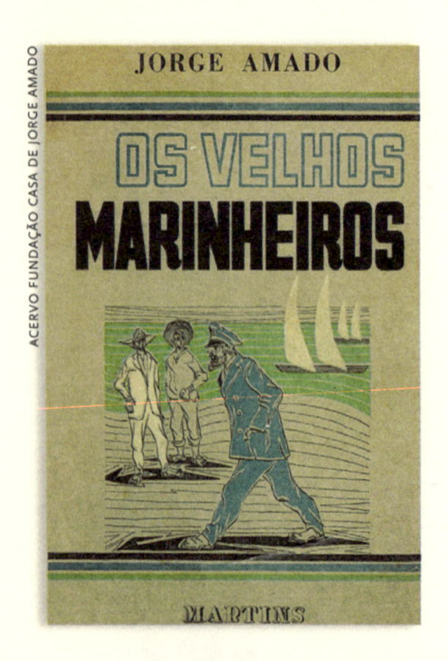

ACERVO FUNDAÇÃO CASA DE JORGE AMADO

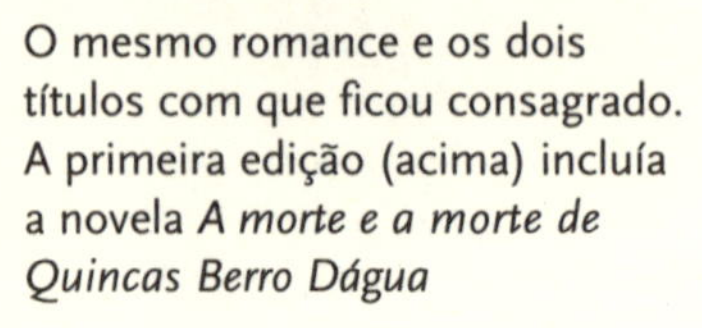
O mesmo romance e os dois títulos com que ficou consagrado. A primeira edição (acima) incluía a novela *A morte e a morte de Quincas Berro Dágua*

ACERVO FUNDAÇÃO CASA DE JORGE AMADO

siva do homem. Escondeu Dondoca o rosto envergonhado no ombro confortador, seus lábios faziam cócegas inocentes no pescoço ilustre.

Pedro Torresmo nunca foi encontrado, em compensação Dondoca ficou, desde aquela bem sucedida visita, sob a proteção da Justiça, anda hoje nos trinques, ganhou a casinha no bêco das Três Borboletas, o velho Simeão deixou definitivamente de trabalhar. Eis aí uma verdade que o farol do juiz não ilumina, foi-me necessário mergulhar no poço para buscá-la. Aliás, para tudo contar, a inteira verdade, devo acrescentar ter sido agradável, deleitoso mergulho, pois no fundo dêsse poço estava o colchão de lã de barriguda do leito de Dondoca onde ela me conta --depois que abandono, por volta das dez da noite, a prosa erudita do meretíssimo e de sua volumosa consorte-- divertidas intimidades do preclaro magistrado, infelizmente impróprias para letra de fôrma.

Possuo, como se comprova, certa experiência no assunto, não é a primeira vez que investigo a verdade. Sinto-me assim, sob a inspiração do juiz --"é dever de todos nós procurar a verdade de cada fato"--, disposto a desenrolar o novêlo das aventuras do comandante, esclarecendo de vez e para sempre questão tão discutida e complicada. Não se trata apenas das linhas embaraçadas de um novêlo: é bem mais complicado. Pelo meio existem nós cegos, nós de marinheiros, pontas soltas, pedaços cortados, linha de outra côr, coisas acontecidas e coisas imaginadas, e onde a verdade de tudo isso? Na época em que tudo sucedeu, há mais de trinta anos passados, as aventuras do comandante e êle próprio eram o centro da vida de Periperi, dando lugar a ardentes discussões, dividindo a população, provocando inimizades e rancores, quase uma guerra santa. De um lado os partidários do comandante, seus admiradores incondicionais, de outro lado seus detratores, à frente o velho Chico Pacheco, fiscal do consumo aposentado, ainda memória recordada entre sorrisos, língua de prata, ferina, homem irreverente e cético.

A tudo isso, porém, chegaremos com tempo e paciência, a busca da verdade requer não sòmente decisão e caráter mas também bôa vontade e método. Por ora ainda estou na borda do poço,

Manuscrito de *Os velhos marinheiros*

Monotipia de Glauco Rodrigues para a primeira edição do livro. E estudo de capa feito por Carybé nos anos 80

ACERVO FUNDAÇÃO CASA DE JORGE AMADO

Jorge Amado terminou de escrever *Os velhos marinheiros* no Rio de Janeiro, em 1961, mas a idéia do personagem Vasco Moscoso de Aragão surgiu durante as férias na praia de Maria Farinha, em Pernambuco

FLÁVIO DAMM

ACERVO FUNDAÇÃO CASA DE JORGE AMADO

ACERVO FUNDAÇÃO CASA DE JORGE AMADO

Simone de Beauvoir, Oscar Niemeyer, Jean-Paul Sartre, James e Jorge Amado em Brasília, 1960. Jorge e Zélia também passearam com o casal francês pela Bahia, Rio de Janeiro, Minas Gerais e Ilha do Bananal, em visita aos índios carajás. Abaixo, Jorge com Dorival Caymmi e Vanja Orico, no Rio de Janeiro, em 1959

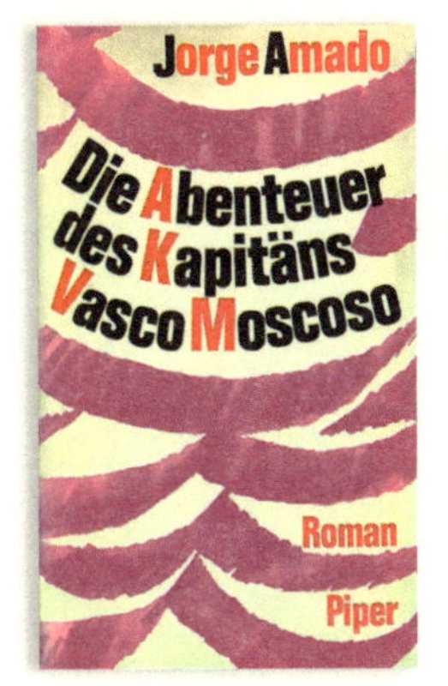

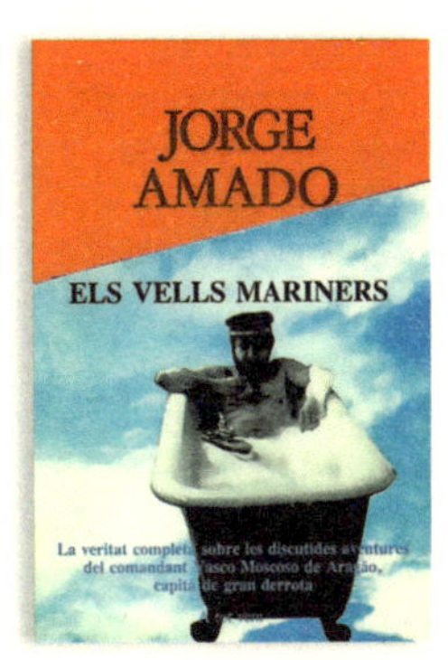

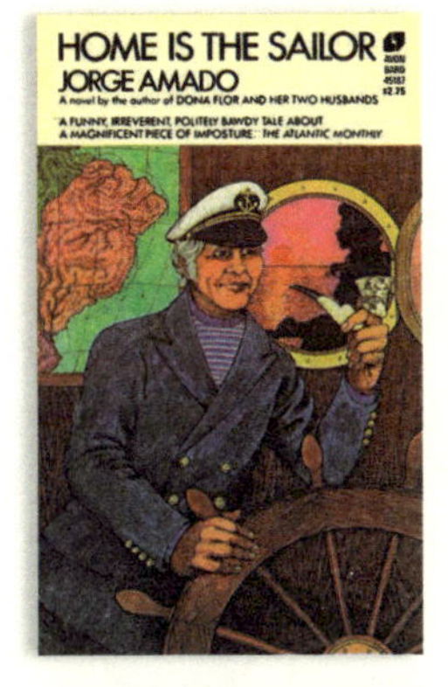

ACERVO FUNDAÇÃO CASA DE JORGE AMADO

Os velhos marinheiros mundo afora: capas japonesa, alemã, catalã, italiana, americana, russa, polonesa, búlgara e árabe

Em 1961, Jorge Amado é eleito para a Academia Brasileira de Letras: "Sentindo-me afogar pelo infame colarinho de celulóide, peço a Zélia uma tesoura, com urgência, e o reduzo a metade da altura, posso respirar. Tão grande a surpresa de Zélia, não lhe deu tempo de protestar e impedir o sacrilégio". (*Navegação de cabotagem*)

ACERVO FUNDAÇÃO CASA DE JORGE AMADO